THE

WINCHESTER TROPER

AMS PRESS

NEW YORK

THE

WINCHESTER TROPER

FROM MSS. OF THE Xᴛʜ AND XIᴛʜ CENTURIES

WITH OTHER DOCUMENTS
ILLUSTRATING THE HISTORY OF TROPES
IN ENGLAND AND FRANCE.

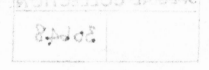

EDITED BY

WALTER HOWARD FRERE, M.A.

OF THE COMMUNITY OF THE RESURRECTION, RADLEY

LONDON.

1894.

Library of Congress Cataloging in Publication Data

Catholic Church. Liturgy and ritual.
    The Winchester troper.

        Reprint of the 1894 ed. published by Harrison and
sons, printers, London, which was issued as vol. 8 of
the publications of the Henry Bradsaw Society.
        Edited by Walter Howard Frere.
        1. Tropes (Music) I. Frere, Walter Howard, Bp.
of Truro, 1863-1938, ed. II. Winchester cathedral.
III. Title.
ML3080.C32T7   783.5   70-178507
ISBN 0-404-56530-1

Reprinted from the edition of 1894, London
First AMS edition published, 1973
Manufactured in the United States of America

AMS PRESS, INC.
New York, N.Y. 10003

INTRODUCTION.

IN early medieval times there were five books at least necessary for the performance of Mass in its most elaborate form —Sacramentary, Antiphonal, Epistle Book, Gospel Book and Troper,[1] and of these five the latter has in modern times received far the least attention. The reason is not far to seek, and it is a good one; the interest of Tropers is quite secondary, for while the history of the others goes back to the cradle of liturgical literature and continues till to-day, the Tropes were a later accretion and did not survive for longer than a few centuries. But though the Tropers are to the rest rather in the relation of an abortion to a living organism, there is a good deal which makes them worth study.

In the first place the ground is very little broken; many writers it is true have made passing allusion to Tropes and Tropers, some have given specimens extracted from the books themselves, and one important section of the contents of a Troper—the collection of Proses or Sequences—has received a great deal of attention; but so far as the present writer is aware no Troper, as such, has yet been printed, and in spite of the magnificent work which Gautier has expended on this study and the brilliant volume which contains the first instalment of his results, it is rare to find even among liturgical scholars a clear conception of what a Troper is.[2]

Again, the history of the Rise and Fall of Tropes is a very interesting chapter in the story of liturgical development, whatever one may think of the intrinsic value of the Tropes themselves. And it had after all its permanent results in more than

---

[1] The form Troper is adopted as representing the common English form Troperium and as involving no confusion with the Greek service-book, the τροπάριον.

[2] See Gautier *Histoire de la Poesie Liturgique au Moyen Age. Les Tropes* (Paris 1886). Reiners' work contains the Tropes of Prüm and Echternach, but with additional matter : some tropes are to be found in Georgi iii. 441–529 : see also Bona *Rerum Liturgicarum* II., iii–vi, x, xvi., Gerbert *De Cantu et Musica Sacra*, Guéranger *Institutions Liturgiques.* See List of Authorities, p. xliii.

one field ; not only did the Sequences win a permanent place for themselves in the domain of liturgy proper,[1] but in the domain of poetry and drama, both sacred and profane, a good deal is due to the efforts of the Trope-writers.

Lastly, for the musician the whole story is full of interest, for the Tropers practically represent the sum total of musical advance between the ninth and the twelfth century. As far as ecclesiastical music is concerned, the Roman chant for the Mass had assumed a fixed form in the course of the seventh century in the Gregorian Antiphonale Missarum : this collection had spread everywhere and moreover had become invested with such a sanctity that throughout this period it was considered out of the question to incorporate new music with it.[2] The same sort of sanctity surrounded also the music of the Divine Office, but to a less extent ; consequently all new developments in musical composition, failing to gain admission into the privileged circle of the recognised Gregorian service-books, were thrown together so as to form an independent music-collection supplemental to the official books ; and that is exactly what a troper is. Apart from ecclesiastical surroundings the art of music can hardly be said to have existed ; such secular music as existed was pure folk-music—the spontaneous outflow of the untutored soul of the people. It is then in the Tropers that the progress in the art of music must be traced for this period, and they form an important commentary on the theoretical works of the time.

In this introduction an attempt is made to deal briefly with some of the points of interest here sketched out :—(i) The History of the Rise and Fall of Tropes. (ii) The History of Tropers. (iii) The Winchester Tropers and other MSS. employed. (iv) A Critical Study of the Early Sequences ; and finally a brief summary of some special points of musical interest in the Winchester MSS.

§ i. History of the Rise and Fall of Tropes.

Vocal music has a place in public worship which is not at all necessarily dependent on its being united to words. In bygone days this was more frankly recognised than it is now, and long

---

[1] The revival of interest in Sequences began in Germany with the work of Daniel and Mone, and in England with Dr. Neale, who not only collected and published Sequences, but wrote a valuable critical essay on them, which was prefixed to the 5th vol. of Daniel's *Thesaurus ;* the collection of Kehrein included nearly all that had been published up to that date, 1873 ; two principal collections have been carrying on the work since that date, viz., those of Dreves, and of Misset and Weale.

[2] For detailed proof of this a reference may perhaps be permitted to the writer's Introduction to *Graduale Sarisburiense* pp. xx–xxxi.

melodies were in early times sung without words merely to some vowel sound. St. Austin bears witness both to the natural inclination to sing so, and to the fact that it was a known thing in his day :—

Ecce veluti modum cantandi dat tibi : noli quaerere verba quasi explicare possis unde Deus oblectetur : " in jubilatione " cane : . . . . quid est in jubilatione canere ? Intelligere, verbis explicare non posse quod canitur corde. Etenim illi qui cantant sive in messe, sive in vinea, sive in aliquo opere ferventi, cum coeperint in verbis canticorum exultare lætitia, veluti impleti tanta lætitia ut eam verbis explicare non possint, avertunt se a syllabis verborum et eunt in sonum jubilationis : jubilum sonus quidam est significans cor parturire quod dicere non potest. *Enarr. in ps. xxxii.* 1. 8.

Qui jubilat, non verba dicit, sed sonus quidam est lætitiæ sine verbis. . . . Gaudens homo in exultatione sua ex verbis quibusdam quæ non possunt dici et intelligi erumpit in vocem quandam exultationis sine verbis : ita ut appareat eum ipsa voce gaudere quidem, sed quasi repletum nimio gaudio non posse verbis explicare quod gaudet. *Enarr. in ps. xcix.* 4.[1]

Perhaps it is not unfair to quote St. Paul also as an authority on this point :—

I will sing with the spirit, and I will sing with the understanding also. 1 *Cor. xiv.* 15.

Certainly there still exists the same tendency to sing independently of words, and it underlies a good deal of unintelligent but not, therefore, irrational singing to-day ; perhaps, also, this is the simple explanation of the strange fact, that many hymns undoubtedly enjoy an enormous share of popularity which seems to be in direct proportion to their want of meaning.

The Gregorian Antiphonale Missarum recognises this tendency and provides a good deal to satisfy the craving for melodies without words. Such jubila occur at intervals on suitable vowels in the body of the music, especially in the Graduals and Offertories, and more conspicuous still are the jubila which occur uniformly on the last syllable of the Alleluia.

It is possible that part, at any rate, of the revision which St. Gregory carried out was directed towards smoothing and curtailing these jubila[2] : but whether this be so or not, it became clear by the eighth or ninth century that singers were not contented

---

[1] The whole passage is worth study for it works out the question in eloquent detail, cp. also *Enarr. in ps.* xcvii. 4.

[2] This seems not unlikely from the terms in which John the Deacon describes his work —" Antiphonarium centonem . . . . compilavit " : and (ii) from a comparison of the corresponding Ambrosian music-text : see Brit. Mus. Add. MS. 34,209, or the facsimiles of it in P.M. I. pll. i, xv., and compare P.M. II. pp. 6–9.

with the amount of jubila which the Gregorian music-text contained, and began to supplement these by importing new ones. So, side by side with the old chant, but distinct from it, there grew up new musical phrases or complete melodies prefixed, intercalated, or appended to the recognised music-text.[1]

Every new movement brings with it the signs of its own decay, and while on the one hand the jubila were becoming more and more popular owing to the desire for melodies without words, (combined no doubt with a mistaken wish to enrich and embellish the old chant), on the other hand these same jubila were being fitted with words, which were found to be necessary, or at least desirable, owing to the difficulty of remembering the melodies without them.

Here then springing out of these contradictory movements is the beginning of the Tropes. We can distinguish three different stages, (1) we meet the jubila without words, (2) we find words being supplied to already-existing jubila, and (3) at a later stage we find new words and new music being imported simultaneously. These distinctions must be borne in mind : but the single name Trope is a convenient word to use as a general term for both the words and the music which have grown up either separately or simultaneously as a kind of amplification of the normal text.

Of the various definitions of the term given by previous writers that of Martin Gerbert is the most complete—

Tropus, in re liturgica, est versiculus quidam aut etiam plures ante inter vel post alios ecclesiasticos cantus appositi.

Gautier's is the most pithy—Qu'est qu'un Trope ? C'est l'Interpolation d'un texte liturgique.[2]

But though these definitions make clear what a Trope is, and the sketch given above shows in broad outline how it came to exist, difficulties arise in profusion as soon as any attempt is made to trace out in greater detail the stages of the development. It will be best first of all to get some idea of the extent to which this process of interpolation prevailed, and of the various different forms included under the general term Trope.

No doubt the first interpolations were designed for the music of the Mass, and these are also by far the most considerable. They fall into two chief divisions (a) Tropes to the Ordinary— the Kyrie, Gloria in Excelsis, Sanctus and Agnus : these it is convenient to call the greater Tropes ; (b) Tropes to the variable elements—Introit, Alleluia, Offertory and Communion : these

---

[1] See Pothier *Les Mélodies Grégoriennes* chapter xi.
[2] Gerbert *De cantu et Musica Sacra* (St. Blaise 1774) i. 340. For other definitions see Gautier pp. 1, 2.

may be called the lesser Tropes ; but even so the list is not exhausted for the same process was applied to the Lessons—*i.e.*, the Prophecy and the Epistle, and to the Ite missa est or Benedicamus (p. 144).

In a less degree the same went on in the music of the Divine Office, mainly in the case of the Responds at Mattins : and from the Antiphonal it found its way into the music of the Processions, for the interpolations were more welcome in the Responds when sung in processions than in their original place at Mattins or Evensong.

But while this same process spread through the service-books it tried to disguise itself by adopting different names in different places : the following are the most common—

1. A Kyrie, after it had undergone the process, was said to be Kyrie 'cum farsura' or 'farsa.' And the interpolations were called 'Versus.' (p. 48.) The term farsura or farsa belonged in general to all the greater Tropes, but it was especially the term used in connection with the interpolations of the Lessons.

2. In the case of the Gloria in Excelsis they were generally known as ' Laudes '[1] (pp. 55–59), and the same term is applied to the Sanctus and Agnus (pp. 65, 67).

3. Turning now to the lesser Tropes we come to that part of the whole to which the term ' Trope ' is especially applicable ; it is the regular word to describe additions to the Introit, Offertory and Communion, and is also more rarely found in connection with the Ite missa est or Benedicamus at the close of Mass.

4. The word ' Sequentia ' is primarily a musical term ; it, therefore, is akin to the term jubilum already alluded to, and the term pneuma or neupma, and all three words strictly indicate a melody without words. Sequentia was the special name for the jubilum at the end of the Gregorian Alleluia, and was so used up to the ninth century,[2] and even later : it then was transferred to the non-Gregorian jubila, and when Notker (p. xxi) began to write words to these, he still gave them the musical name of Sequentia, which thus by an unfortunate confusion became a literary as well as a musical term, and came to be the name for a hymn or poem—a trope in fact to the Alleluia.

5. When the same thing took place in France a far better name was found in the word ' Prosa,' which more exactly

---

[1] Gautier, p. 51.

[2] See Ordo Romanus II. (Hittorp, col. 3.) Sequitur jubilatio quam sequentiam vocant : in P.L. lxxviii. 971, the words are omitted by Mabillon through his misunderstanding the term : the evidence of Amalarius so far from going against the words reinforces and explains them : see his *De divinis officiis* iii. 16. (Hittorp. 411) Haec iubilatio quam cantores sequentiam uocant statim illum (cantorem) ad mentem nostram ducit quando non erit necessaria locutis verborum, sed sola cogitatione meus menti monstrabit quod retinet in se.

expressed what had happened, viz. that words had been adapted to pre-existing music : this term went on side by side with Sequentia to express a trope at the end of the Alleluia, but when metrical compositions with new melodies written for them took their place side by side with the old non-metrical words adapted to the original jubila, the name Prosa was out of place and gave way gradually before the German rival term, Sequentia. The name Prosa, however, did not disappear: though partly dislodged from its main position it kept some subordinate positions of less prominence. (i) It appears as the name for a small interpolation between the Alleluia and its Verse. (ii) As the name for a trope to the Verse or Verses of the Offertory. (iii) It survives in the Breviary and Processional as the regular term for a trope to a Respond. (iv) It and its diminutive Prosula (or Prosunzola),[1] were even used in connexion with the greater Tropes.

6. Lastly the term 'Verba' was also used for the prose to the offertory Verse and for the interpolations in the body of the Alleluia.

This classification may thus be expressed in tabular form :—

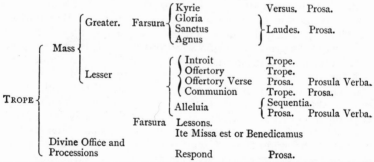

TROPE	**Mass**	Greater.	Farsura { Kyrie, Gloria, Sanctus, Agnus	Versus. Prosa. / Laudes. Prosa.	
		Lesser	(Introit	Trope.	
			Offertory	Trope.	
			Offertory Verse	Prosa.	Prosula Verba.
			Communion	Trope.	Prosa.
			Alleluia	Sequentia. / Prosa.	Prosula Verba.
		Farsura Lessons.			
		Ite Missa est or Benedicamus			
	Divine Office and Processions	Respond		Prosa.	

The Sequence-Proses are here classed as Lesser Tropes, and this, historically speaking, is their proper position : but for practical purposes they must be taken out of this class and dealt with as a class by themselves. This will give a fourfold division, so far as the Mass is concerned, into Greater Tropes, Lesser Tropes, Sequences, and a supplementary class containing all the other and rarer tropes which do not fall into the first three classes.

After this attempt to show the main extent of ground which the Tropes generally came to occupy[2] we must now return to the task of gathering together such facts as can be produced to throw

---

[1] See Georgi iii. 514.
[2] The list is not exhaustive, see Gautier, 147–173 and below p. xiii.

light on the history of their growth. They are very few, and consequently the history is necessarily obscure and conjectural. In the first place we must go back to emphasize the distinction already made between three separate stages in the development of the tropes. The first stage is that in which the Sequentiae or jubila existed without words : in the case of the Alleluia these have been preserved in their early shape anterior to the words in a good many MSS. ; but very few MSS. preserve any other jubila in this shape. Still the evidence of one MS. would be enough to prove that they did so exist, and there are at least two MSS.—St. Gall MS. 484, and Vienna MS. 1609—which actually show jubila without words in connexion not merely with the Alleluia (in the middle as well as at the end), but in connexion also with greater tropes such as the Gloria in Excelsis, and lesser tropes, especially the Introit.[1]

The second stage is marked by the first appearance of words, adapted to the existing jubila ; and then a final stage is reached in which new words and new music are written simultaneously. For some time the new fashion of singing words did not oust the old fashion of singing the melody without words to a . . a . . a . . or e . . e . . e . . or some vowel sound, but the two went on side by side ; the melody was sung twice through, once with the words, and once as a jubilum proper, without words : there is clear evidence that in the early days of the tropes this was the normal thing,[2] but it became less and less common to repeat the melody as a jubilum : considerable traces of it appear however in many later MSS., the two Winchester Tropers among the number[3] : while the custom survived in the case of the Kyries to the thirteenth century at least in England,[4] and in the cases of Proses to Responds it still went on in the sixteenth century.[5]

Next, the question rises as to the relative antiquity of the tropes, and of the three principal classes—greater tropes, lesser tropes and sequences,—the last was, as seems most probable, the earliest. Several considerations point this way : (i) The closing notes of the Alleluia would offer by far the best opportunity for the development of jubila : and (ii) in actual fact the melodies so developed are more natural than the rest, and

---

[1] See the facsimiles in Gautier, pp. 50, 51 and pp. 53, 54, 62, 66, 210, 214, and his list on p. 214. Also P.M. III. pl. 109.

[2] See the St. Gall MS. 484, facsimiles in Gautier, pp. 55–59, 64, 229, 231, 233.

[3] See pp. 47, 48, 55.

[4] See MSS. V.D. and Bodleian MS. Rawl. Liturg. d. 3 ; below pp. 121 and ff.

[5] See Sarum Brev. I. cxcv., ccxiv., cxxix., ccxlv. ; III. 145, and probably in the other Proses col. 18, 24, 36, 274, 1102 though the rubric does not mention the repeat. But see Bodleian MS. Bodl. 948 which does : it is also in the printed Antiphonal and Processionals.

lasted on in their original shape after the others had been ousted by the melody *with* words—two points which go some way to prove that they are the earliest, and that other jubila and tropes arose on their model and after they had gained success. (iii) Such scanty external evidence as there is also favours this view: see below p. xxi.

The first recorded tropes were those current in the North of France. It seems quite possible that the prosulae, given on plates 3, 4, 8, 15, 16, 21, and printed on p. 84, may represent the first attempts ever made at fitting words to the jubila, but whether this be so or not, it is quite clear that there had arisen in France before the end of the ninth century a school of Trope-writers who deserve the credit of being not only the pioneers of the movement, but of carrying on the work to its highest development. Their idea gradually matured till after much growth in some direction, and decay in others, it found its best expression in the Proses of Adam of St. Victor. (c. 1180.)

This French school has not usually received its fair share of credit: this has generally been given to the St. Gall School of Trope-writers of the end of the ninth century with Notker, Tutilo and Ratpert at their head; but these writers, great as they were, did not originate the tropes, for the idea was definitely borrowed from a Frenchman (p. xxi), nor did they bring them to perfection: and though the wide-spreading influence of St. Gall no doubt did much to popularise them, the internal evidence of the MSS. goes to prove that the French school had ultimately quite as wide an influence. The difference between the two is that there is external historical evidence forthcoming as to St. Gall, but the French writers

> illacrimabiles
> Urgentur ignotique longa
> Nocte, carent quia uate sacro.

It was naturally the monasteries that led the movement, and they remained its stronghold even though certain parts of the system, *e.g.* Sequences and Farsed Kyries, laid a firm hold on the secular churches.

There were then at least two centres of activity; possibly the fuller study of Italian tropers would reveal a third centre in northern Italy.[1] Not only in the case of Sequences, but also throughout the whole range of tropes two streams are apparent, largely separate, but at times intermingling. The Winchester Tropers, for example, are almost entirely of the French type, but contain some lesser tropes, versus, and sequence-melodies

---

[1] See the tropes printed in Georgi. iii. 441–529.

which are directly traceable to St. Gall, besides greater tropes and sequence-melodies which are found in common in both schools. This will be discussed more in detail later on. The tropers of Prüm and Echternach[1] on the other hand are much closer to the German type, while those of Nevers and Novalaise[2] belong in the main to the French type. The great success of St. Gall seems to have been at the outset : the Notkerian Sequence was far in advance of the contemporary French Prose, but Notker marks the highest point of the German school which remained stationary or declined ; the French school on the other hand advanced slowly and did not reach its zenith till the twelfth century.

M. Gautier has drawn a very valuable line between two great epochs of trope-writing : in the first the writing was rough, rugged, sometimes merely rhythmical, but sometimes metrical : in the second, both words and music were uniformly created together, the merely rhythmical prose disappeared, the verse became more polished and characterised by rhyme or assonance.[3] It is almost impossible to draw a hard and fast line between the two epochs[4] : the two styles appear side by side, and moreover there are some tropes which it is very difficult to assign definitely to one or the other, but the distinction is a valuable and useful one. It serves also to bring out further the difference mentioned above between the development of the French and of the German schools. The tropes of the second epoch are almost exclusively French, and all the great metrical sequences of the twelfth and thirteenth centuries are linked on to the French school even if they do not actually spring from it, as in fact the greater part do.

In this second epoch the sphere of the tropes was widened considerably beyond the limits indicated above. We find tropes inserted in one or two new places at Mass (*e.g.* before the Gospel in the form of the Conductus) : but the chief development belongs to the Breviary, where, in addition to the Proses of the Respond already mentioned, tropes begin to appear in connexion with the opening Deus in adjutorium, the Invitatory, the Lessons, both at the beginning and the end, and even at Te deum and Magnificat. But all these are very unlike the early tropes not only in spirit and in form but also in their liturgical position, for they are entire and complete compositions in themselves, and practically independent of their surroundings.

---

[1] Paris Bibl. Nat., Fonds Latin 9448 and 10510, largely printed in Reiners.
[2] See Paris B. Nat., F. L. 9449, and Bodleian Douce MS. 222.
[3] Gautier, pp. 147 and ff.
[4] Gautier draws the dividing line in France at 1070–1080.

So far we have dealt with the growth of the tropes, but we have also to deal with their decay: this seems to have begun very soon, and, in fact, we have already noticed one early instance of it in the giving up of the custom of repeating the trope-melody as a jubilum (p. xi): from that time forward, there is a steady decline observable. But decay in one direction is not incompatible with growth in another, and for some time these two processes went on side by side: there are, *e.g.*, some tropes which do not appear till the second epoch, though others had already ceased by then. The growth, however, became steadily weaker while the decay went on with increasing force : in the twelfth century not only was the tide of feeling turning against the tropes, but episcopal authority was being directed towards their suppression, and broadly speaking, it may be said that the tropes *as a system* were extinct by the beginning of the thirteenth century, though certain parts survived longer and even survive still. All this implies that the story of the decay must be studied in detail, and it will be best therefore to treat the main classes of tropes separately.[1]

Among the greater tropes those of the Kyrie hold quite a different position to the rest : not only did they survive when almost all the others were abolished, but in instances when the trope did disappear, the music did not go with it, as it did in the case of other tropes, but the notes remained and formed an elaborate setting of the words 'Kyrie eleyson': in the Sarum Gradual, for example, nine farsed Kyries survived into the sixteenth century, but latterly came to be sung either with or without the trope; others had[2] lost the trope altogether, though they kept the melody, and even the name derived from the words which had belonged to it. They, in fact, reverted to the state of things before the tropes were invented but after the jubilum had been developed. Some few Kyries such as Tutilo's Cunctipotens genitor, or Orbis factor,[3] or Te christe supplices[4] seem to be common property of a good many tropers, but the greater part of the melodies of the Kyries as of the rest of the Ordinary are not older than the ninth or tenth century ; that is to say, they are not old enough to be part of the common tradition of the Latin Church : and local usage, therefore, varies enormously: in some cases two or three different farsings were written for the same melody, but the melodies seem to belong to different localities quite as much as the words. A glance at the table given in Gautier, pp. 239–243, or at the English index given below will show how wide are the local differences. It is

---

[1] See specimens in Gautier, pp. 165, 161–172.   [2] Graduale, pll. 6 and 7.
[3] facsimile, Gautier, p. 104.   [4] facsimile, Gautier, p. 235.

not difficult to see the reason for the survival of both words and music here when in other cases they disappeared : the words did not interrupt the sense and reduce the text to nonsense as was often the case with other farsings and tropes : also the music was always within bounds, and when sung sine farsura made a reverent and effective setting of Kyrie eleison.

The tropes of the Gloria were next to those of the Kyrie the most permanent : one of them survived in all the Sarum books till the sixteenth century, and another seems to have disappeared only in the thirteenth. In monastic uses they seem to have lasted some time longer ; the introductory trope Sacerdos dei (p. 54) or Summe sacerdos (p. 161) was suppressed, but a good many of the interior tropes remained. Here again we find a certain number belonging to both schools—Laus tua deus resonet,[1] Ut possimus consequi,[2] Quem cives celestes, &c.—but by far the greater number are French. The first of these three quoted originally closed with a clause ' Regnum tuum solidum permanebit in eternum,' and it might have been natural to suppose that the trope-writers would have been satisfied with having introduced nine irrelevant clauses into the Gloria : but no : ' crescit indulgens sibi dirus hydrops ' : they set to work to make a trope on a trope : the Winchester Tropers show this interesting operation in the process of being completed (see p. 55) for they originally contained only a long jubilum on *per*manebit, but later in MS. CC the words were added and the trope troped. This Regnum tuum solidum *O rex glorie* is the only instance of the kind forthcoming so far in English books, but in France the same idea was taken up with enthusiasm, so much so indeed that Gautier gives a special class and devotes a special chapter to these Regnum tropes, and gives a list of nearly thirty different ones. (Gautier, pp. 272–278).

There is less to be said about the tropes of the Sanctus and Agnus : they are far fewer and less considerable, and disappeared at an earlier stage than those of the Gloria : but it is worth remarking, as a further instance of growth and decay going on side by side, that these lasted on into the second epoch, and some additional ones even were written then, though in the case of the Gloria the composition of new tropes had ceased.

We turn now to the farsed lessons which occupy as it were a middle position between the greater and lesser tropes. The Winchester books give no instance of these, but a farsed lesson survived in the Sarum books till the sixteenth century in the Laudes deo dicamus of the first Mass of Christmas Day,

---

[1] facsimile, Gautier, pp. 253, 4.   [2] facsimile, Gautier, p. 257.

(Missal 50) which is properly the Old Testament lesson, or Prophetia with an elaborate farsing ; it was also in use in many other places.[1] Besides this it was not uncommon to farse various Epistles, especially that of St. Stephen's Day : the custom lasted on some time, and in the second epoch these farsings were sometimes in the vernacular,[2] but in some places, at any rate, these farsed epistles were being suppressed in the middle of the thirteenth century,[3] and probably those which are mentioned in a Troper in the Inventory of books of St. Paul's Cathedral in 1295 were by then regarded rather as a curiosity.

Of the lesser tropes (if we exclude the Sequences from that term) by far the most considerable are those of the Introit : they were more numerous, more extensive, and lasted much longer than any of the others. They are also of interest as having taken up and absorbed other things which though written with a different purpose were appropriately used to introduce the introit : such are the Hodie cantandus (p. 4), Gregorius presul (p. 145), and Quem queritis (pp. 17, 145). The first of these is a composition of Tutilo of St. Gall († 912), and it is quite possible that it was one of the earliest if not *the* earliest lesser trope that emanated from St. Gall: it is linked on to the dramatic dialogues which once took an independent place in the services, and perhaps forms a bridge between them and the lesser tropes : but whether this is so or not, it was by far the most popular of all lesser tropes.[4]

Gregorius presul is properly part of a metrical prologue to the Antiphonale Missarum, the first three verses have been taken more or less accurately and a tag added to conclude them and convert them into a trope for the introit of the first Sunday in Advent.[5]

Quem queritis is a dramatic dialogue (p. 17) which came to be used as a trope to the introit of Easter : but at Winchester it kept its independent place, and is thus described in the Regularis Concordia of St. Ethelwold :—

---

[1] Martène iii. p. 35.

[2] Martène iii. p. 39, i. p. 102. Visitation of the Treasury of St. Paul's Cathedral in 1295. See below p. xxiv, note 1. [3] Ducange. s.v. farsa.

[4] See § 9 and compare pp. 102, 145, and Martène iv. p. 97.

See Schubiger, pp. 59–61, for an account of Tutilo and his work, and see No. 31 of the Monumenta and No. 41 of the Exempla there for Hodie cantandus in neums and in modern notation. See also Gautier, pp. 34, 35 for Tutilo and the facsimiles on pp. 62, 63, 139 for Hodie cantandus. It is clear that Tutilo's composition only served to *introduce* the introit : the interior tropes that follow it are not an integral part with the rest, but vary in different books. There seems no reason to doubt the statement of Ekkehard as to the authorship of this trope, but in some other cases he shows himself an uncritical guide whose words must be accepted with caution.

[5] See the full text and a discussion of its antiquity in P.M. II. pp. 19–22 and plate 3 : Martène iii. p. 29. The trope Sanctissimus namque Gregorius occupies much the same ground : see P.M. II. pl. 18 and the Novalaise Troper, f. 2.

Dum tertia recitatur lectio quattuor fratres induant se, quorum unus alba indutus ac si ad aliud agendum ingrediatur atque latenter sepulchri locum adeat ibique manu tenens palmam quietus sedeat. Dumque tertium percelebratur responsorium residui tres succedant, omnes quidem cappis induti turribula cum incensu manibus gestantes ac pedetemptim ad similitudinem. querentium quid ueniant ante locum sepulchri. Aguntur enim hęc ad imitationem angeli sedentis in monumento atque mulierum cum aromatibus uenientium ut ungerent corpus ihesu. Cum ergo ille residens tres uelut erraneos ac aliquid querentes uiderit sibi adproximare incipiat mediocri uoce dulcisono cantare *Quem queritis :* quo decantato fine tenus respondeant hi tres uno ore *Ihesum Nazarenum.* Quibus ille *Non est hic : surrexit sicut prędixerat. Ite nuntiate quia surrexit a mortuis.* Cuius iussionis uoce uertant se illi tres ad chorum dicentes *Alleluia : resurrexit dominus.* Dicto hoc rursus ille residens uelut reuocans illos dicat antiphonam *Uenite et uidete locum :* hęc uero dicens surgat et erigat uelum ostendatque eis locum cruce nudatum sed tantum linteamina posita quibus crux inuoluta erat. Quo uiso deponant turribula quę gestauerant in eodem sepulchro sumantque linteum et extendant contra clerum, ac ueluti ostendentes quod surrexerit dominus, etiam non sit illo inuolutus, hanc canant antiphonam, *Surrexit dominus de sepulchro* superponantque linteum altari. Finita antiphona prior, congaudens pro triumpho regis nostri quod deuicta morte surrexit, incipiat hymnum *Te deum laudamus :* quo incepto una pulsantur omnia signa.[1]

This dialogue was very popular and widespread : Gautier gives a facsimile (p. 216) from St. Gall MS. 484 which gives it in an earlier stage before it was enlarged by the addition of the antiphons, and another facsimile from the Autun troper (p. 217) which represents an intermediate stage between this and the Winchester form ; but the latter is not by any means the most complete, for the dialogue survived and grew as time went on. It occurs in two MS. Processionals of the fourteenth century of the Church of St. John the Evangelist, Dublin, with a long introductory episode for the three Maries, and with the Sequence Victimæ paschali dramatised to form the finale. (See plates 26 and 26a).[2] At Rouen (as at St. Gall[3]) the introduction was limited to the question, Quis revolvet nobis lapidem ab ostio

---

[1] Regularis Concordia in *Anglia* XIII. pp. 426–8 (Halle 1891) or Reyner *Apostolatus Benedictinorum, &c.*, Appendix p. 89 (Douai 1626) or *Monasticon* I, xxvii. (London, 1817). See Martène iv. 146.

[2] See Bodl. Rawl. Liturg. d. 4. and Dublin, Abp. Marsh's Library V. 3, 2, 10. plate 26*b* is taken from the latter.

[3] Schubiger 69 : the conclusion however is quite different.

monumenti, but the appearance to St. Mary Magdalene is introduced[1]; at Narbonne the function followed the lines of the Dublin service in the main,[2] but everywhere there were local differences more or less considerable. In later times the interlude became known by the name of Officium Sepulchri, and as such it continued in many churches in France till the eighteenth century.[3] Similar dialogues were also in vogue at other festivals —at Christmas (p. 145)[4] called Officium pastorum, and at Ascensiontide (p. 110),—and the Officium stellæ seu trium regum of Epiphany, though not so closely modelled on this pattern, was very similar[5]; but the more these dramatic interludes developed the more they tended to become secular, till the budding drama left the churches to make for itself a less restricted sphere of operations in the theatre.[6]

We must now return to the real introit-tropes and notice that they coincide with a stage in the method of singing the introit which disappeared later. The amount of psalmody sung at the introit had already been greatly curtailed by the ninth century, but it was still the custom, at times at any rate, to sing after the Gloria patri a selected verse from the psalm called $\mathbb{V}$. ad repetendum or $\mathbb{V}$. prophetalis, and then to repeat the introit-antiphon for the last time.[7] This $\mathbb{V}$. disappeared later, but it survives itself in some few places in the English tropers (pp. 9, 10, 25), while the custom has left its mark on nearly every page by causing the tropes of the Introit to be divided into two classes, Ad introitum and Ad repetendum. The tropes of the Introit outlived all the other lesser tropes (and are even to be found occasionally written on the Guidonian music-stave[8]), and this fact accounts for the very insufficient definition which Durandus gives of a trope as merely an amplification of the Introit.[9]

---

[1] See P.L. cxlvii. p. 139 for full text and music.
[2] Martène iii. 172, 178–181, iv. 146.
[3] de Moleon, pp. 28, 98, 209, 218, 305.
[4] and see facsimile, Gautier, p. 215. de Moleon, pp. 76, 91, 217.
[5] P.L. cxlvii. p. 137.
[6] For further developments see Coussemaker, *Drames Liturgiques du Moyen Age* (Paris 1861) a collection of twenty-two early Mystery Plays from seven French MSS. Four very various forms of the Easter play are given (pp. 21, 178, 256, 298), all more elaborate, but the second of them very similar to the Dublin form given on pl. 26a. See also the Dictionnaire des Mystères in Migne's Encyclopédie.
[7] Thomasius *Opera* ed Vezzosi, V. pp. xii-xv. (Rome 1750). *Graduale* p. xxxii.
[8] *E.g.* Oxford, Bodleian. Misc. Liturg. 340, ff. 18, 19, 23, the three common St. Gall Tropes—Domine iesu christe for St. Stephen ; Quoniam dominus hiesus christus of Tutilo for St. John Ev. : Forma speciosissimus for Epiphany. The same three also survive in Misc. Liturg. 341, but have not been there as here rewritten on the Guidonian stave. The last-named is set to an ordinary hymn-melody—the first melody of Rector potens and Rerum deus in the Sarum books (2nd mode).
[9] Rationale IV. 5, v. and Gautier p. 2 note.

The Gradual proper seems never to have been subjected to the indignity of being troped: but to make up for this the Alleluia (which Gautier treats as part of the gradual) was the most fertile soil for the cultivation of tropes: it will be best on this account to leave the consideration of the Alleluia to the end and say a word or two first about the Offertory and Communion.

The tropes of the latter never reached any great proportions and were the first to disappear: they find no place at all in the second epoch. Here too, as in the case of the introit, we note traces of a method of performance which was a passing stage in a long story of decay. The communion originally had its psalm, Gloria and $\mathbb{V}$ ad repetendum, so that it exactly balanced the introit, and, in fact, was often closely united with it by using the psalm of the introit in all cases when it was not itself drawn from a psalm : but it went through the same stages of decay as the introit and more rapidly and more completely, till at last only the bare antiphon was left. This is its normal state in the English tropers, but traces of the earlier use survive, *e.g.* the Gloria on pp. 16–23, &c., and what is probably the $\mathbb{V}$ ad repetendum Remisisti on p. 3. The psalm is also often given (*e.g.* pp. 27, 28, 31, &c.), or else a verse to take its place as is frequent in the St. Martial Tropers—see pp. 168, 189, 193, &c.

The Offertory was much more extensively troped : in the first place, as may be seen throughout the English books, tropes were composed in plenty to introduce and less frequently to amplify the offertory and its verses: but besides this in foreign books, both German and French, advantage was taken of the long jubila already existing in the Gregorian music of the verses (and especially of the last verse) and Proses were written for them. Thus there are two distinct classes connected with the offertory —the tropes proper and the Proses. In some books these latter take their place by the side of the rest of the tropes,[1] in others they are put separate from them,[2] but in either case they belong to the Antiphonale Missarum rather than to the Troper in virtue of the fact that the jubila to which they are written are part of the original Gregorian text and not additions of later date : this fact also determines their position in any given volume, for they only take their place side by side with the ordinary tropes when the Gregorian Antiphonale and the Troper are interwoven: where the Antiphonale and the Troper are separate they go with the

---

[1] *E.g.* the Nevers Troper Paris Bibl. Nat., Fonds Latin 9449.
[2] *E.g.* the Nevers Troper Paris Bibl. Nat., Fonds Latin Nouv. Acq. 1235 (ff. 1-121) or the St. Yrieix Troper Paris B. N. Fonds Lat. 903 (ff. 1-125) or the Novalaise Troper ff. 102-172, or the St. Martial Troper Paris B. N. Fonds Lat. 1240. ff. 43ᵇ, 46.

Antiphonale, or if there is no Antiphonale in the volume they
are put in a collection apart, but generally in company with the
little tropes of the Alleluia (q. v.)[1].

There were several classes of tropes connected with the
Alleluia: the Sequence-melodies and their proses were really
tropes to the Alleluia in very loose connexion with it: then the
Sequences themselves came to be introduced by a trope called
the tropus ad sequentiam[2] (see pp. 161, 171, 178, 181, 189, 190,
195, 201). But besides these there was another set which may
be called the little tropes of the Alleluia, and were in close connexion with it: this set comprised three distinct classes, the
tropes called (i) ad alleluia (ii) ad versum (iii) ad finem, according as they were connected with the Alleluia itself, its verse or
its repeat. These little tropes of the Alleluia stand on the same
footing as the proses of the Offertory-verses: they are written
to Gregorian jubila, and therefore are distinct from the tropes
proper: in the MSS., where they are not embodied in the Antiphonale, they generally form part of a separate collection
together with the Offertory proses and sometimes also some
Respond proses, especially the great Christmas ones, known by
the title of Fabrice mundi.[3]

But far more important than these were the tropes described
above as being in loose connexion with the Alleluia, viz., those
which were developed out of the jubilum at the end of the repeat
of Alleluia and grew up into the Sequence or Prose par excellence.
The singers, not satisfied with the Gregorian jubilum at the end
of the Alleluia, added to it a long melody which in some cases
grew out of the Gregorian music, but in other cases seems to
have been independent of it. The result of this movement
was the formation of a collection of melodies without words
called Sequentiæ, and identified by a title which in some cases

---

[1] Of the four tropers quoted in note 2 the first two have the full Antiphonale
which embodies the Offertory Proses, the Novalaise Troper has the Offertories by
themselves and the proses with them, while the St. Martial Troper has none of the
Antiphonale, and therefore gives the Offertory Proses in a separate collection by themselves headed " Congregatio Prosarum."

[2] See Gautier, p. 154.

[3] See such a compound collection in the St. Martial Troper Paris B. N. Fonds.
Latin 1118 (ff. 115–131): the St. Yrieix includes the little tropes of the Alleluia
equally with the Offertory Proses in the main body of the Antiphonale (ff. 1–125)
v.s. (cp. the Antiphonale printed by Georgi, iii. 441–528), while the Novalaise Troper
has the Alleluia tropes in a separate collection by themselves (ff. 54ᵛ–68ᵛ). Gautier
(pp. 152, 153, 161) is not at his best in giving his account of these various kinds of
tropes and proses to the Offertory and Alleluia. Compare with the above description
the specimens of these Gregorian proses given below in the Appendix p. 218, from
the Novalaise Troper—viz. (a) the prose or Verba to the 2nd verse of the Offertory
of the first Sunday in Advent (f. 172ᵛ) and (b) the tropes or Verba to the Eastertide
Alleluia Oportebat pati (f. 54ᵛ).

For Fabrice mundi see Gautier, p. 167.

came from the first words of the Alleluia Verse with which it was connected, but in other cases had an independent and even a secular origin.

At this point there rose a desire to set words to these melodies, a desire, in fact, for tropes—for it must be remembered that it was merely for convenience of treatment that we kept till the last the consideration of the sequentiæ ; historically speaking it was almost certainly the first. It is not clear where the desire first showed itself, and a veil hangs over the whole subject so long as it existed merely on French soil, but when it was transferred to St. Gall then the veil is lifted and evidence becomes abundant. The story is well known how after the sack of the abbey of Jumièges in Normandy, in 860, a monk fled to St. Gall bringing with him his service-book which contained some verses set to the sequentiæ : fired by this example and reinforced by a practical sense of the difficulties involved in sequentiæ without words, Notker set his literary talents to work to provide the melodies in use at St. Gall with more worthy words than Jumièges could boast of : he first tried his hand with the melody known as Organa, and wrote to it the words beginning Laudes deo concinat orbis ubique totus,[1] which he remodelled in accordance with suggestions made by his master Yson on the principle of ' a note to a syllable ' : this came to be the normal principle for all Sequences, with one exception which was also made by Notker ; in the case of the notes on the second or third syllable of the Alleluia he reserved to himself the right of keeping the music-groups intact, though as a matter of fact in the greater part of the Sequences he applies the principle strictly even here. In the first composition he seems to have dealt rather freely with the rhythm of the melody, and the parallelism of clauses, which was to be the marked feature of sequences, was as yet only rudimentary : but in his next effort Psallat ecclesia mater[2] a great advance was made in this respect : here except for the opening and closing lines there is a close parallelism throughout.[3] A detailed consideration of the early Sequences is reserved to § iv.

The seed had fallen upon fertile soil, for the monastery of St. Gall more than any other at the time was fitted to be a centre of a new activity both musical and literary, and the wide influence which it enjoyed went far to further the spread of

---

[1] Schubiger 14. Kehrein 102.
[2] Schubiger 31. Kehrein 866. See the Melody (Lætatus sum) on pl. 11.
[3] Our authority for this is Notker himself : see the preface in which he dedicates a collection of his Sequences to Luitward of Vercelli, the full text in P.L. cxxxi., 1003. cp. Chevalier *Poésie*, p. 95, Gautier, p. 20. The statement that Pope Nicholas authorised the tropes is one of Ekkehard's inaccuracies : see Georgi, II., p. cxcv and ff.

Sequences. But, meantime, while the monks of St. Gall were composing and disseminating new Sequences, the same development was quietly going on in France though eclipsed for the time by the brilliance of the daughter school.

In both schools (as we have seen) the earlier Proses were adapted to pre-existing melodies, and the same melody served as basis for many different Proses (see index III) : but soon the musician and poet joined hands more closely and produced simultaneously new melodies with new words to them. This collaboration gave freedom to the poet, for he was no longer bound to a fixed melody, and the result was soon apparent : the Proses ceased to deserve their name, for they became metrical : the French school once more came to the front and brought new skill and literary power to the work : and the old rugged lines and phrases of Notker and the early German school gave way before the grace and power of the poems of Adam of St. Victor.

When once Proses fell into a definite and clear metrical form it became possible to use the same melody for many compositions ; and so at the end of their history, as at the beginning, it became the custom to write different proses to the same melody : in fact, it was even more common in the later stage than in the earlier, and the most popular metrical melodies such as, Laudes crucis, Verbum bonum, &c., came in the end to serve for countless different Sequences. Their popularity was now at its height,[1] and their numbers increased very rapidly with the facilities which a fixed metrical form and melody afforded, and when all the other forms of tropes (with a few exceptions) had been suppressed or disappeared all the whole flow of taste for new additions to the liturgy was turned into this one channel : with this reckless profusion in the quantity of Sequences came a steady decay in the fourteenth and fifteenth centuries in their quality, and it is only necessary now to turn over a few pages of Kehrein's or Dreves' or Misset and Weale's collections to see that some restraining hand was needed : the tide of their popularity turned, and they finally suffered an extinction almost as complete as that which at an earlier stage had overtaken the other tropes: the Sequence won and maintained a place as a legitimate part of the Liturgy where the rest failed, but only four out of the thousands of Sequences in existence found a place in the reformed Roman Missal of 1570.

---

[1] A striking evidence of their popularity may be seen in the way in which the Hymns and Sequences were collected and used as a regular text-book ; many commentaries on them exist both in MS. and in numberless printed editions. See *Sarum Brev.* III. plxxxviii. Rome alone stood firm and kept them out of Mass till the xiv[th] century, though they crept into other services. Ordo xi. 23, 49. Ordo xiii. 25, 26. See Georgi's Dissertation II., p. cxcv.

Since then there have been signs of some mitigation of the severity of this judgment. Apart from the fact that Sequences met with more indulgence in Gallican Missals, it is noteworthy that a fifth (Stabat Mater) was added to the Roman Missal at the end of the eighteenth century ; several have won themselves a firm position in Anglican hymn-books. Possibly the labour expended on them during the last half century may bear in the future still more practical fruit.

§ ii. THE TROPERS.

The tropes, as being novel additions to the liturgy, were at first written in separate books, which took their name from their contents, and were called variously by the names troparium, troperium, troponarium, &c.

"A troparium is by rights the complement of the Graduale " : this· was the late Mr. Bradshaw's definition, and it cannot be improved.[1] But the distinction practically came to be obscured more or less, and in fact comparatively few of the extant tropers are *merely* complementary to the Gradual. Of the two Winchester tropers the MS. E contains the greater part of the music of the Gradual, partly interwoven with and partly independent of the tropes ; the MS. CC is more nearly a troper pure and simple, but it has the Alleluias from the Antiphonale Missarum, to say nothing of the appendix of Organa (see below p. xxxvii). When the great day of tropes was over, and only the sequences with some of the greater tropes remained, the separate existence of a troper became less and less common[2]: the greater tropes as a rule found their place with the rest of the Ordinary in the Gradual, but the collection of sequences still retained a separate existence for some considerable time : in England and France the old name was still retained, while elsewhere some new and more restricted term took its place—in Germany generally Sequencionarius (less often sequentionalis, sequentiarius, sequentialis[3]): in France the word prosarius was also used as a synonym for troparium, but the prosae as a collection seem to have had less of an independent existence.

In England the old term went on with great vitality : in Archbishop Winchelsey's Constitutions (1294–1313)[4] the Tro-

---

[1] Sarum Brev. III. lxxxix.
[2] The Dublin troper however exactly represents this stage.
[3] G. Becker *Catalogi Librorum Antiqui* (Bonn 1885), pp. 130, 133, 135, 138, 171, 173, 174, 228, 250, 253: and the list of medieval libraries in the prefaces of *Catalogue Général des MSS. des Bibliothèques Publiques de France* (Paris, 1886 —).
[4] See Lyndwood *Provinciale* Lib. iii. tit, 27.

perium is prescribed as one of the books which ought to exist
in every parish church, and similar orders had been issued by
English Synods earlier in the century.[1] This did not necessarily
imply more than a collection of sequences, though such farsings
as had survived might often very naturally be included with
them : as such a collection the Troper is still a common feature
in inventories both in the xiii[th], and even the early part of the
xiv[th] centuries. It must not be supposed, however, that at this
time it was necessarily a separate volume ; it was in fact often
bound up with some other service-book : the Gradual and
Missal were of course the books with which such a collection
most naturally was connected, but it was joined on also to the
Processional, Ordinal or Hymnal, Antiphonal or even Collec-
tarius : the actual connexion was comparatively unimportant, as
for the most part all music in church was sung by heart and not
from notes.[2] This fusion then became the normal thing, and
finally the sequences took their place in the body of the
Missal and Gradual, either grouped all together or (ultimately)
distributed each in its place throughout the course, and the
separate Troper became a thing of the past.[3]

Before leaving the Tropers, mention must be made of one or
two other things which for convenience sake often found a place
in them.

[1] The Synod of Worcester (1240), cap. i. Wilkins i. p. 666 : — of Exeter (1287),
cap. xii. Wilkins ii. p. 139. Cp. *Monasticon* iii. p. 323 (edition of 1673) : or
Dugdale *History of St. Paul's Cathedral* (London, 1818), p. 326, for an interesting
list of the Tropers and Libri Organorum in the Treasury of St. Paul's at its
Visitation in 1295. Also p. 336 for another list in 1298.

[2] See the visitations in Hingeston Randolph's *Episcopal Registers, Exeter diocese*
(London, 1886–1892), 3 vols., especially those of Bishop Stapeldon (1307–1326),
pp. 34, 109, 111, 130, 133, 185, 193, 194, 327, 337, 338, 345, 368, 378, 380.
Also the visitations of the Dean and Chapter of Salisbury (1220–1226) in *Register
of St. Osmund* (Rolls Series), i. pp. 276–313.

[3] Gautier, pp. 111–136, gives an invaluable list of the principal tropers, 44 in all :
in P.M. II. and III. facsimiles are given of some not included in the list ; see plates
7a (Verona cvii) ; 18 Nonantola (Rome Casanatense C. iv. 2) ; 83 Apt (Basilica of
St. Anne 4) ; 163 Metz (Metz 452).
To these may be added the following—

> Paris Bibl. Nat., Fonds Latin N.A. 495. Troper of Girone of the xii[th]
> century : see Misset and Weale's *Analecta* i. 439, &c.
> Cambrai MS. 79. Troper of Cambrai of the xth or xi[th] century ; see Dr.
> x. 1–3, &c.
> London, British Museum. Royal 8. C. xiii. Troper of the xii[th] century
> from North France, Greater Tropes only and Sequences.
> Oxford, Bodleian. Selden supra 27. Troper of the xi[th] century from
> Freisingen.
> Misc. Liturg. 340. Gradual with some Tropes from
> Southern Germany. Early xiii[th] century.
> Misc. Liturg. 341. Gradual with some Tropes from
> Innich in the Tyrol. xii[th] century. See ff. 59–62.

See also those described below pp. xxvii, xxx, xxxi.

(i) It was convenient to include a Tonal, that is a conspectus of the Antiphons of the Introit, and less often of the Communion too, grouped under the Tones and endings with which they were connected. A Tonal was meant more properly for educational than liturgical purposes: the great Tonals of Berno of Reichenau, Guido of Arezzo, and Regino of Prüm,[1] are all of the nature of treatises, and a similar scientific classification of Antiphons, &c., enters into the scope of a good many medieval writers on musical theory. But it had its practical value, and consequently a Tonal forms part of a good many tropers,[2] just as at other times it was joined on to an Antiphonal or Ordinal. The Winchester Tonal (pp. 62–64) deals only with the Introits and agrees in the main with the Tonals mentioned above, though it is not so complete in its contents and does not discriminate between the various endings.[3] The introductory lines to each tone are not those most commonly employed but are taken from Berno.[4] The mysterious syllables which precede the name of each tone each give a memoria technica of the neupma or characteristic melody in which the peculiarities of each tone were summarized: these neupmata continued to be valuable for educational purposes and are constantly repeated in medieval manuals :[5] but the connexion of the syllables with them seems to have been lost early, and from the tenth century onward they not only were so far obsolete that it needed explanation, but also so uncertain that it was explained in different ways,[6] and besides this the syllables themselves vary considerably.

(ii) Another formula incorporated in a troper, though it can hardly be called a trope, was that known as the

---

[1] See Gerbert's *Scriptores* ii. 84. Coussemaker's *Scriptores* ii. 86 and 1.

[2] See Nos. 3, 4, 7, 24 of Gautier's list.

[3] It agrees with Guido and Regino in assigning Victricem manum to the 3rd mode against Berno and the Sarum and other books which rightly assign it to the 8th : with Regino it assigns Sacerdotes tui to the 4th instead of the 3rd and with Berno treats Nunc scio similarly.

[4] Gerbert's *Scriptores* ii. pp. 84, 116. A gap in the Winchester MS. is supplied from this source, see p. 62.

[5] They are given in Pothierp. 289 and in *The elements of Plainsong* (London, 1894).

[6] In Hucbald's *De Harmonica institutione* there are only bare references made to these syllables : explanations are given in the works formerly attributed (p. xxxviii, note 1) to Hucbald, *e.g.* the *Musica Enchiriadis*, &c.: see Gerbert's *Scriptores* i. 179, 213–216. Cp. Berno's Explanation ii. 77, and especially Walter of Odington's in Coussemaker's *Scriptores* i. 219.

Laudes, Acclamations or festival Litany;[1] two of such forms are printed below, one from Worcester (p. 130) and one from Limoges (p. 174).

This litany was sung at Mass immediately after the collect on Easter Day, and sometimes at other festivals : the custom was widespread in Germany and France, and lasted in many French Cathedrals at least to the time of Des Marettes (de Moleon). The method of performance and the actual formulae only varied slightly.

(iii) The old Gallican Antiphona ad communicandum—the Venite populi—finds a place not only in French tropers but at Winchester (§ 95, p. 19) and Canterbury. It survived in many places in France, not only at Easter but at Christmas and Pentecost, at least to the time of de Moleon, and is still in use at Lyons[2] : in former times others were also current, such as the Emitte Spiritum, &c.,[3] but this is the only one which had the good fortune to keep its place in general use.

(iv) The tropers were also the shelters in which certain remnants of Greek—the Gloria, Credo, Sanctus, Agnus, &c.,—were chiefly preserved. The Kyrie eleison was sufficiently simple and intelligible to survive untranslated in Latin services, both Mass and Hours, when all the rest was translated : and it is well known how Greek survived in certain places in the services out of a sort of conservative or even antiquarian tendency, e.g. in the Greek creed given in the early Sacramentaries at the Scrutiny of Catechumens,[4] or in the Greek and Latin lessons of Easter Even,[5] or even to the present day in the Reproaches; but the tropers kept more still : some have the whole of the Ordinary in Greek (p. 192), a larger number have at least the Gloria in excelsis for use on Christmas Day or (p. 24) Pentecost, and perhaps an Alleluia (pll. 23, 24, and p. 89)

---

[1] See Martène i. 133; iii. 173, 181; iv. 148. Also P.L. cxxxviii. 890, 902. Schubiger, pp. 30, 31. Bona II. v. 8. De Moleon *Voyages Liturgiques*, p. 323, cp. 17 and 29, 189, 205, 429 (Paris, 1718). Gautier, 86.

[2] See Martène iii. 174 ; and compare iii. 178, 180, 195; iv. 148. And De Moleon 64 ; and cp. 17, 29 and 32 ; 73, &c. And see the full text and music in Var. P. p. 14.

[3] See list in *Graduale Sarisburiense* p. c.

[4] Wilson's *Gelasian Sacramentary*, p. 53 (Oxford 1894), and Bodleian MS. Misc. Liturg. 345, f. 53.

[5] See *Ordines Romani*, i. and x. P.L. lxxviij. 955, 1014 ; cp. 61.

for Christmas or Eastertide[1] as well, or the Gloria patri (p. 192).

(v) The natural syncretism of service books brought other things into the Tropers which had less right to a place there than those above mentioned : see for examples the Responds and Hymns, &c., printed on pp. 96, 97 : but these in no sense belong to a Troper.

§ iii. THE WINCHESTER TROPERS, AND OTHER MSS. EMPLOYED TO ILLUSTRATE THEM.

The text of the Winchester Troper which constitutes the principal part of this volume (pp. 1–98) is formed from the two known MSS. : the first[2] is at Corpus Christi College, Cambridge (MS. 473), this is designated CC : the second[3] is at the Bodleian

---

[1] See *Graduale Sarisburiense*, pp. lxxiii. lxxiv. lxxvii. lxxviii. lxxxi. for Greek Alleluias. The Freisingen Troper has farsed Kyrie Gloria Credo Sanctus and Agnus in Greek.

See especially a paper by W. Chappell on this subject in *Archæologia* XLVI., with many facsimiles from MS. E ; and plates 23 and 24 of this volume, and the curious addition to MS. CC printed on p. 97. Compare Martène, i. 102 ; iii. 35.

[2] The Corpus Christi College, Cambridge, MS. 473, is a volume of ii. and 199 vellum ff. written in the middle of the xi[th] century, and measuring 144 × 96 mm. : it is made up in the main of alternate quires of eight and ten leaves, but one or perhaps several quires are wanting after the first, which completed the series of Alleluias and possibly also contained other parts of the Gregorian music from the Gradual. The main landmarks of the MS. are given above, but some minor points must be noted. The first page is mainly illegible : of the first six lines only a few syllables can be made out, and then follow two Sequences inserted on the blank leaves preceding the Alleluias : similarly another Sequence has been inserted on the leaf preceding the lesser tropes (f. 9) and others on blank leaves f. 155 and f. 191 (see pp. 71, 83), and miscellaneous additions have been made at the end (see p. 97). Collation—
ii. a^8 a^{10} b^8 c^{10} d^8 e^{10} | f^8 g^{10} h^8 | j^8 | k^{10} l^8 m^{10} n^8 o^{10} | p^8 q^{10} | r^{10} | s^8 | t^{10} v^{10}
A facsimile illustrating the general style of the MS. will be found in P.M. III. plate 179 : others to illustrate special points are given in this volume—see plates 4–26.

[3] The Bodleian MS. Bodl. 775, is a volume of 190 vellum ff. measuring 273 × 169 mm. : its date lies between 979 and 1016, since Ethelred is mentioned as reigning sovereign in the litany on f. 18ᵛ, and in consequence it has sometimes been called ' The Ethelred Troper.' Also as it has the Dedication festival on the 24th of November it is probably anterior to the rededication of the Cathedral on Oct. 20, 980, since this day became subsequently the Dedication Festival (see p. 38). It is made up of twenty-three quires of eight leaves each, to which a quire of six leaves has been prefixed later (see p. 49) and a separate fly-leaf containing a Sequence. Other Sequences have been added on blank leaves ff. 129–135ᵇ (see p. 70), and others at the end of the volume. Some of the Sequences have been re-written in staff notation and some erased but not re-written.

The Kyries and Sequences were printed from this MS. as an Appendix to the York Missal (Surtees Soc. vol. 60). There is a description of the MS. in *The Musical Notation of the Middle Ages* (London, 1890), with a facsimile of f. 63, pl. 2. Other valuable facsimiles are given in *Archæologia* XLVI. The various references that have been made to it from time to time are too many to catalogue.

Library (Bodl. 775) and is designated E. The latter is the earlier of the two and the most considerable : but it is a far less pure troper, and besides does not contain a good deal of matter of great interest which is included in CC. The latter therefore has been taken as the basis of the text : any additional matter drawn from E is inserted in square brackets, and any section which is not contained in E is preceded by the mark ¶ and closed by an asterisk : so that it is easy to distinguish sections which are peculiar to either MS. from the main bulk which is common to both.

A comparative table showing in broad outline the contents of each MS. will indicate the relationship of the MSS. to one another.

CC.		E.	
		f. 2.	*Farsed Kyries and Glorias (later).*
f. 2ᵛ.	Alleluias.		
f. 10.	Lesser tropes and processional antiphons.	f. 8.	Lesser tropes with parts of the Gradual music interspersed.
f. 55.	Greater tropes, Kyrie and Gloria.	f. 63.	Greater tropes, Kyrie and Gloria.
f. 70.	Tonal.		
f. 73.	Greater tropes, Sanctus and Agnus.		
		f. 72ᵛ.	Greater tropes, Sanctus and Agnus.
		f. 76.	Alleluias.
		f. 88.	Tracts.
		f. 97.	Verses of the Offertories.
f. 81.	Sequences plain.	f. 122.	Sequences plain.
f. 89.	Sequences with words.	f. 129ᵛ.	Sequences with words.
f. 135.	Organa to Kyrie and Gloria tropes.		
f. 143.	Organa to Tracts.		
f. 153.	Organa to Sequences.		
f. 163.	Organa to Alleluias.		
f. 175.	Organa to Responds.		

There are two main points of contrast between the two MSS. (i) CC has a collection of Organa or diaphony which is entirely peculiar to itself. (ii) E gives the lesser tropes not simply by themselves (as CC) but joined with the Gradual music : as a rule cues only are given of the Introit, Gradual, Offertory, and Communion, but the Verse of the Gradual and the Alleluia are given in full, and sometimes other tropes also are included in the series, *e.g.*, a trope to the Gloria or a Sequence melody. E alone has the Tracts and Offertory-Verses, though possibly they were once included in CC and followed there too next upon the Alleluias; but on the other hand CC stands alone in having the Tonal and some processional antiphons.

Neither MS. has a general heading, but there is no doubt in either case about the connexion with the old Minster of

Winchester. The Services for the Translation of St. Swithun and for St. Just appear in both (§§ 144, 183): CC has tropes for St. Ethelwold which are wanting in E for the very good reason that it must have been written in St. Ethelwold's lifetime (§ 160): E mentions the old dedication of the Cathedral to SS. Peter and Paul, which later was altered to St. Swithun, while CC places the dedication festival in the position which it would occupy at Winchester subsequent to the year 980. At the time when E was written the tropes had probably newly come to Winchester with the Benedictines whom St. Ethelwold, with King Edgar's approval, had imported from Abingdon to supplant the secular Canons.[1] The Abingdon monasticism itself had only recently been reconstructed under St. Ethelwold, on French lines to say the least, if not with the definite aid of a colony of French monks. It is natural therefore to find the Winchester troper closely allied with the French type,[2] and a glance at the lesser tropes of the St. Magloire troper printed in the appendix (pp. 145-155) will shew better than anything how close was the similarity between English and French tropers.

Considerable liberty has been used in printing from the MSS. in points of minor detail: stops have been sparingly inserted to take the place of the single point above the bottom of the line, which is the usual thing in CC: the distribution of the text has been rearranged for the sake of clearness, and capitals are used in accordance with this arrangement not in imitation of the MS. To elucidate the text further, footnotes are given which contain (i.) various readings, (ii.) the texts of Introits, &c., from the Antiphonale, which complete the bare cues which alone are as a rule given with the Lesser Tropes in the Troper.

A bolder step was taken in the decision to leave out from this edition not only several sections which properly belong to the Antiphonale Missarum—Alleluias, Tracts, Offertories—but also the collections of Sequences or Proses which are of the very essence of a Troper: but it was felt that this latter omission was justified by the completeness of the Sequence-literature which has already appeared—notably the Winchester Sequences

---

[1] For an account of this most interesting transaction and of the great development which at once followed it, see the two lives of St. Ethelwold by Ælfric and Wolstan respectively, the first in *Chronicon Monasterii de Abingdon* (Rolls Series) ii. 255, the latter in *Acta SS. O.S.B.* (Paris 1685) vii. 608, or the Bollandists' (August. 1): see also St. Ethelwold's *Regularis Concordia* (u. sup. p. xvii, note 1) drawn up for the government of the reconstituted monastery.

[2] It may be possible to trace the actual source to Fleury (St. Benet on the Loire): see *Chronicon Abingdon* (u. s.) i. 344, and compare the Winchester form of Quem queritis with the Fleury form printed by Coussemaker (see p. xviii, note 6).

printed in the Surtees Society's edition of the York Missal, and the general collections of Kehrein, Misset and Weale, Dreves, and others.

For the purposes of comparison with the Winchester Tropers other documents have been printed, viz. (i.) in the main body of the book such remains of other English Tropes which could be gathered together ; and (ii.) in the appendix some extracts from foreign Tropers.

The main document of the first class is a MS. which seems to have been written for use at Canterbury, and is now in the British Museum :[1] this is a fairly complete Troper, but the Lesser Tropes are of greater antiquity than the rest : the liturgical contents of the MS. are given in full or in brief on pp. 101-124.

Then follows a collection of Greater Tropes extracted from various English sources and printed as a supplement to the greater Tropes of the two Tropers: the sources are various

---

[1] The British Museum MS. Cotton Caligula A.xiv. is a volume of 130 ff. of vellum measuring 216 × 135 mm., and consists of three main divisions.
> (*a*.) Lesser tropes ff. 1-36 (pp. 101-120 below) written in the end of the xi[th] century, probably at Christchurch, Canterbury. With notation in Anglo-Norman neums. There survives the greater part of six quires of eight leaves each, and the first leaf of a seventh quire. The following are the missing leaves—A 1, 2 ; B 4 ; C 1, 8 ; D 1, 7, 8 ; E 3, 6, 8 ; F 4, 8.
> (*b*.) Greater tropes followed by an incomplete collection of Sequences ff. 37-92 (see pp. 121-125), written at the end of the xii[th] century and probably at the same monastery as the lesser tropes. With notation on a four-line staff.
> (*c*.) Lives of St. Martin, St. Thomas the Apostle, and St. Mildred in Anglo-Saxon, written in the xi[th] century : the beginning and ending are wanting, and the leaves are in the wrong order : the last quire should stand first, and it has lost its first and last leaves.
> The illuminations are roughly done : some have disappeared.
> A facsimile of f. 5 is given in P.M. III. pl. 180.
> Collation. v. A–F⁸ γ | G–N⁸ | i. O–S⁸ ii.

[2] The Worcester tropes are printed from Worcester Cathedral Library MS. 160 (called here MS. V), a volume of 353 ff. of vellum measuring 275 × 192 mm. written at two different dates in the beginning and end of the xiii[th] century, and containing in the main the Antiphonal, Processional and Gradual as used at Worcester Abbey. The main arrangement is as follows—
> f. 1. ANTIPHONAL, Temporale : followed by Venitare and Processional (incomplete).
> f. 117. Later additions of miscellaneous character. Services of Corpus Christi, Visitation, &c.
> f. 147. Calendar. Psalter, Hymnal and Monastic Canticles.
> f. 183. ANTIPHONAL, Sanctorale Commune Sanctorum, &c., and later additions.
> f. 289. Farsed Kyries and Glorias followed by GRADUAL Temporale.
> f. 337. GRADUAL. End of Sanctorale and beginning of Commune Sanctorum.
> f. 349. End of the Sequences with farsed Sanctus and Agnus and some additions.
> After f. 336 there are only two isolated quires preserved : the MS. is otherwise complete except for the loss of one leaf, n. 9 in the Psalter : and note that the leaf s. 7 has been wrongly bound at the head of the volume.
> Collation. a⁸ b⁸ c–j¹² k⁸ l⁸ | α⁴ β¹⁴ γ¹² | m–o¹² | p⁸ q–x¹² y¹⁴ z¹² | A–D¹²F¹²K⁸

MSS. of Worcester,[2] St. Albans,[3] and Dublin[4] : the result of this comparison of the English use of greater tropes is tabulated in Index II. Finally a set of tropes already made known by Pamelius is reprinted, and with them a single trope to Benedicamus, from an Anglo-Saxon MS. which seemed to claim a place as filling a gap in the series of tropes.

The Appendix contains (i.) the lesser tropes of a small French Troper (Paris B.N., Fonds Latin 13252 from St. Magloire) which serves to illustrate how close is the connexion between the English and French tropes ; (ii.) the lesser tropes drawn from one of the greatest if not the greatest French centre of tropes, viz., St. Martial of Limoges. The Tropers of this monastery, preserved in the Bibliothèque Nationale, Paris, form

---

[3] The St. Alban's tropes are printed from two MSS.

I. The Oxford MS. Bodleian Laud. Misc. 358 (called here L) is a volume of 100 ff. of vellum measuring 227 × 151 mm. Written at St. Albans in the xiii[th] century : it contains only the Farsed Kyries and Glorias followed by the Gradual-Verses and Alleluias or Tracts throughout the year (but it includes St. Alban's Sequence).
Collation. ii. a–m[8] ii.

II. The British Museum MS. Royal 2 B. iv. (called here IV.) is a volume of 215 ff. of vellum measuring 254 × 153 mm., a Gradual written at St. Albans in the middle of the xii[th] century.

It consists of the following parts—

1. The Ordinary with tropes. Those of Kyries and Glorias ff. 1–54 : those of Sanctus and Agnus at the end ff. 184 (P6)–198, 213, 214, 209, 210.

2. The Gradual : ff. 55 (f6)–98, 199–208, 99–139. Temporale and Sanctorale together : ff. 139–173 Commune Sanctorum.

3. An appendix of Sequences ff. 173–183, and again ff. 210[v]–212, 215.

The MS. is now wrongly bound, as the above description shows : the quire E is out of place and the order of leaves in the last quire is inverted. There are also several large gaps in the Gradual : (i.) from the Second Mass of Christmas to Maundy Thursday, after f. 68 (h1) ; (ii.) from Ascension Day to Whit Tuesday, after f. 98 (C10) ; (iii.) from Trinity Sunday to St. Peter's Day, between f. 208 (E10) and f. 99 (G1). Besides it is to be noted that the Gradual was never a complete one but only for select days. The notation is Guidonian on a staff of four lines though neums survive over the cues on ff. 107[v] and 108. The Sequences as a rule take their place in the body of the Gradual. The actual state of the MS may be represented thus—

$$a^{12} \ b^{10} \ c^7 \ d^{12} \ e^8 \ f^{12} \ g^6 \ h^1 \quad A–C^{10} \quad G–Q^{10} \quad E^{10} \quad R^7$$

It will be noticed that the latter MS. is far fuller and more complete on the subject of the greater tropes : where it is sole authority for anything printed below, the section is marked off between a ¶ and an *.

[4] The Dublin Tropes are printed from University Library, Cambridge MS. Additional 710 (called here MS. D),—a volume of 136 ff. of vellum measuring 251 × 180 mm., and written for Christchurch, Dublin, in the xiii[th] century. The *main* divisions of the MS. are as follows—

f. 3.   Sarum Consuetudinary as printed by Dr. Rock. Cp. *Register of S. Osmund* (R.S.).

f. 32.   The Troper : Farsed Kyries and Glorias with the rest of the Ordinary a collection of Sequences, &c.

f. 100[b]. A further collection of Sequences : additional farsed Kyries and Dublin Chapter Oaths, Services, &c. (cp. f. 1).

The Sequences are printed in Misset and Weale's *Analecta*.
Collation. iv. $a^{12} \ \beta^{16}$ | i. a–h[12] | A[4] B[2] C[4] D[2] i.

by far the most considerable monument of the trope-writers in
existence: the five MSS. which have been employed for
printing the lesser tropes seem practically to include the whole
of that limited area: MS. 1121 is taken as basis of the text,
additional matter from MS. 1118 is inserted in brackets or in
case of large sections in double brackets, while the footnotes
contain any additional information that may be forthcoming
from MSS. 887, 1119, and 1240. The Sequences have been
dealt with by Dreves,[1] and the Greater Tropes are catalogued
by Gautier, so that now the contents of these Tropers are made
fairly accessible.[2]

Lastly (iii) specimens of the proses of the Interior of the
Alleluia and the Offertory-Verse are printed from the Novalaise
Troper, Oxford Bodleian Douce MS. 222.[3]

§ iv. THE EARLY SEQUENCES.

With a view to the study of the early Sequences, the
Sequence-melodies in their original form have been repro-
duced in facsimile[4] on plates 1–17, the four following plates
give the Organa of the first seven melodies and plate 22
shews the transition of the melody into its Prose-form: (a few
elucidatory plates (1a–5a, 22a) give the staff-notation of some
of the more important examples): this series, together with
the synopsis of the contents of the two Winchester MSS.
which bear on the subject (pp. 69–84) affords a clear view of
the Winchester use of Sequences in the end of the xth and
beginning of the xi[th] centuries.[5]

Similar collections of Sequence-melodies are found elsewhere
and notably in the Limoges Tropers; but in German Tropers
the same need is differently met by writing the melody in
its original form on the margin by the side of the Prose.[6]   A

---

[1] See *Analecta Hymnica*, vol. vii.

[2] The above French MSS. are all well described in Gautier, pp. 111–123.

[3] Gautier, No. 43, p. 136. See also a forthcoming description in *Bibliotheca
Musico-liturgica*, a list of English MSS. of Music and Liturgy now (Oct. 1894)
being issued for the Plainsong Society.

[4] The greater part of the plates are from MS. CC, but as the earlier ff. in this MS.
are very faint the first three plates are taken instead from MS. E. Slight differences
in general style and in detail may be noticed between them, especially by comparing
the two versions of the sequentia Pura deum (pl. 2 and plate 16), and the part of
Fulgens preclara which is given twice over.

[5] The two MSS. give two collections which are almost identical, but it may be
noted that the melody Haec est sancta (xxxii) seems to have dropped accidentally out
of MS. E, and Bucca excelsa xliv out of MS. CC. Note also that three Sequentiae are
quoted among the proses of MS. E, but are not included in the series (p. 80): and
also that MS. CC has at the end a Sequentia with no title.

[6] See Schubiger *Monumenta*, 30, 35.   Also P.M. IV. pl. 1.

list of all such melodies (so far as they are known to the editor), has been drawn up and printed below as the third index (p. 227): this list with the Notkerian Sequences printed by Schubiger and the facsimiles and elucidatory plates of the present volume must form the basis of our enquiry.

The structure of the early sequences has already been a good deal studied—especially that of the German ones in the laborious work of Bartsch : but often, unfortunately, too little account has been taken of the music, which is for this early period evidence of even more value than the words themselves. As a result of this, the earlier printed editions of the Sequences do not at all represent their rhythmical form : in Kehrein the whole is often chaotic, in Misset and Weale the arrangement is often faulty, and even Dreves is sometimes at fault through not having recourse to the melodies in their original form.

All that can be attempted here is to give some few broad generalizations as the result of some study of the Sequentiae of both French and German schools in their original form.

Every melody is divided into strophes varying greatly in length and number : a long one such as Fulgens praeclara (pll. 3, 4), has sixteen strophes, Pascha nostrum (pll. 4, 5) has fifteen but of much shorter length, while Ostende minor (pl. 11) has only four. The end of the strophes are marked in the MSS. by the letter d when the strophe is to be repeated, and by an x when it is not.

The normal rule is that the strophes should be repeated, and this involves parallel clauses in the words ; but there are many exceptions to this.

1. There are some proses in which there is no repetition at all : this is not common, but instances may be seen in Ostende minor (pl. 11) Excita domine (pl. 11) and in the short Eastertide melodies of the German school—In te domine speravi, Qui timent, Exultate deo, Confitemini (Schubiger 17–19 and 22).

2. In other proses there *is* repetition but it is repetition amplified and not simple. The most interesting instance of this is the Notkerian melody Duo tres (Schubiger 13): here the second strophe is simply repeated, but after that there is no further *simple* repetition, but each even strophe is an amplified repetition of the preceding odd one. The same practice is constantly observed in other melodies to a less degree ; sometimes as here a strophe is amplified in a succeeding strophe,[1]

---

[1] *e.g.*, the third and fourth, sixth and seventh, ninth and tenth strophes of Pura deum (pl. 2), and cp. Adducentur (pl. 10), and others.

TROPER.

sometimes the second half of a strophe is an amplification of the first half.[1]

3. In by far the larger number of proses there are some strophes which are not repeated, and in particular it is rare to find a repetition of the first strophe or (in a less degree) of the last strophe of the melody.

The last strophe is in most cases treated as a coda or concluding phrase outside the general scheme : the first strophe of the melody usually ends with the first note or group on the last *a* of the Alleluia[2] ; this strophe forms the introduction to the whole, and the treatment of it in the proses is very significant. In the French school of prose-writers the custom seems to have been retained, of singing the word ' Alleluia ' which stood at the head of the old melody ; consequently the prose does not begin till the second strophe of the melody : the German school on the other hand gave up this Alleluia, and began their words at the first strophe of the melody : both schools agree so far that the first strophe of the *melody* was sung only once (as has been already explained)—in the one case to ' Alleluia ' and in the other to a single and independent first line of the words— but for that very reason they differ in the openings of their proses, and German proses begin with this single line, but French proses usually with a pair of lines written to the second strophe.

In the Notkerian proses the usage is quite uniform ; they all begin on the opening note of the Alleluia : the French writers were not so absolutely tenacious of their custom, and some French proses are modelled on the German plan.

The difference is most sharply brought out in a melody which has been treated by both schools, such as Ostende maior (pl. 11) —the Notkerian Aurea : here the French Sequence, Salus eterna, begins at the second strophe, but the German Sequence, Clare sanctorum, at the first.[3] In other cases the melody has been treated in both ways by the French school : see the melody Justus ut palma major on plate 1a : here (and elsewhere) double half-bars have been inserted to show at what point the prose begins : in this sequence they occur at two places, to show two different starting points. Now not only do all the German sequences written to this melody begin at the first strophe, but one distinctively French prose, and another, a pure Winchester

---

[1] *e.g.*, the fifth strophe of the first melody (Musa) on pl. 1, or the last strophe but one of Multifariae (pl. 2), &c., &c.—the instances are countless.

[2] There are exceptions, *e.g.*, Ostende major (pl. 11), Domine refugium (pl. 13), &c., where the first strophe goes down to the first x.

[3] The same is observable in Letatus sum (pl. 11), Haec est sancta (Virgo plorans), pl. 12, and others.

one, also do the same—Oramus te and Laus harmoniae. Other French proses keep the normal French custom and begin at the second strophe.[1]

4. In some Proses a strophe in the middle is not repeated where no reason can be given for the breach of custom, *e.g.* strophe 4 of Pascha nostrum (pl. 4): or again the earlier strophes are single as in Beatus vir (pl. 1) Chorus (pl. 2) &c.

With these main exceptions the rule of repeated strophes holds good : it is to be seen in germ in the little prosulae (p. 84), which, there is reason to believe, are the primitive form of sequences,[2] and most of which, though not all, consist of pairs : also the perfecting of it under Notker's hand can be seen by comparing his rude first attempt in writing to Organa with his later work.[3]

Another noticeable principle is that of subdividing the groups of the melody into single notes for the purpose of the prose, so that a syllable should be assigned to each note. Notker has left on record the rapid development of his ideas on this point : he accepted the principle practically from the first, but reserved to himself the right of keeping the old groups in the first strophe.[3] His example has been almost uniformly followed both as to the rule and as to the one permissible exception, and most proses are syllabic : some admit an occasional podatus or clivis, but proses of a more elaborate order are very rare.[4] The transformation of the melody from its original to its later form will be clearly seen from a comparison of plates 3 and 4 with plate 22.

But having accepted these two rules the Prose-writers went on to deal very freely with the existing melodies. The melody Pascha nostrum will furnish a good instance : as written on plate 4 it fits the prose Pange turma : but the prose Concinat orbis is also written to this same melody and ascribed to it in the Winchester Troper (p. 82), though it differs so much that it is hard at first sight to see the connexion. The arrangement of strophes in Pange turma may be expressed by the following formula—ab²c²de²f²gh²jk–m²nop ; of which d g and j are the same : but in Concinat orbis the strophe e is not repeated as it is practically itself the repetition of d. The contrast in single strophes is more striking still : for example the strophe a has eleven syllables in one prose as against thirteen in the other, b fifteen as against eighteen, and so on throughout the two proses.

---

[1] The same want of uniformity in French use is observable in Pretiosa (pl. 8), Adducentur (pl. 10), Vaga (pl. 14), and others.
[2] See above p. xii, 69.   [3] See above p. xxi.
[4] See for an example Gaudete plebs fidelis in MS. C.

But if this treatment of a melody is free, the discrepancies are greater still between the melodies as used by the rival schools. The melody Justus ut palma maior (pl. 1) has already been quoted, but it is worth while to return to it as showing what different forms the same melody took in German as distinguished from French hands.[1] The melody as it stands here may be thus represented—ab–d²efghj, but as it stands in Schubiger (25), thus—ab²c²β²d² ϵ ζ η δ ι² κ—where β is a modified form of b cropping up again, and ϵ–κ are strophes made up of the same melodic material as strophes e–j of the French versions: but in both cases the melody has been so cut about to suit the words that the divergence of one from the other and of both from the original is considerable: the parallelisms of the melody are not those of the words, and probably the two versions of the melody had already diverged before either school took up the task of setting words to it. Besides these differences, it is to be noted that the whole of the latter half of the melody is a fourth lower in pitch in the German than in the French form. Similar differences are observable in the treatment of the melody known at Winchester as Cithara (pl. 5) and at St. Gall as Occidentana[2]; or of Benedicta (pl. 5 and Schubiger 24), Laetatus sum and many others.

A similar freedom characterizes the names of the melodies: many are called after the Gregorian Alleluia out of whose first few notes they grow[3]: others are called by fanciful names, and are perhaps secular, such as Berta vetula, Frigdola, Hypodiaconissa, Planctus cygni, &c.: some have a connexion which can be traced—Metensis belongs to Petrus of Metz, the founder of the school of Roman chant there, and Romana to his comrade Romanus of St. Gall[4]: Duo tres is probably so called from its peculiar construction.[5] But a very large proportion take their name from the opening of their prose[6]: this is the natural thing to expect with the later melodies which did not exist anterior to their proses, but there was a strong tendency even in the case of the earlier ones to give up the old name in favour of the name taken from the prose.

---

[1] It must be noted however that the Proses of the French School written to this melody are not by any means uniform.

[2] See Schubiger 23 and Variae preces, p. 156 : these two versions differ from one another as well as from the French version, as to the pitch of the latter half. The ascription of the latter (Rex omnipotens) to Hermann Contractus is an anachronism hardly worth pointing out, except because of the persistence with which it is repeated.

[3] See those marked with an asterisk in the index.

[4] Schubiger capp. ii.–v.   [5] See above p. xxxiii.

[6] Sometimes the name so taken is merely allusive, as Virgo plorans from the Prose Quid tu virgo mater ploras. Sometimes it is not from the Prose but the earlier Prosula, e g., Via lux.

The same melody has often a number of names; not infrequently both a German and a French name as well (*e.g.* Occidentana = Cithara). Sometimes the two names illustrate rival principles of nomenclature, *e.g.* the Germans call a melody Vox exultationis after the Alleluia, but the French Omnes sancti after its prose; but there seems to be no principle underlying these differences; the converse is the case with Dominus regnavit = Nostra tuba, and every sort of a variation occurs, as a glance at the Index (p. 227) will shew.

Minute criticism might be extended a good deal farther than this, but though interesting and instructive it would be beyond the scope of the present sketch, and would require more elaborate and complete data than are included here. Before leaving the sequentiae two more points of great technical interest to the historian of music must be very briefly mentioned.

1. The sequentiae give the earliest indications of musical ' form ': here, free from words the composer was able to deal with absolute music, and as a result his melody falls almost of necessity into some ' form.' In some sequentiae it is very marked: not only is the division into strophes itself significant, but the similarity of their endings, the amplification already alluded to (p. xxxiii) and the balance between different strophes (*e.g.* in Pascha, see the formula given on p. xxxv) all shew a very real growth, and moreover a considerable grasp of what musical form means.

2. The sequentiae also give early indications of a sense of key-relationship and balance of tonality: they are often not confined within the limits of a single mode, and considerable art is shewn in the contrasts introduced: half-way through the melody in many cases a change takes place which is very analogous to a modern modulation into the dominant: sometimes the melody reverts to its original seat and sometimes not.

Both these points can easily be traced even in the few elucidatory plates given below: with ampler materials a great deal more of the like nature might be pointed out: but enough at least has been said to shew that some considerable part in the development of musical resources was taken by the sequentiae, and that therefore they are of real importance to the musical historian and deserve a fuller study.

§ v. Winchester Music in the XIth Century.

It has been already pointed out that the closing section of MS CC is a collection of Organa: the term is used here and in many other places at this date as the equivalent of diaphony, that is early part-music, or what was at a later period better known as descant. This collection is the most considerable practical document which has yet come to light on the subject of early harmony, and deserves to be closely studied in connexion with the theoretical works of the time. Six of the facsimiles of this volume are taken from it : plates 18–21 contain the Organa of seven Sequence-melodies and correspond to plates 1–4 : plate 24 contains the beginning of the Organa of the Alleluias, and corresponds to plate 23, which gives the Gregorian melody of the same Alleluias from f. 2ᵛ of the MS. : and lastly, plate 25 combines the Organa of the tract Commovisti from f. 146ᵛ with the Gregorian melody from f. 195.

Some idea of part-singing as practised at Winchester in the xiᵗʰ century can be formed from these data. The art was in a state of transition : the earlier writers such as Isidore, Aurelian, Hucbald,[1] &c., had confined themselves to a bare definition and classification of concords, but in the writings of the later tenth century we see that a great step forward had been made. The Musica Enchiriadis and its companion dialogue, the Scholia Enchiriadis, shew how the three great concords, the fourth, fifth, and octave, pointed the way to the possibility of doubling a whole melody at the fifth, fourth (*i.e.* inverted fifth) or octave and thus singing in parts : they extended this further to the compound concords such as the twelfth, &c., and shewed that the same melody could be sung in three or even more seats, thus providing parts for three or more voices.

To sing at the interval of an octave needs no science at all, and so long as the musician kept himself to the Tetrachord system there was no difficulty as to Diaphony at the fifth above or below, for the melody took exactly the same form only in another tetrachord : but at any other interval the melody was liable to be transformed through being transferred to a different collocation of tones and semitones. The above-mentioned treatises pointed out this, and then went on to give rules for the combining of two Organa with one principalis and for modifying the symphonia diatessaron, or diaphony at the fourth, so as to avoid harshness. This modification is the first step towards real

---

[1] The whole history of the early development of harmony has become far clearer since H. Müller proved that of the writings ascribed to Hucbald only the *De Harmonica Institutione* (Gerbert *Scriptores* i. pp. 103–121 or P.L. cxxxii. 905-925) can really be his and the rest must be of a later date. The most important ones— the Musica Enchiriadis and Scholia Enchiriadis—are probably rightly assigned in several MSS. to an Abbas Otger, Noger or Hoger. Their influence was very widespread but their authorship always obscure, since Guido, writing probably only a generation later, ascribed them to Otto or Oddo, and later writers follow suit.

harmony as opposed to a mere reproduction of the same melody at another pitch; and as soon as it appeared, the Organum became not a mere mechanical repetition of the principalis, but another part more or less independent of it, inasmuch as, though following its progressions slavishly in the main, it diverged at times to avoid an ugly concord. Another form of modification also had to be made owing to the limitation of the downward range of the vox organalis, and this, by developing the principle of a ' pedal '—also led in the same direction towards real and free harmony, one part standing still while the other moved. Here we have practically the principles of similar and oblique motion in germ.[1]

In Guido of Arezzo (c. 1020) the same system is found with possibly some little development of the harmonic sense but no distinct advance[2] : for that we have to wait till John Cotton (perhaps *circa* 1050) who in the xxiii[rd] chapter of his *Musica* definitely set forth the advantages of contrary motion,[3] and so put the art of diaphony on a comparatively modern basis.

The Winchester Organa exhibit all the three kinds of harmonic motion. In the Sequence-melodies, for example, two clear instances of contrary motion occur in the Alleluia of the first melody : but it is the exception, and the vox organalis proceeds mainly by oblique motion or by similar motion probably a fourth below the vox principalis. The pages of Alleluias given here contain two versions of Dies sanctificatus in Greek and Latin : the latter is the best known, and another set of Organa to it may be seen in P.M. I. pl. xxiii and p. 151. The Winchester Organa are much more primitive ; contrary motion is rare, though it does occur, and it is interesting to note on the syllable eth*ni*ke that the quilisma of the principalis is accompanied by a sort of descending quilisma in the organalis.

In the instance given from the Tracts contrary motion is rarer still, except at the close of the phrases where probably the organa rose, to sound in unison with the principalis.

The Organa have apart from their intrinsic value another interest also in that they sometimes give hints as to where minor accents fall in a complex neum-group, *e.g.*, in the first sequence melody and in the penultimate group in strophes five to eight

---

[1] See the *Musica Enchiriadis* x.-xviii. in Gerbert's *Scriptores* i. 159-172, or P.L. xxxii. 970, and *Scholia Enchiriadis*, part ij. the early part of the dialogue, which gives perhaps the clearer account of the two, in Gerbert i. 184-192, or P.L. cxxxij. 995-1004.

[2] See his *Micrologus* xviii. xix., Gerbert ii. 21-23, or P.L. cxli. 401-404.

[3] Ubi in recta modulatione est elevatio ibi in organica fiat depositio : et e converso. See Gerbert *Scriptores* ii. p. 264 ; and for the whole subject, Coussemaker's *Histoire de L'Harmonie au Moyen Age* (Paris, 1852), chapters iv.-vj.

there might be a doubt as to whether the accent fell on the first or second note of the six, but the podatus in the Organa decides in favour of the second syllable. Similar valuable hints may often be thus obtained (at any rate indicating what was the view of the writer of the Organa) and so the diaphony can be made of service as a commentary on the phrasing of the principalis.

We have so far only taken account of the neums, but there are two sets of alphabetic signs which call for notice.

The first are the so-called Romanian letters which were devised at St. Gall (perhaps by Romanus himself) to give directions as to the singing, and are explained in the well known letter of Notker to Lamtbert.[1] In the Winchester tropers Romanian letters occur throughout the more elaborate music and the Organa : the whole alphabet expounded by Notker is too complete a series for real use, and in these MSS. we find six letters principally if not exclusively employed : these are (i.) l—levare : (ii.) s—sursum : (iii.) i. or iu—iusum : (iv.) e—equaliter : (v.) m—mediocriter : (vi.) t—tene : in other words four letters roughly indicate pitch— 'above' (2), 'below,' and 'unison,'—while two regulate the phrasing like the modern *moderato* and *ritenuto*. The value of these is obvious.

In the Proses and in some other places (see pll. 22, 25) an alphabetical notation is employed side by side with the neums to fix accurately the pitch of the notes : this practice, which is entirely distinct from the Romanian use of letters, is of great antiquity, but served more for educational purposes than for practical use in service books. The oldest form of alphabetical notation is that which is adopted by Hucbald from Boethius : the letters used are not a consecutive series drawn from the alphabet but rather miscellaneous signs connected with the Greek names of the notes.[2] Another method consisted in the use of the fifteen letters a–p for the two octaves of the diatonic scale : this is the method of the celebrated Antiphonal of Montpellier[3] and of most of the principal specimens of alphabetical notation. As a modification of this method others employed the seven letters A–G for the lower octave and repeated them in the form a–g for the upper octave, using aa for the fifteenth note.[4]

---

[1] The Romanian letters and signs are now engaging the attention of the Monks of Solesmes, see P.M. IV. See also Nisard's *L'Archéologie Musicale* (Paris, 1890), chap. viii.

[2] Gerbert i. 118 or P.L. cxxxii. 921, 922. Müller p. 61.

[3] See Pothier, chap. iii., Nisard, l.c. chapters ix. and x., with facsimile from the Montpellier MS. Compare *Musical Notation of the Middle Ages* (London, 1890) pl. 18. *Bibliotheca Musico-liturgica* (London, 1894), pl. 2.

[4] Müller pp. 75, 76.

The Winchester method is not exactly any of these three : it is like the latter inasmuch as it employs the first seven letters of the alphabet, but it makes no distinction between the lower and the upper octaves. There is also a far more important difference, inasmuch as the letters are assigned to the notes on a different principle. The commoner alphabetical nomenclature agrees with the modern nomenclature in giving the name A or a to the lowest space of our bass clef : but according to the Winchester nomenclature this was F. This nomenclature is not unknown elsewhere,[1] and from its connexion with organa has been given the name of 'Organum notation': it seems clearly to be a sort of compromise between the actual letters as used by Boethius and the system of the consecutive alphabetical notation. F was adopted for the name of the lowest note (Proslambanomenos) as representing Boethius' Dasian or rough breathing ⊢ ; above, G fitted with Boethius' Γ, and so on. The two systems actually stand in juxtaposition in the *De Harmonica Institutione* as printed by Gerbert.[2]

The result of this is that, viewed from the standpoint of the ordinary nomenclature, the letter F is placed wherever we should expect A, and the letter a wherever we should expect c, and so on throughout the whole series : or—to put the same thing in another way—three sharps must be supplied as signature to any melody written down straight from this Organum-notation. It is remarkable to find this system still in use at Winchester in the xi[th] century[3] : possibly it survived in connexion with Organa after it had disappeared from elsewhere.[4]

It only remains for me in conclusion to express gratitude to many who in one way or another have forwarded the work— to the librarians and officials of various libraries where materials have been collected, and more especially to the Master and Fellows of Corpus Christi College, Cambridge, for placing their valuable MS. at his disposal, to the Rev. J. R. Harmer, Fellow

---

[1] Müller pp. 68, 69, 76.
[2] Gerbert i. 118 or P.L. cxxxii. 921, 922. Müller p. 61.
[3] It is noticeable that the alphabetical notation given to Redemptori carmina (p. 68), which is of a slightly later date, seems to be different to the rest and to belong to the commoner system which agrees with our modern nomenclature.
[4] Further information as regards the musical topics discussed may be found in Pothier's *Mélodies Grégoriennes*, Kienle's *Choralschule* (Freiburg, 1884), translated with additional notes and entitled *Théorie et Pratique du Chant Grégorien* (Tournai, 1888), or the English essays on *The Elements of Plainsong* (London, 1894).

and Librarian, for making access to the MS. not only possible, but easy and delightful, and to the Rev. C. A. E. Pollock, also Fellow of the College, for his generosity in bestowing ungrudgingly both time and skill on the photographs from which the bulk of the collotype plates are taken ; similar thanks are due to the Hon. B. J. Plunket in connexion with plate 26b.

Many readers will be glad that it has been possible to have besides the collotypes some elucidatory plates printed in music type, and for these the thanks of the Society are due to the Rev. Mother and Community of S. Mary the Virgin at Wantage. In many cases where there are faults and blemishes in the book it has not been for want of good counsellors, and any good points it may have, are largely due to the help of kind friends, who have read proof-sheets and made valuable suggestions, among whom I must specially mention the Rev. E. S. Dewick, the Rev. G. H. Palmer, the Rev. H. A. Wilson, and my Brother Richard Rackham. How much I owe to previous writers will be seen from the references, and M. Gautier has increased the already great debt I owe to him through his book by personally giving me much encouragement and expressing his approbation of several new views, which but for that approbation would not have been so confidently stated.

WALTER HOWARD FRERE.

RADLEY,
August 25th, 1894.

LIST OF MSS. AND PRINTED AUTHORITIES IN CONSTANT USE.

E.   Winchester Troper. Corpus Christi Coll., Camb., MS. 473. See p. xxxvii.

CC.   Winchester Troper. Bodleian, Bodl., 775. See p. xxxvii.

C.   Canterbury (?) Troper. Brit. Mus., Caligula, A, xiv. See p. xxx.

V.   Worcester Gradual, &c. Worcester Cathedral Library MS. 160. See p. xxx.

IV.   St. Alban's Gradual. Brit. Mus., 2, B, iv. See p. xxxi.

L.   St. Alban's Gradual. Bodleian, Laud Misc., 358. See p. xxxi.

D.   Dublin troper. Univ. Libr., Cambridge, Add. 710. See p. xxxi.

Novalaise Troper. Bodleian. Douce MS. 222.

Freising Troper. Bodleian. Selden supr. 27.

See also pp. xiii, xix, xx, xxiv, xxxi, xxxii.

Bartsch, K. ... ... Die lateinischen Sequenzen des Mittelalters in musikalischer und rhythmischer Beziehung dargestellt. (Rostock, 1868.)

Bona, J. ... ... Rerum liturgicarum libri duo. (Antwerp, 1677.)

Brambach, W. ... ... Die Musiklitteratur des Mittelalters. (Karlsruhe, 1883.)

Chappell, W. ... ... On the use of the Greek language . . . in early service books . . . . . In Archæologia XLVI. (London, 1881.)

Chevalier, U. ... ... Poésie liturgique du moyen age. (Paris, 1893.)
Repertorium Hymnologicum. (Louvain, 1892.)

Coussemaker, E. ... Scriptores de Musica medii ævi, 4 vols. (Paris, 1866.)

Dreves, G. M. ... ... Analecta Hymnica medii ævi, I–XVI. (Leipzig, 1889–)
The sequences are contained in vols. VII–X ; when any sequence is referred to below merely by a Roman numeral and an Arabic number following it, the reference is to the volume and number in this collection.

Elements of Plainsong ... ed. Briggs. (London, 1894.)

Gautier, L. ... ... Histoire de la poésie liturgique au moyen-âge. Les Tropes. I. (Paris, 1886.)

Georgi, D. ... ... De liturgia Romani pontificis. 3 vols. (Rome, 1731–1744.)

Gerbert, M. ... ... De cantu et musica sacra. 2 vols. (St. Blaise, 1774.)
Scriptores ecclesiastici de musica. 3 vols. (St. Blaise, 1784.)

Graduale... ... ... Graduale Sarisburiense : ed. Frere. (London, 1894.)

Hittorp, M.	De divinis catholicæ ecclesiæ officiis. Vol. 10 of the Bibliotheca Patrum of M. de la Bigne. (Paris, 1624.)
Kehrein, J.	Lateinische Sequenzen des Mittelalters. (Mainz, 1873.)
Kienle, A.	Choralschule. (Freiburg, 1884.) Théorie et Pratique du Chant Grégorien, translation of the above. (Tournai, 1888.)
Liber Gradualis... ...	(Tournai, 1883).
Martène, E.	De antiquis ecclesiæ ritibus. 4 vols. (Venice, 1783.)
Misset and Weale ...	Analecta liturgica. (Bruges, 1888-.)
de Moleon	Voyages liturgiques de France. (Paris, 1718.)
Monasticon	Dugdale's Monasticon. 7 vols. (London, 1817), except on p. xxiv, where the edition of 1673 is referred to.
Müller, H.	Hucbalds echte und unechte Schriften über Musik. (Leipzig, 1884.)
P.L.	Patrologia Latina. ed. Migne.
P.M.	Paléographie Musicale. (Solesmes, 1889-.)
Pothier, J.	Les mélodies Grégoriennes. (Tournai, 1881.)
Reiners, A.	Die Tropen-, Prosen- und Präfations - Gesänge des feierlichen Hochamtes im Mittelalter. (Luxemburg, 1884.)
Sarum Brev.	Breviarium ad usum insignis ecclesiæ Sarum : ed. Procter & Wordsworth. 3 vols. (Cambridge, 1879–1886.)
Sarum Missal	Missale ad usum insignis et preclaræ ecclesiæ Sarum : ed. Dickinson. (Burntisland, 1861–1883.)
Schubiger, A.	Die Sängerschule Sanct Gallens. (Einsiedeln, 1858.)
Var. P.	Variæ preces ex liturgia tum hodierna tum antiqua collectæ. (Solesmes, 1892)—a choice musical anthology.
Wilkins, D.	Concilia Magnæ Britanniæ et Hiberniæ : 3 vols. (London, 1737.)

[ ] are used in the tropes of Winchester, St. Alban's and St. Martial to distinguish any additional matter drawn from a different MS. to that which is taken as the basis of the text. See pp. xxviii, xxxii.

¶ . . . * are similarly used to distinguish what is peculiar to the MS. which is taken as the basis of the text. See pp. xxviii, xxxi.

( ) are used to distinguish editorial additions made without MS. authority.

† marks peculiarities in the MS.

Italic type distinguishes the text from the tropes.

ᵉ following the number of a § intimates that only the cue and not the whole piece is given.

TABLE OF CONTENTS.

LIST OF PLATES.

Plates 4–26a from the Corpus MS. are of the size of the original, but Plates 1–3 and 26b have been considerably reduced, the first three by about one third, the other by about two thirds.

THE

WINCHESTER TROPER.

(TROPERIUM ECCLESIAE UUINTON.)

[INCIPIUNT TROPI DE ADUENTU DOMINI NOSTRI HIESU CHRISTI.] § 1.

O benefida tuis adsis protectio seruis :   *Ad te leuaui*[a]
           [Ps. *Uias tuas. Ad te. Gloria.*]

ITEM ALII. [AD REPETENDUM.] § 2.

Almifico quondam perflatus flamine dauid
clarisonas[1] christo prompsit his uocibus odas,   *Ad te leuaui.*
Sed uirtute tui[2] rutilans in[3] honore triumphi :   *Neque irrideant.*
Qui tempnunt sibimet sua subdere colla superbis :   *Etenim.*

AD OFFERTORIUM. § 3.

Spes pia suffragium uirtus defensio hiesu,   *Ad te domine.*[b]
Tu uia dux ductor tu summi scientia ueri,   *Dirige me.*
Tu miseris miserans mitis miseratio iam nunc   *Respice in me.*

AD COMMUNIONEM. § 4.

Terrigene cuncti letentur muneraet tanto :   *Dominus dabit.*[c]
                            [*Remisisti.*]†

---

[a] Ad te levavi animam meam : deus meus in te confido non erubescam | neque irrideant me inimici mei : | etenim universi qui te expectant non confundentur. *Ps.* Vias tuas.

[b] Ad te domine levavi animam meam &c. ℣. Dirige me in veritate tua &c. ℣. Respice in me et miserere mei &c.

[c] Dominus dabit benignitatem et terra nostra dabit fructum suum.

[1] clarisonis E.   [2] pia C. tua E.   [3] sub C,

TROPI [DE NATIUITATE CHRISTI] IN GALLICANTU. § 5.[1]

Ante luciferum et mundi principium tu pater
    sancte ineffabiliter genuisti filium: *Dominus dixit.*[a]
Ipse in trinitate manet cum paraclito: *Ego hodie.*

      ITEM ALII. § 6.

Venit deus homo factus temporẹ a matre natus
    sed[2] a patre sempiternus: *Dominus dixit.*
Quem prophete cuncti cecinerunt cum magna
    luce descendit: *Ego hodie.*

      [Ps. *Quare fremuerunt. Dominus dixit. Gloria patri.*]

TROPI PRIMA MANE [INLUCESCENTE MANE]. § 7.

Iam fulget oriens iam praecurrunt signa ;
iam uenit dominus illuminare nobis, alleluia :   *Lux fulgebit.*[b]
Quia pax hominibus nata est et aeterna lẹtitia,   *Quia natus est.*
Ex uirgine matre[3] et homo factus in mundum,   *Et uocabitur.*
Terribilis et potens uenturus ad iudicandum saeculum,   *Cuius.*

      [ITEM. § 8.   [*Dominus regnauit decorem indutus.*]

Hodie inluxit nobis dominus eia : ypane ypane ypane et eia :
                         Lux fulgebit.]

UERSUS ANTE OFFICIUM [CANENDI] IN DIE NATALIS DOMINI. § 9.

      PRIMO DICANT CANTORES.

Hodie cantandus est nobis puer, quem gignebat ineffabiliter
ante tempora pater, et eundem sub tempore generauit inclita mater.

      ITEM DICANT ALTERI.

Quis est iste puer quem tam magnis preconiis dignum uociferatis ?
dicite nobis ut conlaudatores esse possimus.

---

    [a] Dominus dixit ad me Filius meus es tu : | ego hodie genui te. *Ps.* Quare fre-
muerunt gentes.

    [b] Lux fulgebit hodie super nos : | quia natus est nobis dominus : | et vocabitur
admirabilis, deus, princeps pacis, pater futuri seculi : | cujus regni non erit finis.
Ps. Dominus regnavit decorem indutus est.

    [1] In E. § 6 comes first and § 5 follows AD REPETENDUM.

    [2] et C.   [3] natus C.

Item praetitulati cantores.

Hic enim est quem presagus et electus symmista dei ad terras
uenturum preuidens longe ante pręnotauit, sicque predixit :

TROPI IN DIE NATALIS DOMINI. § 10.

Ecce adest de quo prophetae cecinerunt dicentes,	*Puer.*[a]
Quem uirgo maria genuit,	*Et filius.*
Nomen eius emmanuhel uocabitur,	*Cuius imperium.*

Ad psalmum.

Rex lumen de lumine, eia,	regnat in iustitia :	
cantate, eia,	de uirginis fecundia	*Cantate.*

Item ad introitum. § 11.

Quod prisco uates cecinerunt tempore sancti,	
cernitis impletum : psallentes dicite cuncti	*Puer.*
Dauiticę styrpis genuit quem uirgo maria,	*Et filius.*
Perdita restaurans et restaurata gubernans,	*Cuius imperium.*

Ad gloriam. § 12.

Hodie natus est nobis rex regum,	
dominus hodie uenit nobis, salus mundi,	
redemptio nostra ; eia dicamus omnes	*Gloria patri.*

[Ad gloria. § 13 = § 49.

Qui celestia simul et terrestria fundauit in patris sapientia *Gloria.*]

Ad repetendum. § 14.

Deus pater filium suum hodie misit in mundum	
de quo gratulanter dicamus cum propheta	*Puer.*
Qui sedebit super thronum dauid et in aeternum imperabit	*Cuius.*
Ecce ueniet deus et homo de domo dauid sedere in throno	*Et.*
Eo quod futura annuntiabit	*Magni.*

AD OFFERTORIUM. § 15.

Qui es sine principio cum patre et spiritu sancto fili dei,	*Tui.*[b]
Nobis hodie natus ex[1] uirgine deus[2] homo,	*Orbem.*
Ab initio et nunc et in sæculum.[3]	[*Justitia.*]

[a] Puer natus est nobis | et filius datus est nobis : | cujus imperium super
humerum ejus, | et vocabitur nomen ejus | magni consilii angelus. *Ps.* Cantate
domino canticum novum.

[b] Tui sunt cæli et tua est terra : | orbem terrarum et plenitudinem ejus tu
fundasti : | justitia et judicium præparatio sedis tuæ. | Ỹ. Magnus et metuendus super
omnes qui in circuitu ejus sunt &c. | Ỹ. Misericordia et veritas præibunt ante faciem
tuam &c. | Ỹ. Tu humiliasti sicut vulneratum superbum.

[1] de C. E.   [2] erased C.   [3] saecula C.

AD UERSUM.

Glorificant semper quem sancti laudibus almis, [eia]   *Magnus.*
AD ALIUM.

Parcens conuersis qui prauis debita reddis,   *Misericordia.*
Apparens humilis uestitus tegmine carnis,   *Tu humiliasti.*

AD COMMUNIONEM.   § 16.

O quam mira deus tribuit spectacula mundo :   *Uiderunt.*[a]
Agnum rectorem caeli de uirgine natum :   *Salutare.*
ITERUM.   § 17.

Desinat esse dolor pro antiqua lege, quia ecce   *Uiderunt.*
Cernere quod uerbum domini meruere canamus :   *Salutare.*
ITEMQUE AD COMMUNIONEM.[1]   § 18.

Filius dei unigenitus inuisibilis in substantia sua ho-
    dierna die uisibilis apparuit in nostra :   *Uiderunt.*
Radix iesse uirga flore fronduit
quoniam MARIA uirgo uitam nobis genuit
quod et patriarchis deus promisit
signisque prefigurauit.   *Salutare.*

UERSUS ANTE OFFICIUM IN FESTIUITATE SANCTI STEPHANI [PROTOMARTIRIS].[2]   § 19.

PRIMO DICANT CANTORES [LEUITAE CANENTES].

Cui adstat candida contio omnisque expectat caterua dare
uoces in excelso,
ITEM LEUITE.   [TUNC RESPONDEANT ILLIS ALII DICENTES.]

Optamus regi regum dicere odas, qui sic in suo milite triumphat hodie :
ITEM [PRAETITULATI] CANTORES [DICANT].

Laudabile est christo psallere nunc iubilando paraphoniste
dicite :
ITEM LEUITE.

Alleluia, nunc leuitae exultantes iubilemus stephano
    quem elegit summus apex in septeno numero : eia dicite.

---

[a] Viderunt omnes fines terræ | salutare dei nostri.
[1] E. has this § at Oct. Nativ. which follows on immediately here.
[2] E. has this and the two following festivals in the Sanctorale.

TROPI IN NATALE SANCTI STEPHANI
[PROTOMARTIRIS]. § 20.

Hodie inclitus martyr stephanus paradysum laurea- tus[1] ascendit :	*Etenim.*[a]
Insurrexerunt contra me iudeorum populi iniqui,	*Et iniqui.*
Inuidiose lapidibus oppresserunt me :	*Adiuua me.*
Suscipe meum in pace spiritum,	*Quia seruus.*

AD PSALMUM. § 21.

Eia, conlevitae in protomartyris stephani natalicio[2] ex
persona ipsius cum psalmista ouantes concinnamus†,
Beati immaculati.

ITEM AD INTROITUM. [AD REPETENDUM.] § 22.

Miles ouans hodie per uulnera sacra uocatus	
ingreditur clamans caelos quos uidit apertos :	*Etenim.*
Saxea sumentes uibrantibus arma lacertis :	*Et iniqui.*
Respiciens hiesum deuoto corde preca[t]ur,	*Adiuua me.*
	Gloria patri.

ITEM. [AD REPETENDUM.] § 23.

Qui primus meruit post christum occurrere[3] martyr	
iure suos tali testatur uoce labores :	*Etenim.*
Non ullum nocui nec legum iura resolui :	*Et iniqui.*
Christe, tuus fueram tantum quia rite minister :	*Adiuua me.*
Ne tuus in dubio frangar certamine miles :	*Quia seruus.*

AD OFFERTORIUM. § 24.

Audi pleps† inclita quomodo sit uocatus ad fidem	
christi protomartyr hic stephanus :	*Elegerunt.*[b]
Et pro persecutoribus exorantem,	*Domine ihesu.*

AD UERSUM. [ITEM AD UERSUS.]

Veritas cum possit aduersari non potest extingui : *Surrexerunt.*

ITEM AD OFFERTORIUM. § 25.

Martyrii uiam uim caritatis pandens stephanus
testando te mundo lapidatus et ideo iure, *Posuisti.*[c]

---

[a] Etenim sederunt principes et adversum me loquebantur : | et iniqui persecuti
sunt me : | adjuva me domine deus meus, | quia servus tuus exercebatur in tuis justi-
ficationibus. *Ps.* Beati immaculati.

[b] Elegerunt apostoli Stephanum levitam plenum fide et spiritu sancto : quem
lapidaverunt Judæi orantem et dicentem | Domine Jesu accipe spiritum meum.
alleluia | ℣. Surrexerunt autem quidam ex Judæis disputantes cum Stephano &c.

[c] Posuisti domine super caput ejus coronam de lapide pretioso : vitam petiit a
te, tribuisti ei. | alleluia. | ℣. Magna est gloria ejus in salutari tuo &c. | ℣.
Desiderium animæ ejus tribuisti ei &c.

[1] laureatis E.   [2] natalicia E.   [3] currere C.

Lauream regni cum triumpho laudis, eia : *Uitam.*
Leuitarum summo, eia, eia, eia : *Alleluia.*
AD UERSUM.
Munere namque tuo stephanum magnificasti, eia : *Magna est.*
TEM AD ALIAM†.
Celse deus pręcibus stephani plebibus adsis, eia : *Desiderium.*

AD COMMUNIONEM. § 26.

Dum foret[1] afflatus stephanus spiramine sancto,
in caelum aspiciens hiesum uidit atque ita fatur, *Uideo.*[a]
Sicque genu flexo procumbens hoc[2] quoque poscit,[3] *Domine.*
ITEM AD COMMUNIONEM. § 27.
Intuitus caelum beatus stephanus ait, *Uideo.*
Grandine lapidum mox moriturus sanctus stephanus
spe uitę manentis letabundus ita dicebat, *Domine.*

UERSUS ANTE OFFICIUM IN NATALE SANCTI IOHANNIS.[4] § 28.

Hodie candidati sacerdotum chori centeni et milleni coniubilent
christo dilectoque suo iohanni :
SACERDOTES.
Quem stola gloriae indutum hodie ipse in conuiuium suscepit
aeternum :
CANTORES.
O uere sanctum laudabilem in terra,[5] caeli arce splendentem in
gloria magna.
SACERDOTES.
Alleluia sacerdotes ; eia, iubilemus deo in beato iohanne
theologo celsa uoce & humili corde eia dicite,

TROPI IN NATALE [SANCTE] IOHANNIS [APOSTOLI] EUANGELISTĘ. § 29.

Ecce iam iohannis adest ueneranda gloria
cui christus ampliora dona credens mystica, *In medio.*[b]

---

[a] Video cœlos apertos et Jesum stantem a dextris virtutis dei. | Domine Jesu Christe, accipe spiritum meum &c.
[b] In medio ecclesiæ aperuit os ejus : | et implevit eum dominus spiritu sapientiæ et intellectus : | stola gloriæ induit eum. *Ps.* Bonum est confiteri. *Versus ad repetendum.* Justus ut palma.
[1] floret E. [2] hec C. [3] possit E.
[4] E. has UERSUS SANCTI STEPHANI by mistake. [5] terris C.

Quem uirgineo flore sacrauit,   *Et implebit.*
Pastorem nobis tribuens :   *Stola.*

   Ad psalmum. § 30.

Sacro fonte potauit et uerbi dei gratiam in toto
 terrarum orbe diffudit.   *Bonum.*

   Item alii [alia]. § 31.

Gratia celsa dei iohannis pectus adimplens.   *In medio.*
Unde salutiferę fluxerunt dogmata uitae :   *Et implebit.*
Hocque docente patris docuit uerbum caro factum :   *Stola.*
               Gloria patri.

   Ad repetendum. § 32.

Fons et origo sapientiae ad propagando[1] suae diuinita-
 tis archana :   *In medio.*
Qui fluenta euangelii de ipso sacro pectore hausit : *Et implebit.*
Uirginitatis quoque merito[2] matri uirgini filium conferens : *Stola.*
             Iustus ut palma.

   Item ad introitum. § 33.

Amor angelorum et gaudium christus iohannem diligens, *In.*
Quo panderetur omnibus lux gentibus uerbi dei : *Et implebit.*
Et hunc ad aeternum hodie uocans conuiuium :   *Stola.*

  Ad offertorium. § 34.

Quod domini carus meruit psallamus ouanter[3] :   *Iustus.*[a]
Mystica qui summi uerax deprompserat orbi :   *Sicut.*
Cuius nos facias iuuamine, [4]christe, ualere[4] : *Multiplicabitur.*

   Ad uersum.

Nunc quia praecelsi ueneramur festa patroni :   *Bonum est.*
Carmina christe tibi canimus praedulcia digne :   *Ad adnunt.*

   Item.

Vt decus est [5]palmae sic iustus[5] germine pulchro : *Plantatus.*

  Ad communionem. § 35.

A christo querens petrus de morte iohannis
audiit, Hunc uolo dum [6]ueniam sic[6] sic fore, quid tunc ? *Exiit.*[b]
Mirantes huic plus sibi sit data gratia qualis.   *Et non dixit.*

---

 [a] Justus ut palma florebit : | sicut cedrus qui in Libano est | multiplicabitur. Ῡ.
Bonum est confiteri domino &c. Ῡ. Ad annunciandum mane misericordiam tuam
&c. Ῡ. Plantatus in domo domini in atriis domus dei nostri florebit.
 [b] Exiit sermo inter fratres quod discipulus ille non moritur : | Et non dixit Jesus
non moritur, sed sic eum uolo manere dum veniam.
 [1] propaganda E.   [2] meritum C.
 [3] corrected to ouanter C.   [4]-[4] christo ualente C.
 [5]-[5] plane sic iustis C.   [6]-[6] uenio si C. ueniam si. E.

[UERSUS ANTE OFFICIUM SANCTORUM INNOCENTIUM. § 36.

Laudibus alternis pueros ueneremur et ymnis,
Quos hodie christus patri sacrauerat infans.
Õ quam felix est iude bethlemitica tellus,
Agmina paruorum que misit ad astra polorum.
Eia, nunc omnes pueri iubilate per orbem,
laudantes dominum pia per praeconia laudum.][1]

TROPI IN NATALE [SANCTORUM] INNO-CENTUM. § 37.

Filii carissimi dominum,melos pangite una uoce dicentes, *Ex ore.*[a]
Fecisti laudare nomen tuum   *Et lactantium.*
Triumphantes de hoste uipereo flore aeterne uirginitatis
   eos in caelesti gloria suscepisti :   *Propter.*

AD PSALMUM. § 38.

Psallite nunc christo pueri, dicente propheta,   *Domine dominus.*

ITEM AD INTROITUM. § 39.

Dicite nunc pueri psallentes carmina christo, eia[2] :   *Ex ore.*
Sanguinem namque suum fudere nomini tuo :   *Propter.*
                                                      Gloria patri.

AD REPETENDUM. § 40.

Munera prima patri[3] pueros puer hodie mittens :   *Ex ore.*
Pulchrius in teneris censens sibi subdere fortes :   *Prcpter.*
                                                   Quoniam eleuata est.

ITEM. [AD REPETENDUM.] § 41.

Quam miranda facis, deitas, tibi munera laudum,
tu fidei donum ut maiorum pectora firmes :   *Ex ore infantium.*
Ut destructa premat inimici tela potenter,
sancti purpureas mittunt super aethera laudes :   *Propter.*

AD OFFERTORIUM. § 42.

Est deus alma salus digne laudabilis a quo,   *Anima nostra.*[b]
Infantum dic dic nunc inclita turba piorum,   *Laqueus.*

---

[a] Ex ore infantium deus | et lactentium perfecisti laudem | propter inimicos
tuos. *Ps.* Domine dominus noster. *Versus ad repetendum.* Quoniam elevata est
magnificentia tua super cælos.
[b] Anima nostra sicut passer erepta est de laqueo venantium : | laqueus contritus
est et nos liberati sumus. ℣. Nisi quod dominus erat in nobis, dicat nunc Israel
&c. ℣. Torrentem pertransivit anima nostra &c.
[1] added in E after § 46.   [2] C. omits.   [3] patris E.

AD UERSUM. § 43.

Laudemus dominum pueros ueneremur et ipsos
atque proclamemus, eia, eia, eia :   *Nisi quod dominus.*

AD ALIUM. § 44.

Exultans iugiter ¹nunc iubilo¹ concine dicens,   *Torrentem.*

AD COMMUNIONEM. § 45.

Psallite sanctorum praeconia uocibus almis,
et iubilemus, eia, eia, eia² :   *Uox in rama.*ᵃ

ITEM AD COMMUNIONEM. § 46.

Pro sobolum tristi deflentum funerae† matrum :   *Uox in rama·*

TROPI IN OCTAUA [DIE] NATIUITATIS CHRISTI [NATALIS DOMINI NOSTRI]. § 47.

Gaudeamus omnes die hodierna eia
    in qua christus descendit de caelis, eia, eia :   *Puer.*ᵇ
Quem a patre omnino nouimus esse missum in mundum, *Cuius.*
Ammirabilis consiliarius deus fortisque :   *Magni.*

AD PSALMUM.

Ad aeternae salutis gaudia et nos saluandi gratia :   *Cantate.*

ITEM AD INTROITUM. § 48.

Quem nasci mundo docuere ex ordine uates,   *Puer.*
Uisceribus sacris quem gessit mater opima,   *Et filius.*
Et diadema cluens capitis in uertice candet :   *Cuius.*

AD GLORIA. § 49 = § 13.

Qui caelestia simul et terrestria fundauit in patris sapientia :
    AD REPETENDUM.   *Gloria.*

Quod prisco *ut supra* § 11.

AD REPETENDUM. § 50.

Rex caeli terrae marisque³ de uirgine uoluit nasci :   *Puer natus.*
Arborem mortis uincens per lignum crucis :   *Cuius imperii.*
Sicut est propheta prophetarum ita est angelus
    angelorum :   *Magni consilii.*

AD OFFERTORIUM. § 51.

Sit tibi summe deus laus et benedictio uirtus :   *Tui sunt.*ᵇ
Qua propter digne iubilant tibi cuncta creata :   *Orbem.*
Quod maris et terre, caeli quod continet ordo :   *Iustitia.*

ᵃ Vox in Rama audita est, ploratus et ululatus : Rachel plorans filios &c.
ᵇ see p. 3.   ¹⁻¹ iubilo iam C.   ² C. E. omir.   ³ matris quę E.

AD COMMUNIONEM.   § 52.

Intuitu fidei credentes corde fideli,   *Uiderunt.*[a]
De cęlis missum sancta de uirgine natum :   *Salutare.*[1]

TROPI IN EPIPHANIA DOMINI.   § 53.

Descendens ab etherei stellato sui solio regni,   *Ecce aduenit.*[b]
Ut sedeat in domo dauid in eternum,   *Dominator.*
Omnes ut populos societ sibi foedere firmo :   *Et regnum.*
Quod dabit ipse suis illis que erit hic et in euum. *Et potestas.*

AD PSALMUM.

Adueniente christo stella magna uisa est et a magis
   adoratus est hodie que in iordane baptizatus est ;
   cantate et psallite, laudate dominum, dicentes
                                                    Deus iudicium.
¶ITEM ALII.   § 54.   [*Ecce.   Gloria.*]
Eia sion gaude et letare aspectu dei tui :   *Ecce aduenit.*
Cui materies cęli et terrae famulantur :   *Et regnum.*
Ipsum decet decus gloria atque iubilatio :   *Et potestas.*

AD GLORIA.

Haec est dies ualde praeclara in qua christus mundo
   se uoluit manifestare.   Ipse est enim rex regum
   de quo prophetarum sacrum precinuit prologium :
AD REPETENDUM.   § 55.   *Gloria patri.**

Aecclesiae sponsus, illuminator gentium, baptismatis
   sacrator, orbis redemptor   *Ecce aduenit.*
Quem reges gentium cum muneribus mysticis hierosolimam requirunt, dicentes, ubi est qui natus est :   *Domin.*
Uidimus stellam eius in oriente et agnouimus regem
   regum natum esse :   *Et regnum.*
Cui soli debetur honor gloria laus et iubilatio   *Et potestas.*

AD OFFERTORIUM.   § 56.

Regnorum domino regi regumque potenti, eia :   *Reges tharsis.*[c]
Per quem cuncta pio semper moderamine seruas, eia :   *Deus.*
Sub carnis specie hiesu ueniente benigno, eia :   *Orietur.*

---

[a] see p. 3.
[b] Ecce advenit | dominator dominus ; | et regnum in manu eius | et potestas et
imperium. *Ps.* Deus judicium.
[c] Reges Tharsis et insulae munera offerent : reges Arabum et Saba dona adducent :
| et adorabunt eum omnes reges terræ, omnes gentes servient ei. ℣. Deus judicium
tuum regi da &c. ℣. Orietur in diebus eius justitia &c. ℣. Suscipiant.
[1] E. adds Filius dei, &c., § 18.

Tropi ad communionem. § 57.

Rex ubi iudea[1] est natum quem nouimus ecce,　　　　　*Uidimus.*[a]

¶Item alii. § 58.

Stella duce magi hierosolimam uenerunt, eia :

querentes natum regem et dicentes,　　　　　　　　　*Uidimus.**

TROPI IN PURIFICATIONE SANCTAE MARIAE.
[III NON. FEB. PURIFICATIO SANCTAE MARIAE.][2]

§ 59.

Adest alma uirgo parens,

adest uerbum caro factum

proclamemus omnes laudes,

in excelsis deo patri :　　　　　　　　　　　　*Suscepimus.*[b]

Lumen aeternum christum dominum :　　　　　　　*In medio.*

In brachiis sancti symeonis regem regum adesse,

　de quo propheta cecinit[3] ouans　　　　　　　*Secundum.*

Gloria salus et honor,　　　　　　　　　　　　*In fines.*

In saeculum saeculi.　　　　　　　　　　　　　*Iustitia.*

Ad psalmum. § 60.

Eia, nunc socii psallamus uoce sonora :　　　　*Magnus dominus.*

Item alii. [Ad repetendum.] § 61.

Omnipotens, petimus pia laudum suscipe uota :　*Suscepimus.*

Rex pie christe, tuum sit nomen semper honestum :　*Secundum.*

Personet aeternum quoniam sine fine per aeuum :　*Iustitia.*

　　　　　　　　　　　　　　　　　　　　　　Gloria patri.

Ad repetendum. § 62.

O noua res, en uirgo uenit, partum gerit, et nos　*Suscepimus.*

Corde senex symeon propriis quem sustulit ulnis :　*In medio.*

Quod non uisuri patres cupiere uidemus :　　　　*In fines.*[4]

Maxima letitia concurrunt gaudia sancta :　　　　*Iustitia.*

---

　[a] Vidimus stellam eius in oriente et venimus cum muneribus adorare dominum.

　[b] Suscepimus deus misericordiam tuam | in medio templi tui : | secundum nomen tuum deus | ita et laus tua | in fines terrae : | iustitia plena est dextera tua. *Ps.* Magnus dominus et laudabilis nimis.

　[1] iudee C.

　[2] In E. this and all other Saints' Days are grouped together at the end.

　[3] precinit C.

　[4] *Secundum* E.

AD OFFERTORIUM.   § 63.

Cuncta quod ipse manes, uerbo qui condita seruas :   *Diffusa est.*[a]
     AD UERSUM.
Ex me progenitum dilectum credite natum :   *Eructuauit.*[†]
Qui species superas omnes, super omnia pulcher :   *Specie.*

AD COMMUNIONEM.   § 64.

Dum peteret uotis lumen uenisse salutis,   *Responsum.*[b]
     ITEM.   § 65.
Felix qui meruit promissum cernere christum, eia :   *Responsum.*

TROPI IN NATALE SANCTI BENEDICTI
ABBATIS.   § 66.

In iubilo uocis benedicto psallite patri :   *Os iusti.*[c]
Namque sophia struit sedem sibi pectore iusti :   *Et lingua.*
Pneumate doctilogo cordis secreta rigante :   *Lex dei.*
     ITEM [AD . . .]   § 67.   *Noli emulari.*
In sancti huius laude celsa uoce dicamus omnes,   *Os iusti.*
Hodie secreta caeli†[1] letus meruit scandere caeli :   *Et lingua.*
Floret inter astra felix benedictus ;
poscat praemium nobis rogantibus :   *Lex dei.*
     ITEM AD REPETENDUM.   § 68.   *Gloria patri.*
Concentu parili domino laudes benedicto pangat in
     excelsis grex pius et rutilus, eia, eia :   *Os iusti.*
Qua fulsit sacer ipse dei pollenter in isto
mortali uersans corporae† plus reliquis ; unde   *Et lingua.*
Sederit in soliis caeli iudex duodenis,[2]
     optatum monachis quos sua norma dabit :   *Lex dei eius.*

AD OFFERTORIUM.   § 69.

Gloriosus es deus qui tanta praemia beato benedicto
     contulisti : eia canite uoce sonora ;   *Posuisti.*[d]

---

    [a] Diffusa est gratia in labiis tuis &c.   ℣. Eructavit cor meum verbum bonum &c.
℣. Specie tua et pulchritudine tua intende, prospere, procede et regna.
    [b] Responsum accepit Simeon a spiritu sancto non visurum se mortem nisi videret
christum domini.
    [c] Os justi meditabitur sapientiam | et lingua ejus loquetur judicium : | lex dei ejus
in corde ipsius.   *Ps.* Noli emulari.
    [d] Posuisti domine super caput ejus coronam de lapide pretioso : | vitam petiit a te,
tribuisti ei | alleluia.   ℣. Desiderium animae ejus tribuisti ei &c.   ℣. Magna est
gloria ejus in salutari tuo &c.
    [1] E. omits caeli, and here there is no music given.   [2] duodenus. E.

Tu deus magne tribuisti ei uitam : canite,[1]   *Uitam petiit.*
Premium operum bonorum tribuisti ei, eia :   *Alleluia.*[a]
 [ITEM. § 70.
Celse deus precibus benedicti plebibus adsis, eia :   *Desiderium.*
Munere namque tuo benedictum magnificasti, eia :   *Magna est.*]

AD COMMUNIONEM. § 71.

Quam bene letatur dum pręmia digne recenset :   *Fidelis.*[b]

DE [IN] ANNUNTIATIONE SANCTAE MARIAE [UIRGINIS]. § 72.

Germinis excelsi uates magnalia cernens,
flamine presago ructans ita prouide fatur,   *Rorate.*[c]
Altithroni uerbum decus, auxiliumque piorum
quo pia nascendo maris inclita stella maria,   *Aperiatur.*
Conceptura deum proprium genitura parentem :   *Et germinet.*
    ¶AD PSALMUM. § 73.
Hoc psalmista iubar sic praedicat aeque prophetat†[2]   *Caeli.**
    AD REPETENDUM. § 74.
Contio uatidicis iam concine gaudia bombis,   *Rorate.* .
Cum patre principium moderantem iura polorum :   *Aperiatur.*
Munere matris ouans et uirginitate triumphans :   *Et germinet.*
    ¶AD GLORIA. § 75.   *[Gloria.]*
Multiplici iubilo nunc edite carmina laudum, eia :   *Gloria patri.**
    ITEM AD REPETENDUM. § 76.
Splendidus aduentum gabrihel denuntiat almum,
ueridicaque nitens esaias uoce resultat,   *Rorate.*
Inclita celsithroni fundentes germina christi :   *Et nubes.*
Qui pius aeternum retinet sine tempore regnum :   *Aperiatur.*
Uirgo maria uirens speciali muneraet† gaudens :   *Et germinet.*

AD OFFERTORIUM. § 77.

Ad mariam missus gabrihel sic angelus infit,   *Aue maria.*[d]

---

 [a] E. has Premium operum &c.   .   .   .   .   .   *Uitam petiit.*
        Tu deus magne &c. .   .   .   .   .   .   *Alleluia.*
 [b] Fidelis servus et prudens quem constituit dominus super familiam suam &c.
 [c] Rorate caeli desuper et nubes pluant justum : | aperiatur terra | et germinet
salvatorem. *Ps.* Caeli enarrant or *Ps.* Et justitia.
 [d] Ave Maria, gratia plena, dominus tecum &c. ℣. Quomodo in me fiet hoc &c.
℣ Ideoque quod nascetur ex te sanctum, vocabitur filius dei.
 [1] C. adds uoce sonora.   [2] prophetam C.

AD UERSUM.

His mirata super depromit talia uirgo,   *Quomodo.*

¶ALIUD. § 78.

Ne paueas uirtus grauidam tc cẹlica reddit :   *Ideoque* *

AD COMMUNIONEM. § 79.

Virginis antique sceleri quo terminus instet
suscipiente deo fragilis iam tegmina carnis,   *Ecce uirgo.*[a]
Salvandam aecclesiam qui per baptismatis undam
conuocet, adque suos sine fine coronet alumpnos :   *Et vocabitur.*
                                                     [*Gloria patri.*]

DE PASSIONE DOMINI.
[DOMINICA DIE PALMARUM].[1] § 80.

Suspensus ligno patri sic filius infit,   *Domine ne longe.*[b]
Sed celeri succurre mihi pietate paterna,   *Ad defensionem.*
Qui cupit insontem morsu lacerare ferino :   *Et a cornibus.*
         ITEM. § 81.   *Deus deus meus respice.*
Intonantes ecce per aera uoces, psallite mihi laudes
      canentes o pater meus, o gloria mea,   *Domine ne longe.*
Stridunt furore dentibus principes uiri mendaces in
      me seuientes ; sed tu deus meus salus mea   *Ad defensionem.*
         AD REPETENDUM. § 82.   *Gloria patri.*
Israhel eggregius† psaltes, clarusque propheta
sic quondam christo dauid cantauerat almus,   *Domine ne longe.*
Sed celerem mihi confer opem, rex inclite caeli :
                                                  Ad defensionem.

---

[a] Ecce virgo concipiet et pariet filium, et vocabitur nomen ejus Emmanuel.

[b] Domine ne longe facias auxilium tuum a me : | ad defensionem meam aspice : libera me de ore leonis | et a cornibus unicornuorum humilitatem meam. *Ps.* Deus deus meus.

[1] E. has only this heading : and for Tropes §§ 82 i and 80 ii and iii.

ANGELICA DE CHRISTI RESURRECTIONE. § 83.

Quem queritis in sepulchro christicolę :

SANCTARUM MULIERUM RESPONSIO.

Ihesum nazarenum crucifixum o cęlicolę[1] :

ANGELICE UOCIS CONSOLATIO.

Non est hic, surrexit sicut praedixerat,
Ite nuntiate quia surrexit dicentes,

SANCTARUM MULIERUM AD OMNEM CLERUM MODULATIO.

Alleluia.   Resurrexit dominus hodie,
leo fortis, christus filius dei, deo gratias dicite, eia :

[DICAT ANGELUS.]

Uenite et uidete locum [ubi positus erat dominus, alleluia
alleluia]

[ITERUM DICAT ANGELUS.]

Cito euntes [dicite discipulis quia surrexit dominus, alleluia
alleluia] :

[MULIERI UNA UOCE CANANT IUBILANTES.]

Surrexit dominus de sepulchro,
qui pro nobis pependit in ligno, alleluia :[2]

TROPI IN DIE CHRISTI RESURRECTIONIS
[DOMINICA DIES PASCHE]. § 84.

Psallite regi magno deuicto mortis imperio, eia :   *Resurrexi.*[a]
Dormiui pater, exurgam diluculo, et somnus meus
    dulcis est mihi :   *Posuisti super me.*
Ita pater, sic placuit ante te,
ut moriendo mortis mors fuissem,
morsus inferni et uita mundo :   *Mirabilis.*
Qui abscondisti haec sapientibus et reuelasti paruulis
    alleluia,   *Alleluia.*

---

[a] Resurrexi | et adhuc tecum sum, alleluia : | posuisti super me manum tuam,
alleluia : | mirabilis facta est | scientia tua, alleluia, alleluia. *Ps.* Domine probasti me.
[1] caelicola E.
[2] n. b. in E this precedes the Benedictio cerei &c. of Easter Eve.

TROPER.   C

AD PSALMUM.

En ego, uerus sol, occasum meum novi,
   et super eum solus ascendens   *Domine probasti me.*

[ITEM.] § 85.

Ecce pater cunctis ut iusserat ordo peractis,   *Resurrexi.*
Uictor ut ad cęlos, calcata morte, redirem :   *Posuisti.*
Quo[1] genus humanum pulsis erroribus altum
scandat ad celum :   *Mirabilis.*

AD GLORIAM. § 86.

Fregit inferni portas hodie leo fortis :   *Gloria.*

ITEM ALII. § 87.

Virgine progenitus creui temptamina uici,
affixusque cruci mortem moriendo subegi :   *Resurrexi.*
Quem non deserui carnis dum tegmina sumpsi,   *Posuisti.*
Ũt per me tua sic uirtus claresceret alma :   *Mirabilis.*

AD UERSUM. § 88.

Exurge gloria mea fili : exurgam diluculo pater :   *Intellexisti.*

AD REPETENDUM. § 89.

Postquam factus homo tua iussa paterna peregi,
in cruce morte mea mortis herebum superando,   *Resurrexi.*
In regno superno tibi coequalis,
iam ultra in eternum semper inmortalis,   *Posuisti.*
Laudibus angelorum qui te laudant sine fine,   *Mirabilis.*
Cui[2] canunt angeli   *Alleluia.*

[YMNUS ANGELICUS. § 90.

Gloria in excelsis, with the farsing Laus tua deus.   p. 55].

TROPI AD OFFERTORIUM. § 91.

Ab indignatione et ira furoris domini,   *Terra tremuit.*[a]
Monumenta aperta sunt et multa corpora sanctorum
   surrexerunt :   *Dum resurgeret.*
Christus surrexit a mortuis, uenite adoremus,
   omnes una uoce proclamantes,   *Alleluia.*

¶AD UERSUM. § 92.

Iam pura[3] dominum collaudant corde, fideles :   *Notus.*
Pacifici psallant quos pax pia christus adornat :   *Et factus est.*
Aecclesiam dominus dignatus uisere sanctam :   *Ibi.**

---

   [a] Terra tremuit et quievit | dum resurgeret in judicio deus | alleluia. ℣. Notus
in Judæa deus &c. ℣. Et factus est in pace locus ejus &c. ℣. Ibi confregit cornu &c.
   [1] Quod C.   [2] Tibi C.   [3] puro C.

AD COMMUNIONEM. § 93.

Laus honor uirtus deo nostro, decus et imperium
   regi nostro, qui pretium redemptionis nostre,   *Pascha.*[a]
Peccata nostra ipse portauit, et propter scelera nostra
   oblatus est :   *Christus.*
Ipse surrexit a mortuis, uenite adoremus,
   omnes una uoce proclamantes,   *Itaque.*
Leo de tribu iuda hodie surrexit a mortuis, alleluia :
in cuius laude celsa uoce pertonate[1] alleluia.[2]   *Confitemini.*

ITEM ALII. § 94.

Naturae ueteris fermentum sit procul omne,   *Pascha.*
Agnus hic est uerus mundi qui[3] crimina tollit :
   itaque   *Gloria patri.*

ANTIPHONA CUM PLEPS COMMUNICET. § 95.

Uenite populi ad sacrum et inmortale mysterium et libamen
   agendum : cum timore et fide accedamus, manibus[4] mundis
   penitentiae munus[5] communicemus : quoniam agnus [6]dei
   propter nos[6] patri sacrificium propositum est : ipsum solum
   adoremus, ipsum glorificemus cum angelis, clamantes
   alleluia.

FERIA SECUNDA [IN ALBIS]. § 96.

Promissionis suae memor filii israel rex uester et dux, *Introduxit.*[b]
Cerimoniarum eius sitis memores, & praeceptis parentes   *Et ut.*
Tripudiantes corde tenus gratiarum psallite praeconia : *Alleluia.*
                   PSALMUS *Confitemini.*

ITEM AD INTROITUM. § 97.

Conditor almificus clementi iure fidelis
   complens ueriloquum actibus eloquium ;   *Introduxit.*
Plus solito superum cupiatis ut aethra polorum
   scandere legali dogmate commoniti :   *Et ut lex.*
                       Gloria patri.

---

[a] Pascha nostrum immolatus est | Christus, alleluia : | itaque epulemur in azimis
sinceritatis et veritatis, alleluia, alleluia, alleluia. *Ps.* Domine probasti *but here*
Confitemini. cp. C.

[b] Introduxit vos dominus in terram fluentem lac et mel, alleluia : | et ut lex
domini semper sit in ore vestro, alleluia, alleluia. *Ps.* Confitemini.

[1] personate C.   [2] Itaque C.   [3] qui mundi C.
[4] cordibus C.   [5] munis E.   [6]–[6] C omits Dei propter nos.

¶AD OFFERTORIUM.   § 98.

Morte triumphata, christo uincente benigno,
gaudia festiui titulans inmensa trophei,   *Angelus domini.*[a]
Ore coruscanti custodes atque minaci
perculit[1] exsangues, pauidosque facit moribundos,   *Et dixit.*

AD UERSUM.

Cernentes uacuum, ihesu surgente, sepulchrum,
nec mora, iam cito[2]   *Euntes.*
Cum[3] sibi discipuli muliebria uisa[4] referrent   *Ihesus stetit.*
En ego saluator uester sistoque redemptor :   *Uidete.*

AD COMMUNIONEM.   § 99.

Confracta baratri mortis quoque lege rapaci :   *Surrexit.*[b]
Sese nos redimens, secumque ad caelica ducens :   *Et apparuit.*
                                                      Gloria. *

FERIA TERTIA [IN ALBIS].   § 100.

Sanctorum populum dominus baptismate mundans,
et uitiis purgans uerbi dapibusque saginans,   *Aqua.*[c]
Qui dominum cernunt uirtutum gratia semper,   *Firmabitur.*
Gaudia concedet[5] propriis per secula seruis,   *Et exaltabit.*
                                                    Confitemini.

ITEM.   § 101.

Aeterno populos decorat quos muneraet† christus :   *Aqua.*
Atque cateruatim ualeant mundare fideles :   *Firmabitur.*
Crebra per innumeras patrans miracula uices :   *Et exaltabu.*

---

a Angelus domini descendit de cœlo | et dixit mulieribus Quem quæritis? Surrexit
sicut dixit alleluia, alleluia.   ℣. Euntes dicite discipulis ejus Ecce præcedet vos in
Galilæam : ibi eum videbitis.   ℣. Jesus stetit in medio eorum et dixit Pax vobis : |
videte quia ego ipse sum.
·b Surrexit dominus | et apparuit Petro, alleluia.
c Aqua sapientiæ potavit eos, alleluia : | firmabitur in illis et non flectetur
alleluia : | et exaltabit eos in eternum, alleluia, alleluia.   Ps. Confitemini domino.
¹ pertulit C.   ² iam iam C.   ³ Dum C.   ⁴ cuncta C.
⁵ concede C.

AD OFFERTORIUM. § 102.

Gentibus introitum caeli per limina pandens,   *Intonuit.*[a]
Libera per cuius renitet plepst alma cruorem :   *Et apparuerunt.*

AD COMMUNIONEM. § 103.

Paschalis festi laudans sollempnia paulus
ammonet ut placidis celebremus mentibus, eia: *Si consurrexistis.*[b]
Qua manet aeterno splendens opulentia regno :   *Ubi christus.*

TROPI FERIA QUARTA. § 104.

Omnibus ecce piis pia uox sicut intonat, eia,
clara cohors psallas, et tam sacra munera dicas :   *Uenite.*[c]
Pro meritis meritam dat quis deus ipse coronam :   *Percipite.*
Uos[1] sine fine sacrum capietis in aethere donum :   *Quod uobis.*

AD PSALMUM.

O noua progenies populus nunc sancte creanti,   *Cantate.*

ITEM TROPI. § 105.

Quos mea perpetuo prescit prouidentia uisu,
mortis ab exilio iam nunc sine fine redempti,   *Uenite.*
Lumine perspicuum plena bonitate refertum,   *Quod uobis.*
Qua iugiter mecum gaudebitis omne per aeuum.   *Alleluia.*

TROPI AD OFFERTORIUM. § 106.

Magnus et inmensus natiuo regmine fretus
esuriem pellens populum per deuia pascens,   *Portas.*[d]
Ne ualeant querulis lassari corda periclis,   *Panem angelorum.*

---

[a] Intonuit de cælo dominus et altissimus dedit vocem suam : | et apparuerunt fontes aquarum, alleluia, alleluia.

[b] Si consurrexistis cum Christo quæ sursum sunt quærite, alleluia : | ubi Christus est in dextera dei sedens : quæ sursum sunt sapite, alleluia, alleluia.

[c] Venite benedicti patris mei | percipite regnum, alleluia : quod vobis paratum est ab origine mundi | alleluia, alleluia, alleluia. *Ps.* Cantate domino canticum novum.

[d] Portas cæli aperuit dominus et pluit illis manna ut ederent : panem cæli dedit eis, | panem angelorum manducavit homo, alleluia.

[1] Nos C.

Ad communionem. § 107.

Vocis apostolicę, sublimia uerba canentes,
credite iam populi cum paulo dicite cuncti,   *Christus resurgens.*[a]
Gloria patri.

TROPI DE INUENTIONE SANCTAÉ CRUCIS. § 108.

Perspicuae crucis en magnum dicamus honorem :   *Nos autem.*[b]
Qua mundum dominus pendens a morte redemit :   *In quo.*
Sanguine qui fuso pro nobis uictima cesa est :   *Per quem.*
Deus misereatur nostri.

¶(Offertorium.)   § 109.

Protege   ℣ *Saluator mundi.*

(Communio.)

*Propter lignum.**

TROPI IN DIE ASCENSIONIS IHESU CHRISTI AD CELOS. § 110.

Hodie redemptor mundi ascendit caelos : mirantur
apostoli angelique eis[1] locuti sunt dicentes,   *Uiri galilei.*[c]
Hoc scitote quia uenturus erit iudicare uiuos ac mortuos,
Quemadmodum.
Redditurus erit unicuique iuxta sua opera tunc :   *Ita ueniet.*

¶Ad psalmum. § 111.

Astra petit christus sic testis nuntiat almus, eia :   *Omnes gentes.**

[a] Christus resurgens ex mortuis jam non moritur, alleluia &c.
[b] Nos autem gloriari oportet | in cruce domini nostri Jesu Christi | in quo est salus, vita et resurrectis nostra, | per quem salvati et liberati sumus. *Ps.* Deus misereatur.
[c] Viri Galilæi, quid admiramini aspicientes in cælum ? alleluia. | Quemadmodum vidistis eum ascendentem in cælum, | ita veniet, alleluia, alleluia. *Ps.* Omnes gentes plaudite.
[1] Ei C.

ITEM AD INTROITUM. § 112.

Terrigenis summis affatur caelicus ordo, *Uiri galilei.*
Hic deus et dominus caelorum compos et orbis : *Quemadmodum.*
Ut reddat cunctis gestorum dona suorum. *Ita ueniet.*
Gloria patri.

AD REPETENDUM. § 113.

Celsa potestas qui presidet supera cum ascendendo
cęlos penetraret eum discipuli intuentes,
ecce uiri splendidi duo consona uoce dixerunt *Uiri galilei.*
Resurgentem cernite properare suppremaṭ caelesti :
Quemadmodum.
Terribilis terribilior iudex iudicum iudicans saeculum
cui cantemus carmina laudum. *Ita ueniet.*

AD OFFERTORIUM. § 114.[1]

Letetur cunctus quadro sub climate mundus, eia : *Ascendit.*[a]
Queque fidem rectam decoratis moribus almis, eia : *Omnes.*
Excelsas dignas domino persoluite laudes, eia : *Quoniam.*
Qui zabulum strauit celso nos munere donans, eia : *Subiecit.*

AD COMMUNIONEM. § 115.

Psallite deo nostro, psallite :
psallite regi nostro : et dicite *Psallite.*[b]
Exurgat deus.

ITEM AD COMMUNIONEM. § 116.

Plaudite corde manu saluati sanguine hiesu, eia : *Psallite.*
Gloria.

---

[a] Ascendit deus in jubilatione &c. ℣. Omnes gentes plaudite manibus &c.
℣. Quoniam dominus summus terribilis &c. ℣. Subjecit populos nobis &c.
[b] Psallite domino qui ascendit super cælos cælorum ad orientem, alleluia, alleluia.
Ps. Exurgat deus.
[1] Written in a later hand over erasures.

/

TROPI IN DIE SANCTO ADUENTUS PNEUMATIS ALMI [DOMINICA DIE SANCTI PENTECOSTES].
§ 117.

Psallite candidati iuxta paracliti laudem,
    gratias agamus semper sollempnitati, eia, eia :   *Spiritus.*[a]
Deus inmensus et aeternus :   *Repleuit.*
Terrestria atque superna reserans omnia :   *Et hoc quod.*
Sanctorum karismatum   *Habet uocis.*
    Exurgat deus.

¶ITEM ALII. § 118.

Discipulis flammas infundens[1] pectore blandas, *Spiritus domini.*
Omnigenis linguis patuit magnalia christi :   *Et hoc quod.*
Ipsi perspicuas[2] dicamus uocibus odas :   *Alleluia.*
    *Gloria.**

AD REPETENDUM. § 119.

Dulcia fauorum uerba inclitaque miracula sanctorum
    atque inenarrabili fatu protendamus :   *Spiritus domini.*
Per quadratum mundi cardinem suam persoluens
    clementiam beatis   *Et hoc quod continet.*
Lucida culmina stelligeri cęli necnon et fundamina
    terrae, sicque refrenans cerula fluctiuagi ponti   *Scientiam.*
O mirum dictu sanctorum charismatum   *Habet.*
Saluator clemens, cui tonant uocibus caelestia agmina
    prestans ex omni gente notitiam linguarum *:*   *Alleluia.*

[DOXA EN YPSISTIS, &c. § 120. p. 60.]

AD OFFERTORIUM. § 121.

Qui patris es uirtus, fidei dator[3] atque benignus, eia : *Confirma.*[b]
Uictori mortis nunc carmina pangite laudis, eia :   *Cantate.*

---

[a] Spiritus domini | replevit orbem terrarum, alleluia : | et hoc quod continet omnia | scientiam | habet vocis, alleluia, alleluia, | alleluia. *Ps.* Exurgat deus.
[b] Confirma hoc deus quod operatus es in nobis &c. ℣ Cantate domino, psalmum dicite nomini ejus &c. ℣ In ecclesiis benedicite dominum deum de fontibus Israel. ℣ Regna terræ cantate deo &c.

[1] infudit C.   [2] perspicuos C.   [3] sator C.

¶Ad uersum. § 122.

Hic ubi recta fides est et confessio uera,[1]   *In aecclesiis.*
Omnia quadrafidi quae machina continet orbis, eia :
                                                           *Regna terre.**

Ad communionem.   § 123.

Discipulis pariter domini residentibus almis, eia,   *Factus est.*[a]

TROPI IN DIE NATIUITATIS SANCTI IOHANNIS BAPTISTĘ. § 124.

Iohannes est hic domini precursor cui laude christi
    cantemus honorem dicentes,   *De uentre.*[b]
Post longeuam sterilitatem mirabiliter fecundatam :   *Uocauit.*
Quod ante mundi constitutionem praesciuit et prae-
    destinauit :   *Et posuit.*

Ad psalmum. § 125.

Prescius olim sermo prophetalis ortum precursoris
    uaticinando dixit.   *Bonum est.*

Item ad introitum. § 126.

De utero genetricis meae me uocauit deus meus meo
    nomine :   *De uentre.*
Ad uitiorum capita triumphaliter abscidenda,   *Uocauit.*
Ne hostilis immanitas superaret me :   *Et posuit.*
Ualentiorem faciem meam omnium uultibus potentium
    reddens :   *Quasi sagittam.*
                                                          [*Gloria.*]
                                                          ¶*Iustus ut palma.**

Ad repetendum.[2] § 127.

Quem prophetę cecinere[3] agni fore praecursorem :   *De uentre.*
Honestauit uerbum suum ore meo :   *Et posuit.*
Constituens me super gentes et regna :   *Quasi.*

ᵃ Factus est repente de cælo sonus aduenientis spiritus uehementis &c.

ᵇ De uentre matris meæ | uocauit me dominus nomine meo : | et posuit os meum
ut gladium acutum : | sub tegumentum manus suæ protexit me : | posuit me | quasi
sagittam electam. *Ps.* Bonum est confiteri. Ѵ̄ *ad repetendum.* Iustus ut palma
florebit &c.

¹ add eia C.   ² E alters the order here.   ³ predixere C.

AD GLORIA. § 128.

Iste uir magnus propheta uocatus ab utero matris
    nam dicit ipse   *Gloria.*

AD REPETENDUM. § 129.

Cunctę gaudentes simul haec adtendite gentes, eia :   *De uentre.*
Ad dandam[1] nobis uitae praecepta salubris :   *Et posuit.*
Ut uerbo resecem prauos a sorte bonorum :   *Sub tegimento.*

AD OFFERTORIUM. § 130.

Iustitiae quoniam tenuit moderamina uitae,[2]   *Iustus.*[a]
Afferat[3] et fructum mansurum iure per aeuum :   *Sicut cedrus.*
Uirtutes sic haud[4] aliter uirtutibus augens[5] : *Multiplicabitur.*

AD COMMUNIONEM. § 131.

Corda patrum natis socians uirtute fidei, eia :   *Tu puer.*[b]

TROPI IN NATALE SANCTI PETRI APOSTOLI.
§ 132.

Dum beatus petrus ab angelo lucis duceretur ab ergas-
    tulo carceris extasi raptus terga legebat ducis hic
    mentis de throno sacrę uocis promit sonum,   *Nunc scio.*[c]
Uideo plane,   *Quia misit.*
Spes mea uita ac salus :   *Et eripuit me.*
Christus liberauit me,   *De manu.*
De fauce pessimi leonis,   *Et de omni.*
Seuientis in me   *Plebis.*
                                 Domine probasti.

[a] Justus ut palma florebit : | sicut cedrus qui in Libano est | multiplicabitur.
[b] Tu puer propheta altissimi vocaberis.
[c] Nunc scio vere | quia misit dominus angelum suum, | et eripuit me | de manu Herodis | et de omni expectatione | plebis Judæorum. *Ps.* Domine probasti.
[1] danda C.   [2] iuste C.   [3] Afferens C.
[4] aut C.   [5] almis C.

AD REPETENDUM. § 133.

Carcere iam liber custodibus atque catenis,
ad se conuersus sic petrus apostolus infit   *Nunc.*
Quem pius ipse michi tutorem prebuit almum :   *Et eripuit.*
Crudelis nimium nostrorum caede tyranni: *Et de omni.*
                            Gloria.

AD REPETENDUM. § 134.

Pangite nunc domino laudes pio corde beato, eia :   *Nunc.*
Est quia cunctorum clemens rectorque[1] benignus :   *Et eripuit.*
Quapropter dignas resonemus et insimul odas :   *Et de omni.*

¶ITEM AD REPETENDUM. § 135.

Angelico fretus dixit munimine petrus   *Nunc scio.*
Lux iustitie in tenebris me illuminauit et de
  carcere eduxit,   *Et eripuit me.*
Liberauit me saluator meus de manu cruenti
  praedonis,   *Et de omni.*
Cunctoque coetu maligno,   *Plebis iudeorum.**

AD OFFERTORIUM. § 136.

Successit patribus natorum sancta propago: *Constitues.*[a]
Pastores populi paschant quem pane perhenni: *Memores.*
Quod timeant quod ament doceant quod semper
  amandum :   *In omni.*

¶AD UERSUM. § 137.

Principium ex me principio de lumine lumen,   *Eructuavit.*†
Per quem uelle meum norunt pia corda meorum,   *Lingua mea.*
Ut cunctis per me[2] ueniat benedictio iustis :   *Propterea.**

AD COMMUNIONEM. § 138.

Cui pater excelsus fidei pia sacra reuelat,
largior ipse mei consortia nominis almi :   *Symon iohannis.*[b]
                    Intellexisti. Gloria.

---

[a] Constitues eos principes super omnem terram : | memores erunt nominis tui | in omni generatione et progenie. ℣. Eructavit cor meum verbum bonum &c. ℣. Lingua mea calamus scribæ &c. ℣. Propterea benedixit te deus in æternum &c.

[b] Simon Johannis diligis me plus his ? Domine, tu omnia nosti : tu scis, domine, quia amo te. *Ps. ut supra* of which Intellexisti is the second verse.

[1] Satorque C.   [2] te C.

TROPI IN NATALE SANCTI PAULI APOSTOLI.
§ 139.

Gentilium doctor et sacri spermatis auctor
caelestis regni de spe confisus aiebat   *Scio cui.*[a]
Mystica pro meritis mihi reddere dona salutis : *Quia potens.*
Premia cum doctis tribuentur tartara stultis : *In illum.*
        Domine probasti me.

  AD REPETENDUM. § 140.

Qui dilexit me et tradidit se ipsum pro me,   *Scio cui.*
Dum segregauit me et uocauit per gratiam suam, *Quia potens.*
Aporior nunc ut per ipsima sed tunc angelos iudicabo : *In illum.*
          Gloria.

  ITEM ALII. § 141.

Caelica suspirans uas christi gaudia paulus
optabat fragilem carnem deponere, dicens   *Scio cui.*
Est mihi namque mori lucrum, est mihi uiuere christus : *Quia.*
Atque meos saluare greges a morte perhenni : *In illum.*

  AD OFFERTORIUM. § 142.

Quos uirtute tui rex caeli condecorasti, eia : *Mihi autem.*[b]
Et quia te solum coluerunt mente fideli :   *Nimis.*

  ¶AD COMMUNIONEM. § 143.

Hiesus tale suis donum promisit alumpnis : *Amen dico quod uos.*
     *Cantate domino. i. Gloria patri.**

---

 [a] Scio cui credidi, et certus sum | quia potens est depositum meum servare | in illum diem. *Ps.* Domine probasti me.
 [b] Mihi autem nimis honorificati sunt amici tui, deus : | nimis confortatus est principatus eorum.
 [c] Amen dico vobis quod vos, qui reliquistis omnia et secuti estis me, centuplum accipietis et vitam eternam possidebitis.

¶TROPI IN DEPOSITIONE SANCTI SUUITHUNI EPISCOPI ET CONFESSORIS. § 144.[1]

Ecce dies magni meritis ueneranda patroni :
qui fuit in populo splendor ouans, ideo   *Statuit.*[a]
Rex regum cunctis pandentem uerba salutis
tutauit famulum ante minas procerum :   *Et principem.*
Digne christe tibi famulantem constituisti
patris in excelso pontificem solio :   *Ut sit illi.*
Qui bene certauit terris, modo regnat in astris,
collaudatque suum letus in axe deum :   *In eternum.*
    Misericordias domini.
    [*Statuit. Gloria.*]

AD REPETENDUM. § 145.

Diuini fuerat quoniam feruoris amator, eia :   *Statuit.*
Et pactum uitae firmum stabiliuit in aeuum :   *Et principem.*
Incensumque suae condignum deferat arae :   *In aeternum.*
    *Gloria.**

ITEM AD REPETENDUM. § 146.

Os ky hereos kata tin taxin melchisedech :   *Statuit.*
Ut uigeat summus stola uernante sacerdos :   *Et principem.*
Inter primates regni[2] caelestis heriles :[3]   *Ut sit.*
Grex tuus SUUITHUNE[4] petit memorare tuorum :   *In aeternum.*

AD OFFERTORIUM. § 147.

Hos inter mea quos fecit mihi gratia caros :   *Inueni.*[b]
Egregium uirtute uirum pietate modestum :   *Et in oleo.*
Uinceret inuictus soevos ut belliger hostes :   *Manus enim.*

¶AD UERSUM. § 148.

O dee uirtutum, cui uelle subest cui posse,   *Potens es.**

---

[a] Statuit ei dominus testamentum pacis | et principem fecit eum : | ut sit illi sacerdotii dignitas | in eternum. *Ps.* Misericordias domini.
[b] Inveni David servum meum | oleo sancto meo unxi eum : | manus enim mea auxiliabitur ei et brachium meum confortavit eum. ℣. Potens es, domine, et veritas tua in circuitu tuo &c.
[1] E. has here Ecce patronus . . . astris *In eternum*, which in our MS. is out of place (p. 45.) Then §§ 146, 147.
[2] regi E.   [3] herilem C.   [4] Martine C.

AD COMMUNIONEM. § 149.

Quam bene lętatur dum praemia digne recenset,   *Fidelis seruus.*[a]
                                               Gloria patri.

[IN TRANSLATIONE SANCTI SUUITUNI.
§§ 144, 147–149.]

TROPI IN FESTIUITATE SANCTI LAURENTII MARTYRIS. § 150.

Laudemus dominum cuius replet ordine mundum   *Confessio.*[b]
Caelestes in laude chori quia rite resultat :   *In conspectu.*
Haec tibi laurenti flammas superare dederunt :   *Sanctitas.*
Unde coronatus lauro sine fine triumphat :   *In sanctificatione.*
                                 Cantate domino i.   Gloria.

ITEM. § 151.

Vox domino laudem ferat actio sancta decorem[1] :   *Confessio.*
His caelum geminis scandit laurentius alis :   *Sanctitas.*[2]
                                         Gloria.

ITEM ALII. § 152.

Qui caeli terreque deus est et conditor orbis,
gloria cum superis ipsi debetur et omnis,   *Confessio.*
Ex quo procedit pietas uirtusque fatendi
ne fidus miles soevo superetur ab hoste :   *Sanctitas.*
Quicquid enim sanctum constat magnumque piorum
illius est largo concessum muneraet† totum :   *In sanctificatione.*

---

     [a] See above p. 15.
     [b] Confessio et pulchritudo | in conspectu ejus : | sanctitas et magnificentia | in sanctificatione ejus.   *Ps.* Cantate.
     [1] decore C.   [2] *In sanctificatione. Gloria.* E.

AD OFFERTORIUM. § 153.

Grata deo nimium sunt haec libamina summo :　*Confessio.*[a]
Est odor hic suauis laurentius igne crematus :　*Sanctitas.*

AD UERSUM.

Aecclesiae nati[1] nouitatis honore nitentes,　*Cantate.*

¶ALITER.

Est quoniam magnus laudabilis et metuendus :　*Cantate.**

AD COMMUNIONEM. § 154.

Haec mandata suis dominus commendat hiesus,　*Qui mihi.*[b]
Talibus obsequiis merces quoque digna manebit　*Et ubi ego.*
Beatus uir qui timet dominum
Gloria. seculorum amen.

TROPI IN ASSUMPTIONE SANCTAE MARIĘ
PERPETUAE UIRGINIS. § 155.

Festiua per orbem adest nunc dies,
qua alma maria conscendit ad aethra :
superae gaudent cunctae uirtutes :
nosque cum illis consona uoce,　*Gaudeamus.*[c]
Suscipit laetam praesidens celsus,
collocat secum sede paterna :　*De cuius.*
Polorum cateruę, ymnum ante sedem dicunt :　*Et conlaudant.*

AD PSALMUM.

Qui naturam nostrae humanitatis copulauit naturae suae diuinitatis :　*Eructauit.*

[a] Confessio et pulchritudo in conspectu ejus : | sanctitas et magnificentia in sancti-
ficatione ejus. ℣. Cantate domino canticum novum &c. ℣. Cantate domino,
benedicite &c.
[b] Qui mihi ministrat me sequatur : | et ubi ego sum illic et minister meus erit.
The psalm is unusual.
[c] Gaudeamus omnes in domino, | diem festum celebrantes | sub honore Mariæ
Virginis, | de cujus assumptione gaudent angeli | et collaudant filium dei. *Ps.*
Eructavit cor meum.
[1] matris E.

ECCE PULCHRI TROPI.[1] § 156.

Fulget nempe dies cunctis ueneranda per orbem,
qua genitrix dei caelos penetrauit ab aruo : unde   *Gaudeamus.*
Cuius honore sacram dominam laudamus in aula : *Diem festum.*
Personis trinis unum regem uenerantes :   *Sub honore.*
Quam laudat mortalis et omnia numina sursum : *Et conlaudant.*
                        Gloria patri.

ITEM ALII. § 157.

Nos sinus aecclesiae matris quos enutrit alme, eia : *Gaudeamus.*
Esse dei genitrix quae creditur omniparentis ·   *De cuius.*
Sic pia prae cunctis meruit quod uirgo bearis : *Et collaudant.*
                      [Gloria patri.]

AD OFFERTORIUM.[2] § 158.

Ad mariam missus   *require retro in adnuntiatione ipsius*
                                    (§§ 77, 78)

AD COMMUNIONEM. § 159.

Iniustos quę iustificat iustosque coronat,   *Diffusa est.*[a]
                                      Gloria patri

¶TROPI IN FESTIUITATE SANCTI AÐELUUOLDI
EPISCOPI ET CONFESSORIS.[3] § 160.

Patris adest uotiua dies, cantemus ouantes,   *Statuit.*[b]
Pontificem templo sibi quem sacrauit in isto : *Et principem.*
Inter apostolicos stola splendente ierarchos :   *Ut sit illi.*
AÐELUUOLDE pia prece nos defende misellos : *In aeternum.*

---

[a] Diffusa est gratia in labiis tuis, propterea benedixit te deus in eternum.
[b] See above, p. 29.
[1] § 157, § 156 E.   [2] E has these in full.   [3] E has none.

AD REPETENDUM. § 161.

Praesul AÐELUUOLDUS quia fulsit in ordine magnus, *Statuit ei.*
Constituens illum hodie super aethra polorum, *Et principem.*
Gloria splendor honor decus et ueneratio perpes : *In aeternum.**

¶IN NATALE SANCTI BARTHOLOMEI APOSTOLI.[1]
§ 162.

Hodie regem[2] apostolorum laude promamus cum psalmista,
Mihi autem.[a]
Unde conspecta gloria superna mox fatur[3] talia, *Honorati.*
Propterea supernorum comes agminum iugiter iubilat : *Nimis.*
Domine probasti me. Mihi autem.
Gloria patri.

AD REPETENDUM.[4] § 163.

Omnipotens petimus pia laudum suscipe uota : *Mihi autem.*
Sanctorum collegio apostolorum ouans conlaudat
ita propheta, *Honorati sunt.*
Trinitatis nomen spargentes per mundi climata : *Amici.*
Paracliti repleti dono[5] per uerbum patris : *Nimis.*
[*Domine probasti.*]

AD REPETENDUM. § 164.

Omnipotens uenerande tuos semper pie sanctos *Constitues.*[b]
Ut gentes nomenque tuum reboetur in omnes : *Memores.*
Es quia rex regum faciens magnalia christe : *In omni.**

TROPI IN DIE NATIUITATIS SANCTAE
MARIAE. § 165.

O quam clara nites[6] agni pulcherrima sponsa : *Uultum tuum.*[c]
Ut caeli in thalamo semper noua cantica psallant : *Adducentur.*
Angelicisque choris iunctę letentur in aeuum : *Adducentur.*

[a] Mihi autem nimis | honorati sunt | amici tui, deus: | nimis confortatus est princi-
patus eorum. *Ps* Domine probasti.
[b] See above, p. 27. This should have the heading   AD OFFERTORIUM.
[c] Vultum tuum deprecabuntur omnes divites plebis : | adducentur regi virgines
post eam : proximæ ejus | adducentur tibi in lætitia et exultatione. *Ps.* Eructavit cor.
[1] E has this § for SS. Simon and Jude.
[2] Regi C.   [3] fantur C.
[4] E has this § for St. Andrew's Day and § 164 for the Offertory then.
[5] donis C.   [6] nitet E.

TROPER.   D

AD PSALMUM. § 166.

Processisse paterno ex pectore te bone hiesu
egregii uatis sic dia[1] poemata narrant : *Eructauit.*

AD REPETENDUM. § 167.

Cunctipotens domine quia satque benignus haberis : *Uultum.*
Cumque tuis famulis uitae reseraueris aulam : *Adducentur.*
Munere que tuo rex uirgo genitrixque choruscat : *Adducentur.*
Gloria patri.

ITEM TROPI. § 168.

Prudens uirgo tuis maria fidelibus adsis :
nam quia iam christo es sociata ideo, *Uultum tuum.*
Angelicis tibi sat notis quia rite ministris,
et quibus exemplar uirginitatis eras : *Adducentur regi.*
Tristia cuncta recesserunt te laeta tenebunt :
gaude uirgineo hinc decorata choro : *Adducentur tibi.*

AD OFFERTORIUM.

Ad mariam *require retro in annuntiatione* (§§ 77, 78).

AD COMMUNIONEM.

Iniustos *require in assumptione* (§ 159).

IN NATALE SANCTI MATHEI APOSTOLI ET
EUANGELISTĘ. § 169.

A domino impletum sacro quoque dogmate plenum : *Os iusti.*[a]
Personas omnes ęquo discrimine pensans[2] : *Et lingua.*
Ut iugiter tractent quę sunt moderamina uitę : *Lex dei.*
PSALMUS *Noli emulari.*
Os iusti. Gloria.

---

[a] See above p. 14.
[1] diua C. [2] pensas E.

AD REPETENDUM. § 170.

O fratres animo uerbis iam psallite cuncti :	*Os iusti.*
Sancti mathei patris semper uenerandi :	*Et lingua.*
Quod docuit monitis operum uirtutibus implens :	*Lex dei.*

[ITEM. § 171.

Hac in laude patris cuncti dicamus ouanter,[1]	*Os iusti.*
Qui nobis hodie semen concessit habere :	*Et lingua.*
Unde dies sit hic toto uenerabilis orbe :	*Lex dei.*]

(OFFERTORIUM) *Posuisti domine.*

(COMMUNIO) *Magna est.*

TROPI IN FESTIUITATE SANCTI MICHAHELIS ARCHANGELI. § 172.

Hodie regem archangelorum laude promamus	
cum psalmista :	*Benedicite.*[a]
Habentes diuinam cuius uultum cernitis persepe :	*Potentes.*
Adimplentes iussa iugiter domini :	*Qui facitis.*
Ipsum collaudantes per quem geritis mirabiles[2] res :	*Ad.*
	PSALMUS *Benedic i.*

AD REPETENDUM. § 173.

O michahel superae que ob nos gaudendo cohortes ;	*Benedicite.*
Ordinat hic legem per uos homo factus herilem :	*Potentes.*
Nos qui sanet aegros uos stare facitque beatos :	*Ad audiendam.*
	Gloria.

ITEM PULCHRI TROPI. § 174.

Mirans angelicas cecinit psalmista cohortes	
mente prophetantis dulcibus eloquiis :	*Benedicite.*
Ad disponendum naturae in saecula motum :	*Potentes.*
Sub duce magnifico caeli michahele ierarcho :	*Ad audiendam.*

[ITEM. § 175.

Coniuncti superis animo nunc psallite fratres,	*Benedicite.*
Lumine de summo clarissime lumine caeli :	*Potentes.*
Christus nos foueat sanctis precibus quoque uestris	*Ad.*

---

[a] Benedicite dominum omnes angeli ejus ; | potentes virtute, | qui facitis verbum ejus, | ad audiendam vocem sermonum ejus; *Ps.* Benedic anima mea.

[1] ouantes C.   [2] mirabilis E.

AD REPETENDUM. § 176.

Summi cęlicolę deuicto cęlitus hoste
uobiscum merito psallat dauiticus ordo, eia :   *Benedicite.*
Est quia pax uera michael uincente perhenni[1]   *Qui facitis.*
Incorrupta quibus mens et sine crimine uirtus   *Ad audiendam.*]

AD OFFERTORIUM. § 177.

Salus deo nostro cui angeli assistunt ordine miro,
testanteque[2] ait iohanne beato, *Stetit angelus iuxta aram templi,*
Fungens[3] officio diuinę maiestatis   *Habens turribulum aureum*
                                      in manu sua,
Ad summi libamen ponendum odoris: *Et data sunt ei incensa*
                                          multa,
Mirifico odore fragrantia :   *Et ascendit fumus aromatum in*
                            conspectu dei, alleluia.

¶ITEM AD OFFERTORIUM. § 178.

Gratificum foret ut munus uotumque piorum   *Stetit angelus.*

AD VERSUM. § 179.

Emundes mentem purges sic denique linguam :   *In conspectu*
   *angelorum psallam tibi domine, et adorabo ad templum.**

AD COMMUNIONEM. § 180.

Felices nimium stabiles uirtute perhenni :   *Benedicite*[a]
       [Ps. *Benedicite omnia opera domini domino*].
                            Gloria patri.

¶TROPI IN FESTIUITATE SANCTORUM MARTYRUM
DIONISII RUSTICII ET ELEUTHERII.[4] § 181.

En nunc martyribus melos reboando canorum,   *Gaudeamus.*[b]
Glorificare suos qui testes inclite nouit: *Diem festum.*
Quos totus mirando colit insigniter orbis :   *De quorum.*
Agmina cuncta simul caeli laetantur ouanter :   [*Et conlaudant.*]

    [a] Benedicite omnes angeli domini domino : hymnum dicite et superexultate eum
in saecula. *Ps.* Benedicite omnia opera.
    [b] See above p. 31 : the same form is used adapted to the occasion.
   [1] perhennis C.   [2] qui C E.   [3] fulgens C.
   [4] E gives these §§ 181, 182 for Many martyrs.

Item. § 182.

Gloria martyrum et corona certaminum :   *Intret.*[a]
Effunde iram tuam super gentes qui te non nouerunt :   *Redde.*
Deus qui sedes super thronum et iudicas aequitatem :   *Uindica.*

(Offertorium) *Mirabilis deus.*

(Communio) *Gaudete.**

IN NATALI SANCTI IUSTI MARTYRIS. § 183.

Ecce dies uenerandus adest, dicamus ouantes,   *Gaudeamus.*[b]
Quem statuere patres antiqui rite colendum :   *Sub honore.*
Et iubilant pariter mortales omne per aeuum :   *Et collaudant.*
         Misericordias domini cantabo.
    Gaudeamus . . . Sancti iusti martyris.
      Gloria patri. Gaudeamus.

¶Ad repetendum. § 184.

Cuius et in pueris renitet clarissima uirtus :   *Diem festum.*
Sollempnem caelis dantem quoque gaudia terris :   *Sub honore.*
Qui mundum mundique minas deuicerat infans :   *De cuius.*

Ad offertorium. § 185.

Premia pro meritis qui sanctis digna rependis,   *Posuisti.*[c]
Quod tibi complacitum fuerat iustoque benigno[1] :   *Desiderium.*
In quo summa salus spes est et firma salutis :   *Magna est.*

Ad communionem. § 186.

Iam miserens nobis dominus prestatur ab astris[2]   *Qui uult.*[d]*

---

[a] Intret in conspectu tuo domine gemitus compeditorum : | redde vicinis nostris septuplum in sinu eorum : | vindica sanguinem servorum tuorum qui effusus est. *Ps.* Deus venerunt.
[b] See above, p. 31 : the same form is used adapted to the occasion.
[c] See above, p. 14.
[d] Qui vult venire post me, abneget semetipsum et tollat crucem suam et sequatur me.
[1] benignum C.   [2] Without musical notes.

[ITEM. § 187.

Haec mandata suis dominus commendat hiesus   *Qui mihi.*[a]
Talibus obsequiis merces quoque digna manebit   *Et ubi ego.*]

TROPI IN DEDICATIONE AECCLESIAE
[SANCTORUM APOSTOLORUM PETRI ET PAULI
UUINTON].[1] § 188.

Almus celsitroni merito uenerabilis atque   *Terribilis.*[b]
Olim quem christus speciali sanxit honore,   *Hic domus.*
Qua pariter cunctos largitur uita fideles :   *Et porta.*
                                                  Dominus regnauit.

ITEM. § 189.

Est quia terribilis domus ista dicata tonanti,   *Terribilis.*
Quem deus inuisit chorus angelicusque frequentat,   *Hic domus.*
Per quam iustorum transcendunt sidera uoces :   *Et uocabitur.*

ITEM. § 190.

Celebremus ouanter festa aecclesiae necne canamus
  omnes,   *Terribilis.*
Quia ab altissimo fundata est   *Hic domus.*
In ipsa enim christus habitat et haec scala angelorum est,   *Et.*
Per quam credentes uenia mea prius adempta[2] ad
  aethera merentur conscendere: *Et uocabitur.*

AD OFFERTORIUM. § 191.

Sic dauid poscit templi dum munera soluit :   *Domine deus.*[c]

AD UERSUM.

Qui caelum terram mare condidit atque gubernat :   *Maiestatem.*
Omnibus expletis fuerant que rite patranda :   *Fecit salutem.*

---

[a] Qui mihi ministrat me sequatur, | et ubi ego sum illic et minister meus erit.
[b] Terribilis est locus iste : | hic domus dei est | et porta cœli : | et vocabitur aula dei, alleluia. *Ps.* Dominus regnavit, decorem.
[c] Domine deus in simplicitate cordis mei laetus obtuli universa &c. ℣. Majestas domini ædificavit templum &c. ℣. Fecit Salomon solennitatem &c.
[1] E has this between St. Clement and St. Andrew.
[2] adepta E.

AD COMMUNIONEM. § 192.

Auribus haec mentis perpendite uerba fideles   *Dom¶in*us.*ᵃ
[*Quam dilecta. Gloria.*]

[TROPI IN FESTIUITATE SANCTORUM SYMONIS
ET IUDAE. (§§ 162, 204, 207.)]

TROPI IN FESTIUITATE OMNIUM SANCTORUM.
§ 193.

Hodie mundo festiuus illuxit dies omnium sanctorum,
eia, eia :   *Gaudeamus.*ᵇ
Hodie martyrum turba tripudiat in caelis, et nos in
terra,[1] eia, eia :   *De quorum.*
In qua hodie omnium sanctorum condignis laudibus
ueneremur :   *Et collaudant.*
Exultate iusti.

ITEM. § 194.

O quam glorifico fulgescunt sydere sancti,
sanguine qui proprio meruerunt praemia regni :   *Gaudeamus.*
Caelica quos hodie conlaudant gaudia iunctos :   *De quorum.*
Dulcissonis christo psallentes uocibus odas[2] :   *Et collaudant.*

AD REPETENDUM. § 195.

Eia canendo sonos : ¶*require in natali plurimorum confessorum.*[3]*
[uasto modulamine dulces   *Gaudeamus.*
Consonet ore simul nostrorum flos meritorum   *De quorum.*
Aeterni socii fulgoris germinis alti   *Et conlaudant.*]

ITEM. § 196.

Nos sinus aecclesiae matris quos enutrit alme, eia : *Gaudeamus.*
Summus honor quibus est summi pia uisio regis :   *De quorum.*
Compleri numerum cernunt quia rite supernum :   *Et collaudant.*

ᵃ Domus mea, domus orationis vocabitur &c.   The psalm is unusual.
ᵇ See above, p. 31.
[1] terris E.   [2] odos E.
[3] There is no such § now to be found.   E gives the rest here.

AD REPETENDUM. § 197.

Dulcia corde pio resonantes organa christo :   *Gaudeamus.*
Laudibus in cuius caelum tellusque resultat :   *Diem festum.*
Sol quos splendificat claro lustramine summus :   *De quorum.*
Consocios sibimet factos hos conspicientes :   *Et collaudant.*[1]

AD OFFERTORIUM. § 198.

Mirandę uirtutis opus praestare suetus, eia :   *Mirabilis.*[a]
Protegat et saluet qui iustos atque coronat, eia :   *Exurgat.*
Ignis ut a facie molescens cera liquescit, eia :   *Pereant.*

AD COMMUNIONEM. § 199.

Dulcia perpetuae qui fertis premia digne,[2] eia :   *Gaudete iusti.*[b]

TROPI IN DEDICATIONE SANCTI MARTINI
EPISCOPI. § 200.

Gemma dei martinus adest uirtute choruscus,[3]
dicta cui testantur mystica uoce sonora :   *Statuit.*[c]
Per quem uipereo† mortis deuinceret hostem :   *Et principem.*
Rex caelorum deus terrarumque :   *Ut sit illi.*
                                      [*Misericordias domini.*]

ITEM. § 201.

Martinus meritis uirtutum et stemate† pollet :   *Statuit.*
Carcere qui nexus carnis animatus ab astris :   *Et principem.*
Cuius pontificalis apex flauescit habunde :   *Ut sit illi.*
Menibus astriferis puro conscriptus in albo :   *In aeternum.*
                                      Misericordias domini.

---

  [a] Mirabilis deus in sanctis suis : deus Israel | ipse dabit virtutem et fortitudinem
plebi suæ : | benedictus deus, alleluia. ℣. Exurgat deus et dissipentur inimici ejus &c.
℣. Pereant peccatores a facie dei &c.
  [b] Gaudete justi in domino, alleluia : rectos decet collaudatio, alleluia.
  [c] See above, p. 29.
  [1] E inserts here the Trope to Alleluia Iam nunc intonant (p. 84).
  [2] uitę C.   [3] coruscans C.

AD OFFERTORIUM.[1]

Os ci ereus   *require retro* (§ 146.)
Hos inter   *in natali Sancti suuithuni* (§ 147, 148.)

AD COMMUNIONEM.

Quam bene   (§ 149.)

[TROPI IN DEDICATIONE ECCLESIAE.
(See §§ 188–191.)]

[TROPI IN NATALI SANCTI ANDREAE.
(§§ 163, 205, i. ii, 206, 164.)

AD COMMUNIONEM.[2] § 202.

Corporeis oculis ihesum se cernere gaudens
et morum pietate sequi diuinitus optans   *Dicit andreas.*[a]]

[TROPI IN NATALI SANCTI THOMAE APOSTOLI.
§ 203.

Ammirans uates proclamat uoce sonora   *Mihi autem.*[b]
Qui tibi sunt iuncti diuino pneumate pleni.   *Nimis.*]

---

[a] Dicit Andreas Simoni fratri suo, Invenimus Messiam &c.
[b] See above, p. 33.
[1] E has it in full here.   [2] without musical notation.

¶TROPI IN NATALI APOSTOLORUM.

Hodie regem[1] apostolorum (§ 162).[2]

ALII.[2] § 204.

Festis nunc in apostolicis laus clangat herilis :	*Mihi.*[a]
Angelici patres clari super aethera ciues,[3]	*Amici.*
Qui debriant euangelico sophismate cosmum,	*Nimis.*

ITEM ALII. § 205.[4]

Nobile apostolici ammirans decus ordinis almi	
daviticus uates proclamat talia dicens,	*Mihi.*
Quos diuinus amor uere tibi iunxit amicos :	*Nimis.*

AD PSALMUM.

Celica namque piis reddunt acherunta superbis :	*Domine.*

AD REPETENDUM. § 206.[4]

Filius ecce patrem compellans taliter inquit,[5]	*Michi autem.*
Affectuque pio repetens ditando ministrat :	*Nimis confortatus.*

AD OFFERTORIUM. § 207.[2]

Inspirante sacro flatu corda discipulorum,	*In omnem.*[b]
Hi[6] sanctis precibus dissoluunt uincla reorum,	*Et in fines.*

AD UERSUS.

Humano generi fundentes semina uerbi,	*Cęli enarrant.*
	℣ *Dies diei.*

AD COMMUNIONEM.[7] § 208.

Lucratis populis solium uos scandere caeli	
concedo[8] clemens quia sancto flamine plenos :	*Ego uos.*[c]
Christicolas cuneos mihi commendando fideles :	*Et fructus.**

---

[a] See above, p. 33.
[b] In omnem terram exivit sonus eorum : | et in fines orbis terrae verba eorum. ℣ Caeli enarrant &c. ℣ Dies diei eructavit verbum &c.
[c] Ego vos elegi de mundo ut eatis et fructum afferatis, | et fructus vester maneat.
[1] Regi C. [2] E has this § for SS. Simon and Jude.
[3] oves E. [4] E has this § for St. Andrew. [5] dicens C. [6] in C.
[7] E has this § for Many Confessors. [8] concede C E.

¶TROPI IN NATALE UNIUS MARTYRIS. § 209.

Hic sanctus quoniam fulsit uirtutibus, eia :   *In uirtute.*[a][1]
Iustorum laetis sociatus cetibus, unde   *Et super.*
Ipsum nam toto dilexit amore uerenter :   *Desiderium.*

> ITEM. § 210.

Eia canamus omnes[2] deo magne mente uoce simul
    cantica laeta :   *In uirtute.*
Hic tuus sanctus lege tua semper meruit frui cum fide
    iocunda :   *Et super.*
Petiuit unum a te deus une ut [3]in loco fieret[3] in domo
    tua :   *Desiderium.**

TROPI IN NATALE PLURIMORUM MARTYRUM.

En nunc martyribus *require in natale sanctorum dionysii rusticii*
                     & eleutherii.[4] (§§ 181, 182.)

AD OFFERTORIUM. § 211.

Gloriosus est rex deus noster qui triumphat in sanctis
    suis : iubilemus illi, eia :[5]   *Mirabilis deus.*
Et laudabilis sanctorum omnium rex, eia :   *Ipse dabit.*
In seculorum secula, eia, eia, eia :   *Benedictus.*

[AD COMMUNIONEM. § 212.

Summa dei proles, humano corpore sumpto,
Languores nostros tulit, exclusitque dolores :   *Multitudo.*[c]]

---

[a] In virtute tua domine lætabitur justus, | et super salutare tuum exultavit vehementer : desiderium animæ ejus tribuisti ei. *Ps.* Domine in virtute tua.

[b] See above p. 40.

[c] Multitudo languentium et qui vexabantur a spiritibus in mundis veniebant ad eum : &c.

[1] Musical notation ends here in CC.   [2] tibi C.   [3]—[3] incola foret.
[4] E has these §§ in full here.   [5] add eia C.

[IN NATALI UNIUS CONFESSORIS. § 213.

Hic domini famulus quia mansit iure fidelis,   *Statuit.*[a]
Accendens in eum quod ait uetus atque modernum :   *Et princ.*
Ut decus eximium mansurum firmiter usque   *In eternum.*
    Misericordias domini. *Statuit.* *Gloria patri.*

(ITEM.) § 214.

Quem caeli ciues terris ueneramur ouanter
uotiferi celebre soluamus concine laudum :   *Statuit.*
Qui sibi principium uite finemque sacrauit   *Et principem.*
Liberius solidum quo possit reddere pensum   *Ut sit illi.*
Quem commendabat meritis conlata potestas   *In eternum.*

AD COMMUNIONEM. § 215.

Gloria celsa manet poterit qui dicere gaudens, *Domine quinque.*][b]

[IN ·NATALI PLURIMORUM CONFESSORUM.
(§§ 197[c], 195[c], 198, 208)]

[TROPI IN NATALI DE UIRGINIBUS.] § 216.[1]

Christe tuum populis nomen depromere cunctis
regibus et ducibus cupiens sermone[2] salubri,   *Loquebar.*[c]
Utpote diuine iuuamine fulta loquęle
cuius ab ingressu uox est moderata loquentis, *Et meditabor.*
Hęc faciendo tibi domine seruire studebam,
quatinus ęthereae consortia plebis haberem :   *Quę dilexi.*
                    [Beati immaculati.]

---

[a] See above p. 29.   [b] Domine quinque talenta tradidisti mihi &c.
[c] Loquebar de testimoniis tuis in conspectu regum, et non confundebar : | et meditabar in mandatis tuis | quæ dilexi nimis. *Ps.* Beati immaculati.
[1] Perhaps in a later hand : with musical notation.   [2] C transposes.

[AD OFFERTORIUM. § 217.

Corporibus te¹ delectant rex christe pudicis   *Filię regum.*ᵃ
Iuncta choris quibus haec felix laetatur honestis *Adstitit regina.*
Quod mecum mansit, manet, et per secla manebit *Eructuauit.*†

ITEM. § 218.

Maxima dona deo quia mente et corpore caste   *Offerentur.*ᵇ

AD COMMUNIONEM. § 219.

Haec meus accipiet quę, sunt promissa fidelis   *Quicunque.*ᶜ]

(ST. SWITHUN.) § 220.²

Ecce patronus adest meritis signisque refulgens,
     de quo dulcisonum personat officium :   *S]tatuit.*
Q]uod maneat solido firmum per secula pacto :   *E]t principem.*
O]rdine melchisedech libamina sacra ferentem :   *U]t sit illi.*
N]os³ suuithune tuos defende benignus alumnos :   *I]n eternum*
                                     [Misericordias
                                       Statuit ei.]

[AD REPETENDUM.] § 221.

Aurea lux hodie rutilat suuithunus in orbe
qui, quia pacificus fuerat, mitissimus atque,   *S]tatuit.*
G]entibus anglorum pacem mittendo per illum :   *E]t principem.*
P]ontificale decus concessit eique benignus :   *U]t sit illi.*
C]uius nos meritis christus conscribat in astris :   *I]n ęternum.**

ᵃ Filie regum in honore tuo : | astitit regina a dextris tuis in vestitu aurato cir-
cumdata varietate. ℣. Eructavit cor meum verbum bonum &c.
   ᵇ Offerentur regi virgines &c.
   ᶜ Quicunque fecerit voluntatem patris mei qui in cælis est, ipse meus frater soror
et mater est, dicit dominus.
   ¹ ut delectat C.
   ² Inserted later. f. 78ᵛ.   ³ O E.

¶ANTIPHONA IN ADUENTU EPISCOPI.[1]

Firmetur manus tua et exaltetur dextera tua, iustitia et iudicium preparatio sedis tuę, misericordia et ueritas precedant faciem tuam.

Dominus qui elegit te ipse te coronauit corona ; iustitia tua enim domina recta est coram te : laus tibi deus in aeuum, alleluia.

ITEM ANTIPHONA.

Redemtor mundi conseruet uitam qui enim ezechiae ter quinos annos auxit ad uitam : ille augeat tempora tua ut uideant oculi tui pacem in diebus tuis alleluia.

ANTIPHONA AD MANDATUM IN CENA DOMINI.[2]

Ante diem festum paschae sciens iesus quia eius hora uenit ut transeat ex hoc mundo ad patrem & cena facta surrexit, lintheo precinxit se, misit aquam in peluim, cepit lauare pedes discipulo(rum).

There follow here 17 settings of *Ite missa est* and one of *Deo gratias.**

---

[1] Surtees Society vol. 61, pp. 214, 233, 270.
[2] arum Processional (Leeds 1882), p. 65.

INCIPIUNT KYRIELEISON PER CIRCULUM ANNI CANENDE.

[INCIPIUNT LAUDE PRECES QUAE UOCE LATINA HOC RESONANT MISERE(RE) TUIS O CHRISTE MISELLIS.]

[1]Christe redemptor miserere nobis, kyrrieleyson eia
    omnes dicite,   *Kirrieleison.*
Te christe supplices exoramus cunctipotens ut nostri
    digneris eleison :   *Kirrieleyson.*
Te decet laus cum tripudio iugiter qua tibi petimus
    canentes eleison :   *Kirrieleison.*
    O bone rex qui super astra sedes et domine qui cuncta
        gubernas eleison :   *Xpeleison.*
    O theos agię salua uiuifice redemptor noster eleison :   *X.*
    Qui canunt ante te precibus annue et tu nobis semper eleison :
                              X.
Tua deuota plebs implorat iugiter ut illi digneris eleison :   *K.*
Clamat incessanter nunc quoque contio et dicit eleison :   *K.*
Miserere nostri fili dauid tu nobis eleison :   *K.*
    In excelsis deo magno sit gloria, eterno patri
    Qui nos redemit proprio filio, ut uiuificaret de morte :
    Dicamus indesinenter una uoce omnes eleison :

ALIAE KYRRIELEISON ITEM.

Eia omnigenis uocibus domino, reddentes odas debitas : *Kbis. K.*
Inuocantum nomen tuum, rex sabaoth, audi preces
    supplicum :   *Xbis. X.*
                     K. K. K.

ITEM ALIE KYRRIELEISON.

Miserere domine, kirrieleison, uoce corde postulate
    regem inuisibilem canentes illi :   *K ter.*
Iterum dicamus omnes, christeleison, et rogemus
    christum dominum una uoce proclamantes :   *X ter.*
Et summissis uultibus deprecemur trinitatem deum
    aeternum canentes illi :   *Kbis. K.*

---

[1] E has only the 1st farsing of each of the above three groups—Christe, O bone,
Tua deuota. There is also another and more usual form of this which begins at
Te Christe supplices and has the closing 3 lines (from In excelsis) with the last Kyrie :
so E in a later collection of Kyries prefixed to the main MS. & also IV.

Adoneus kyrrius, dominus kyrrion, christeleison   *K*[*bis.*] *K.*
Hel, sother, saluator, messias, christus, unctus, rucha,
    pneuma :   *Xbis. X.*
Spiritus sile apostolus, missus pontifex :   *K.   K.*
Speculator miserere, domine, nobis, eia omnes dicite :
    kirrius kirrion, christeleison :   *K.*

Cunctipotens genitor deus omnicreator eleyson   *Kirrieleison.*
Fons et origo boni, pie, luxque perhennis eleyson   *K.*
Saluificet pietas tua nos, bone rector, eleyson   *K.*
    Christe dei splendor, uirtus, patrisque sophia eleyson   *X.*
    Plasmatis humani factor lapsi reparator eleyson   *X.*
    Ne[2] tua damnetur iesu factura benigne eleyson   *X.*
Amborum sacrum spiramen, nexus amorque, eleyson   *K.*
Procedens fomes uitę fons sensificans uis, eleyson   *K.*
Purgator culpę ueniae largitor pie[3]
    Offensas dele sancto nos munere reple
    Spiritus alme   eleyson   *K.*

DEŅUO KYRRIELEISON.

RURSUS KYRRIELEISON.

NEMPHE ITERUM KYRRIELEISON.

ECCE ITEM KYRIELEISON.

UTIQUE AET HIC KYRIELEISON.

ITEM DEUS SCIT HIC SUNT KYRRIELEISON.

ET HIC CERTE.

ITEM HIC LAUDABILE.

HIC IN FINE.[4]

[And one more in a later hand, with no rubrication.]

---

[1] Inserted later at f. 79ᵛ.   [2] Nec. C.   [3] Opime E. C.
   [4] These are settings of the Kyrie plain *i.e.* without farsings. E has eleven
similar settings with rubrics of the same sort.

[The following additional Kyries are from E.[1]

Te christe supplices (see p. 47 and note).

Theoricam practicamque uitam regens deus pater *eleyson.*
Uenitequet† christe qui es patri carus *eleyson.*
Spiritusque paraclite huic nobis psallentibus *eleyson.*
  Uindex es qui mali et largitor boni *eleyson.*
  Tuque qui cum patre uernas cuncta christe *eleyson.*
  Cęli o plasmator et terrę tu factor *eleyson.*
Eia nunc cateruatim dicite nobis christe *eleyson.*
Et deo placeamus nos modo canentes *eleyson.*
Celicis suffragari gaudiis estuans plebs proclamat
  Ut suis delictis indulgeat deus dei genitus
  Ut† ut queat cęli gaudia adipisci dicat *eleyson.*

Kirrie rex genitor ingenite uera essentia *eleyson.*
Kirrie luminis fons et rerum conditor *eleyson.*
Kirrie qui nos tuę imaginis signasti specie *eleyson.*
  Christe lux oriens per quem sunt omnia *eleyson.*
  Christe qui perfecta es sapientia *eleyson.*
  Christe dei forma humane particeps *eleyson.*
Kirrie spiritus uiuifice uitę uis *eleyson.*
Kirrie utriusque uapor in quo cuncta[2] *eleyson.*
Kirrie expurgator scelerum et largitor gratię
  Petimus[3] propter nostras offensas noli nos relinquere
  O consolator dolentis animę *eleyson.*

Pater creator omnium tu theos ymon nostri pie *eleyson.*
Tibi laudes coniubilantes regum rex pie oramus te *eleyson.*   .
Laus uirtus pax et imperium cui est semper sine fine *eleyson.*
  Christe rex unice patris almi nate coeternęt† *eleyson.*
  Qui perditum hominem saluasti de morte reddens uitę *eleyson.*
  Ne pereant pascue oues tuę ihesu pastor bone *eleyson.*
Kirri soter agye supplices imas te exoramus *eleyson.*
Uirtus nostra domine atque salus uera in eternum *eleyson.*
Trine deus et une uite dona[4] nobis tribue misertus nostrique tu
  digneris *eleyson.*

  [1] They are given on a quire of 6 leaves prefixed later to the main part of the
book (ff. 2–7), but f. 4 should follow f. 6.   These have been printed in Surtees Society
vol. 60, pp. 243–252, but the above dislocation in the MS. was not taken into
account and in other ways the work is not very accurately done.
  [2] C inserts sunt.   [3] Quesumus C.   [4] Corrected for da.

Kirrieleyson . . . . &c., plain.

C(l)emens rector eternę† pater inmense *eleyson.*
N)ostras necnon uoces exaudi benedicte domine
Eter stellifer noster nostri benignus *eleyson.*
   Plebem tuam sabaoth agie semper rege *eleyson.*
   Trine et une sedulas nostras preces rex suscipe
   Fidem auge his qui credunt in te tu sucurre *eleyson.*
Respice in nobis omnibus inclite, Fer opem de excelsis et nostras
   redemptor orbis terre uoces iugi angelorum carmini adiunge
   eleyson.
Cunctipotens sophię tuę lumen nobis infunde
Tripertite et une kirrie qui manes in eternum cum patre,
   Te ore te corde atque mente psallimus : nunc tibi o beate
   ihesu bone te deprecamur omnes assidue *eleyson.*

Kirri rex regum domine deus sabaoth nostri pie *eleyson.*
Kirri quem intremunt superne facturę cuncte et terrene *eleyson.*
Kirri pater ingenite origo uitę sempiternę *eleyson.*
   Christe lux de luce paternę glorię coęternę *eleyson.*
   Christe uirgineę flos pudicitię incarnatę *eleyson.*
   Christe qui de morte tuo nos sanguine redemisti *eleyson.*
K)irri spiritus alme patri filioque coęqualis *eleyson.*
Kirri indiuiduę Karitatis bone inspirator *eleyson.*
K)irri inuisibilis uirtutum opifex
   Mentis nostrę sordes abluę†
   Ut in nobis manere tu digneris *eleyson.*

Kirrieleyson . . . . &c., plain.

Cunctipotens genitor . . . . (p. 48.)

Kirrieleyson . . . . &c., plain.

Conditor *kyrrie* omnium imas creaturarum *eleyson.*
Tu nostra delens crimina nobis incessanter *eleyson.*
Non sinas perire facturam tuam sed clemens ei *eleyson.*
 Christe patris unice natus de uirgine nobis *eleyson.*
 Mundum perditum qui tuo sanguine saluasti de morte *eleyson.*
 Ad te nunc clamantium preces exaudiens pius *eleyson.*
Spiritus alme tua nos replens gratia *eleyson.*
A) patre et nato qui manas iugiter nobis *eleyson.*
Trinitas una trina unitas simul adoranda
 Nostrorum scelerum uincla resolue redimens a morte
 Omnes proclamemus nunc uoce dulciflua deus *eleyson.*

Kirrieleison . . . . &c., plain.

O pater excelse sincera mente colende *eleyson.*
Ingenitus genitor quoque pacis amator *eleison.*
Parce tuis usion pie conditor orbis *eleison.*
 Christe patris genite famulorum crimina terge *eleyson.*
 Clarifica uoces celsi patris unica proles *eleyson.*
 Ut te laudantes reboent concorditer omnes *eleyson.*
Nec genitus nec ingenitus tu spiritus almus *eleison.*
Sed patris et geniti uerax sapientia nostri *eleyson.*
Suscipe deuote clamantes spiritus ad te
 Perpetue sponse soboles tuearis ab hoste
 Nam tu deus unus amande.

Kirrieleison . . . . &c., plain.

Lux et origo lucis summę deus *eleyson.*
In cuius nutu constant cuncta clemens *eleyson.*
Qui solus potes misereri nobis *eleyson.*
 O mundi redemptor cunctorum et factor nostri *christe eleyson.*
 Per crucem redemptis a morte perhenni rex pie *christe eleyson.*
 Qui es uerbum patris salus et humana lux uera *christe eleyson.*
Adonay domine deus iuste iudex *eleyson.*
Qui machinam gubernas rerum alme pater *eleyson.*
Quem solum laus et honor decet nunc et semper *eleyson.*

Kirrieleison . . . . &c., plain.

Kirri genitor rex regum perpes *eleison.*
Splendiferi rutilans lux solis nobis *eleison.*
Conditor mundi nos protege semper *eleison.*
  Christe sophia imagoque patris *eleison.*
  Uerbigena sceptrum rex pontifex et liba *eleison.*
  Salua facturam ihesu tuam clemens *eleison.*
Spiritus purificator internorum *eleison.*
Spiramen ab utroque manans *eleison.*
Criminibus tu paraclite uinculatos soluens AIE
  Ac replens diuo karismatum munere perhenne *eleison.*

Kyrrie rex sempiterne huic caterue̜ tibi laudes canenti semper
  eleyson.
Piissime rex maiestate precelsa pollens clara uoce obnixe petimus
  nobis *eleyson.*
Mirifice rex matris alme̜ proles Marie̜ pietate pro tua iugiter
  nostri *eleyson.*
  Christe ciues quem ce̜lestes in arce aule̜ rutile̜ gloriose collaudant
    semper resplendentes prepulchre̜ uernulis tuis *eleyson.*
  Christe patris uerbigena inclite sustinens crucem pro salute
    facture̜ tue̜ uicta morte qui surrexisti nobis *eleyson.*
  Christe flamen prepotentem uirtute tibi equalem qui uibrante
    fulgoris igne discipulis misisti ab axe nobis *eleyson.*
Kirrie celse quem milia milium condigne angelorum collaudant
    semper humiliter oramus te patrem nobis *eleyson.*
Kyrie alme toto corde grex caterue̜ tue̜ coniubilat celicas laudes
    tibi pulchre ut illi digneris semper *eleyson.*
Kyrie clemens suscipiens preconia nostra poli arce post carnis
    finem nos coniunge atque sine fine nobis *eleyson.*

Piissime rex Kirrie rector cunctipotens nostri dignare *eleyson*.[1]
Pro homine ex uirgine homo factus christe cunctis clementer
   eleyson.
P)assus necis teterrimę penas o domine presenti turmę *eleyson*.
   Celi rex *christe* terreque pulchrę qui de sepulchro surrexisti
   eleyson.
   Cunctorum *christe* monstrasti clausis qui te ianuis dilectis tuis
   eleyson.
   Christe post mortem iam cęlos die quadragesima qui con-
   scendisti *eleyson*.
En ignis qui specie *kirrie* rex paraclitum apostolis sanctum misisti
   semper nostri *eleyson*.
Fulges qui throno patris *kirrie* nos perhenniter uoluntatis tuę
   firmans in lege nobis *eleyson*.
[2]Inmense dominator *kirrie* rex iudicare cum ueneris ab arce
   omnes tribus terrę huic tunc turme clemens *eleison*.

Kirrie salue semperque pręsenti turme *eleison*.
Uiuifice plastes excelse princeps patrię *eleison*.
Kirrie nate mariae matris pręcelse *eleison*.
   Patri simillime *christe* rex unice uirtute *eleison*.
   Tibi mitissime rex laudes canenti cateruę *eleison*.
   M)irifice *christe* quem cunctę adorant machinę *eleison*.
Kirrie personis triplex simplexque in deitate *eleison*.
P)iissime redemptor noster iam morte mortem destruens *eleison*.
Kirrie nos polo omnes coniungens
   R)ex inclite corde deuoto obnixe
   D)eprecamur te *eleison*.

Kirrieleison . . . . &c. Three plain settings.]

---

[1] Without musical notes.   [2] In a later hand.

[CANTORES GEMINI RESONANT HAEC UERBA CANENTES.]

SACERDOS dei excelsi, ueni ante sanctum et sacrum altare & in laude regis regum uocem tuam emitte ; supplices te depre- camur, eia dic domne   *Gloria in excelsis . . . uoluntatis.*

HYMNUS ANGELICUS.

[INCIPIUNT SANCTI MODULAMINA DULCITER YMNI QUEM CECINERE CHORI CHRISTO NASCENTE SUPERNI.]

Pax sempiterna christus illuxit gloria tibi pater excelse :
          Laudamus te.
Hymnum canentes hodie quem terris angeli fuderunt
 christo nascente,   *Benedicimus te.*
[1]Q]ui es creator omnium eternus in maiestate semper
 colendus :   *Adoramus te.*
[2]Quem ubique regnantem et omnibus imperantem
 angelorum chorus laudat exultans *Glorificamus te.*
Cuius a sede lux benedicta caliginoso orbi refulsit *Gratias.*
[3]Ultro mortali hodie indutus carne benigne *Suscipe :*
O ineffabilis rex et admirabilis ex uirgine natus[4] hodie
 prodisti mundoque subuenisti,   *Qui sedes.*
 O trina deitas et una te poscimus ut culpas abluas noxia
 subtrahas da tuis pacem famulis nobis quoque tuam gratiam
 per cuncta saecula seculorum. amen.

---

[1] The older readings are preserved in the second part of the MS. (p. 86), as follows :—

  [1] ' Natus est nobis hodie saluator in trinitate semper colendus.' & E.
  [2] ' Quem uagientem inter angusti antra praesepis angelorum cœtus laudat exultans.' & E. (but resultans).
  [3] Correction for ' Ultra mortales hodie indutum carne precamur.' & E.
  [4] Correction for ' matre.' & E.

ITEM LAUDES [LAUDES DE PASHA DOMINI.] *Gloria in excelsis deo.*

Laus tua deus resonet coram te rex :   *Laudamus te.*
Qui [1]fecisti propter nos uerbum incarnari tuum : *Benedicimus te.*
In sede maiestatis tuę :   *Adoramus te.*
[2]Seculorum domine :   *Glorificamus te.*
Gloriosus es rex israhel in trono regni[3] tui : *Gratias agimus.*
[4]Domine deus redemptor israhel, *Quoniam tu solus sanctus.*
Deus fortis et inmortalis,   *Tu solus dominus.*
Caelestium terrestrium et infernorum rex, *Tu solus altissimus.*
Regnum tuum solidum [5]{rex glorię, qui es splendor
 ac decus[6] ęcclesię.   *E . . .*
Q]uam decorasti tuo quoque pretioso sanguine, *E . . .*
H]anc rege semper piissime,   *E . . .*
Q]ui es fons misericordię   *E . . .}*
P]ermanebit[7] in ęternum : *I]hesu christe. C]um sancto
        spiritu in gloria dei patris AMEN.*

ITEM LAUDES [ITEMQUE ALIE].[8] *Gloria in excelsis deo.*

Laus tibi domine celsa potestas in excelsis, *Laudamus te.*
Et benedictum nomen tuum in aeternum : *Benedicimus te.*
Qui pietate pollens descendisti ad inferos : *Adoramus te.*
Redimeres ut creata sanguine tuo rex altissime : *Glorificamus te.*
Et[9] uatum omnium firmares oracula redemptor alme : *Gratias.*
Omnium uita, mori uoluisti pro cunctis, o bone hiesu : et,
 calcatis inferis, attulisti de triumpho gloriam in
 saecula :   *Domine deus agnus dei.*

ITEM LAUDES [ALIAE]. *Gloria in excelsis deo.*

Aue deus, summe trinitas, in personis indiuisa : *Et in terra pax.*
Lux uera, rex angelorum et omnium redemptor : *Laudamus te.*
Resultet ciuium supernorum cuncta, et celestis aula
 tibi concinens laudum uota :   *Benedicimus te.*
Quem benedicunt creaturae cunctę et exultanter adorant :
           Adoramus te.
Qui gloriosus permanes in sede maiestatis tuę : *Glorificamus te.*
Tibi omnis lingua confitetur atque glorificabitur : *Gratias.*
Qui es misericors pius ac benignus atque potentissimus : *Quoniam.*
Sanctam maiestatem tuam mente deuote poscimus : *Tu solus.*
Da pacem tuis famulis, o bone rex, et uitam beatam : *Tu solus.*
Nostra dele facinora hic et in aeterna saecula : *Ihesu christe.*

---

[1] Correction for ' uenisti propter nos rex angelorum deus,' see part 2 : & E.
[2] Correction for ' ueneranda trinitas.' & E.
[3] Correction for ' patris.' & E.   [4] Omit to israhel.
[5] All this is a prose added here in a later hand : in the 2nd part of the MS.
(p. 86) all is a long jubilus on *per*manebit with repeats on the vowels. E omits to
permanebit, thus agreeing with the 2nd part. [6] et sponsus C. [7] permanebis C.
 [8] Not in the second part.   [9] Ut E.

ITEM LAUDES. *Gloria in excelsis deo.*

[1]Quem dominum rerum conlaudant omnia uerbum :   *Laudamus.*
Omnia quem sanctum benedicunt condita regem : *Benedicimus tc.*
Tellus atque polus mare quem ueneranter adorant : *Adoramus te.*
Glorificant agnum ciues quem digniter almi :   *Glorificamus tc.*
Gratia sanctorum splendor decus et diadema :   *Gratias.*
Culpas gestorum soluens sine crimine solus :   *Quoniam.*
Insons astripotens nostris tu parce ruinis :   *Tu solus dominus.*
Cuncta tenens et cuncta fouens et cuncta perornans : *Tu solus.*
Nosque preces nostras caelo describe redemptor : *Ihesu christe.*

ITEM LAUDES.[2] *Gloria in excelsis deo.*

Quem glorificant sancti angeli et uirtutes caelorum : *Et in terra.*
Pax uera salus et uita omnium rex angelorum :   *Laudamus.*
Laudibus canamus tibi soli domino, eia in excelsis : *Benedicimus.*
Quem benedicunt mare & aquę, [3]tibi soli laudes dicimus :
                          Adoramus te.
Quem adorant uirtutes celestes, tibi [4]pie trementes
    gloriam dicimus :   *Glorificamus te.*
Gloriosum est rex nomen tuum in aeternum, qui
    propter nos mori [5]uoluisti dominum hiesum :   *Gratias.*
Rex pie deus clemens,   *Quoniam tu solus.*
Solus rex inuisibilis qui ad dextram patris sedes : *Tu . . dominus.*
Clementissime deus, suffragare, et cunctorum nobis
    criminum prebe ueniam.   *Tu solus altissimus.*
Rex pie, pacem tribuc, iuua meseros†, adtritos sana,
    nocentes preme, foue credentes in te :   *Ihesu christe.*

ITEMQUE. *Gloria in excelsis deo.*

Quem uere pia laus, solum quem condecet hymnus : *Laudamus.*
Cuncta super quia tu deus es benedictus in aeuum : *Benedicimus.*
Qui dominator ades caeli terraeque marisque :   *Adoramus te.*
Gloria quem perpes manet imperiumque perhenne : *Glorificamus.*
De qua plena uigent abs te quę condita constant :   *Gratias.*
Es quia tu clemens mitis pius atque benignus :   *Qui sedes.*
Stat tibi nam proprium misereri uelle misellis :   *Quoniam.*
Sanctificans omnes tibi quos tua gratia nectit : *Tu solus dominus.*
Trina genu flectit cui subdita machina rerum : *Tu solus altissimus.*
Cuncta uidens & cuncta replens per sęcula regnans, *Iesu christe.*

[1] Correction for ' Quem patris ad dextram conl.' & E.
[2] Put later in part 2.
[3] Correction for ' tibi laudamus dicite.' & E.
[4] Correction for ' pie eia in excelsis.' & E.
[5] Correction for ' uoluisti o bone iesu.' & E.

ITEM LAUDES. *Gloria in excelsis deo.*

Prudentia prudentium, et rector orbis deus :   *Laudamus te.*
Qui tui filii morte resoluisti mortis uincula :   *Benedicimus te.*
Unde summissis uultibus atque deuotis[1] mentibus ; *Adoramus te.*
Hinc erigendo capita profantes tibi laudes et odas
    uoce publica rex sabaoth,   *Glorificamus te.*
Reminiscentes omnium tuorum deus magnalia   *Gratias.*
Christe redemptor, rex alme, uoces nostras, o inclite,
    uocibus angelorum adiunge,   *Quoniam.*

LAUDES. *Gloria in excelsis deo.*

Vt possimus consequi hoc, deus, praecibus deuotis, *Laudamus te.*
Qui indiges[2] nullius laude, deus trine & une domine, *Benedicimus.*
Quem benedicit mare et aquę, sol, luna, tellus, stellę,
    caeli lucidę :   *Adoramus te.*
Quem adorant uirtutes angelicę, ipsum prostrato
    [nosmet corpore,   *Glorificamus te.*][3]
O bone rex et pie domine clementiam ineffabiliter
    tuam magnificantes deuote,   *Gratias.*
[4]S]aluatio nostra christe benigne, qui hortaris ut precamur,
                               Suscipe.

LAUDES. *Gloria in excelsis deo.*

Hanc quesumus nobis semper propitius largiaris :   *Laudamus te.*
Quoniam magnus es tu et laudabilis ualde :   *Benedicimus te.*
Cuius nomen maiestatis benedictum permanet in aeternum :
                              Adoramus te.
Quem dominationes adorant et potestates tremunt : *Glorificamus.*
[Qui gloriosus existis][3] in omnibus operibus tuis :   *Gratias.*
Ut tibi grata reddatur et accepta :   *Qui sedes.*
Quia nunquam obliuisceris misereri miseris :   *Quoniam.*
Extra quem non est alius :   *Tu solus dominus.*
Omnium dominantium cunctorumque rex regum : *Tu . . altissim.*
Qui respicis humilia in caelo et in terra :   *Iesu christe.*

¶ITEM LAUDES. *Gloria in excelsis deo.*

Omnipotens altissime uerbum patris et genite,   *Laudamus te.*
Quem benedicit chorus caelestis, gloriam pangit domino
    in altissimis :   *Benedicimus te.*
Quem conuentus adorant pastoralis angelo nuntiante uenit :
                              Adoramus te.

---

[1] deuoti E.
[3] Line erased.
[2] indies E.
[4] E omits this line.

Quod uerbum caro factum, mater praesepe posuit MARIA :
Glorificamus te.
Natiuitatem tuam, christe, qui recolunt uisita : *Gratias.*
O decorata proles sublimi hodie mundo nasci dignaris
ex utero uirginis: *Propter.*
Paruulus natus in orbe quam magnus es in poli arce : *Dom. deus.*
Suscipe nunc clemens paruulorum laudes ab alto,
o deus alme : *Qui sedes.*
Ihesu bone, qui es uia, ueritas et uita, portas regni,
quesumus, nobis resera, et relaxa facinora : *Ihesu christe.*
Rex caelorum, maris atque terrae, qui uenisti humanum
genus saluare, nos quoque protege, qui solus habes
inmortalitatem, et lucem habitas inaccessabilem :
Cum sancto.*

¶ITEM LAUDES. *Gloria in excelsis deo.*

Laudat in excelsis celum terramque regentem,
angelicus cetus laudat et omnis homo : *Laudamus te.*
Te benedicit ouans angelorum celsa potestates†
et mortalis homo te benedicit ouans: *Benedicimus te.*
Te adorant ueneranter cunctae cateruae polorum,
te tellus pelagus laudat adorat amat : *Adoramus te.*
Glorificant dominum rutilantia sidera caeli,
glorificant te rex cuncta creata tua : *Glorificamus te.*
Qui super astra sedes ad dexteram patris in alto,
rex caeli uernulis tu miserere tuis : *Domine deus.**

¶ITEM LAUDES. *Gloria in excelsis deo.*

Angelica iam pater laude cum prole et procedente
pneumate : *Laudamus te.*
Quod genitum per uerbum, inclite, patrasti cuncta in
hoc mundo bona ualde, *Benedicimus te.*
Moderantem caelos, tellurem, mare, cum coeterna
pariter uirtute : *Adoramus te.*
Quem superni tremunt ordines in sede maiestatis re-
splendentes lumine diuinitatis tuę, regum rex,
o domine, *Glorificamus te.*
Splendor qui candens uero de lumine carnis nube
pro nostra tectus est salute imperans ubique : *Gratias.**

LAUDES. *Gloria in excelsis deo.*

Te unum deum colentes, *Laudamus te.*
Te trinum uenerantes, *Benedicimus te.*
Patrem in filio, filium in patre, spiritum in utroque, *Adoramus te.*
[1]Hanc unam summamque deitatem amantes, *Glorificamus te.*
Sanctam maiestatem tuam poscentes deuote, *Gratias.*

[1] E adds in margin Alta dei soboles seruorum dilue sordes.

LAUDES. *Gloria in excelsis deo.*

O gloria sanctorum lausque angelorum quem secutus[1]
 est sanctus iohannes, *Laudamus te.*
O decus et[2] uirtus, lausque beata sanctorum, quem
 [3]laudat sanctus iohannes, *Benedicimus te.*
Cantemus tibi laudes de pectore toto, teque cum
 [4]sancto adoremus iohanne, *Adoramus te.*
Angelicus tibi astat clarissimus ordo, cum quo te
 glorificat[5] sanctus[6] iohannes, *Glorificamus te.*

¶ITEM LAUDES. *Gloria in excelsis deo.*

Quem ciues caelestem sanctum clamantes laudes
 frequentant : *Et in terra.*
Ut ministri domini uerbo incarnato terrenis promiserat :
 Laudamus te.
Laudibus cuius astra matutina insistunt : *Benedicimus te.*
Per quem omne sacrum et benedictio conceditur atque
 augetur : *Adoramus te.*
Omnipotens adorande colende tremende et uenerande,
 Glorificamus te.
Ut creatura creantem, plasma plasmantem, figulus
 figmentum, *Gratias.*
Quem quisquis adorat, in spiritu et ueritate oportet
 adorare : *Quoniam.*
Hynum† maiestati, gratias autem pietati ferenda : *Tu solus.*
Rector angelicae et humanae creaturę, qui arce summa
 cernis terrestria : *Tu solus.**

ITEM ALII LAUDES. *Gloria in excelsis deo.*

O laudabilis rex, domine deus, *Laudamus te.*
O adonai, benedicte dominator, *Benedicimus te.*
O adoranda et beata trinitas deus, *Adoramus te.*
Glorificande et metuende, *Glorificamus te.*
Pax salus & uita omnium deus, tibi gloria : *Gratias.*
Rex seculorum domine ihesu christe, *Suscipe.*
Aeterni sapientia patris, *Tu solus dominus.*
Tu lux uia et spes nostra : *Tu solus altissimus.*
Rex regum cuius constat sine tempore regnum : *Ihesu christe.*

---

[1] secuta est sancta maria C. [2] ac E.
[3] But in the second part, benedicit (so E) sancta maria : also in C.
[4] Sancta adoremus maria & C. [5] E adds semper. [6] Sancta maria & C.

HYMNUS ANGELICUS.

[GRECA LINGUA COMPOSITUM.]

Doxa en ypsistis theo. Ke episgis. irini enantropis. eudochia
enumense. eulogumense. pros kinumense. doxo logumense.
eukaristumense. diatin mengalinsu doxan. kyrie basileu
epuranie. thee patir pantocraton. kyrrie yie monogeni isu
criste. keagion pneuma. kyrrie otheos. oamnos tutheu. o ios[1]
tu patros. oerontin amartian tu cosmu. eleison imas.
oerontas amartian tu cosmu. prosdexet indei sinimon O
catimenos endexia tu patros eleison imas.   Otisi monos
agios. simonos kyrrios simonos ypsistos. ysos χρos. sinagion
pneumatin. is doxan. theupatros.   AMIN.

[The following additional Gloria is given in the main part of E.

ITEMQUE ALIAE.   *Gloria in excelsis deo.*

Patri aeterno filioque coaeterno et paraclito utroquę
    coaeua   *Et in terra.*
Quam caris suis dominus commendat sequacibus almus
                                                        Laudamus.
Uoce assidua et laudibus angelicis   *Benedicimus te.*
Et tibi pie modulamine compto canentes   *Adhoramus.*
Quem cuncte uenerantur adorant creature tuae   *Glorificamus te.*
Gloria perpetua et laude perhenni hic et in ęuum   *Gratias.*
Nosque tuere iure paterno cuncta nobis commissa
    relaxans   *Quoniam tu.*
Existens in solio patris aeterni   *Tu solus dominus.*
Cunctorum per quem cuncta condita constant *Tu solus altissimus.*
Celo superior tellure latior atque inferno profundior
    o alme   *Ihesu christe.*]

[MS. E has the following additional settings of Gloria in excelsis
written in a later hand and prefixed to the MS.

G]*loria in excelsis deo.*[2]

Qui deus et rector mundi manet atque creator   *Et in terra.*
(Quem laudant humana agmina   (in margin)   *Pax.*)
Quę sociat homines iam cęli ciuibus omnes   *Laudamus te.*

---

[1] yios E.
[2] All the capital initials are wanting in the two following pieces.

Laudat in excelso quem semper cęlicus ordo   *Benedicimus te.*
Quem benedicit superus chorus senatorum   *Adoramus.*
Personis trinum pro maiestate sed unum   *Glorificamus.*
Te quem glorificat necnon simul orbis adorat   *Gratias agimus.*
Tibi gloria laus Honor et imperium   *Domine deus rex.*
Indueras fragilis propter nos pondera carnis   *Ihesu christe.*
Qui poteras lapsi peccatum tollere mundi   *Domine deus.*
Rex pie quadrifidi conscendens robora ligni   *Miserere nobis.*
Pignus aput patrem nostrum inuiolabile perstans[1]   *Qui sedes.*
Conditor uniuersorum   *Quia tu.*
Et saluator sęculorum   *Solus sanctus.*
Tibi gloria per infinita sęcula   *Tu solus dominus.*

Gloria in excelsis.

Deus inuisibilis rex angelorum altissime   *Laudamus.*
Qui astra solum mare mirabili ordine regis deus   *Benedicimus.*
Cui assistunt omnia cęlestia terrestria et infernalia rex
    Adoramus.
Eterno[2] regem munia laudum canamus[3] eia   *Glorificamus.*
Sanctam maiestatem tuam poscentes deuote   *Gratias agimus.*
Omnipotens altissime uerbum patris et genite   *Suscipe.*
Christe uia ueritas et uita nostra rex regum et deus
noster   *Qui sedes.*
Patri ęqualis paracliti quoque indiuidue compar   *Quoniam.*
Piumque tuum amorem recolentes qui stas in euum
rex unigenite   *Tu solus altissimus.*

Gloria in excelsis.

O] siderum rector angelorum creator   *Laudamus.*
L]aude perhenni celsa uoce reboanti   *Benedicimus.*
S]anctum ac benedictum patrique coeternum   *Adoramus.*
T]rinum et unum maiestate precelsum   *Glorificamus.*
G]loriosum ac uenerandum arua regentem et polum   *Gratias.*
R]ex regum cuius constat sine
    R]egens cuncta benigne   *E. . .*
    C]ęlica ac terrea pontica simul atque   *E. . .*
    T]erris dignatus es descendere   *E. . .*
    S]umma residens in poli arce   *E. . .*
    Et
                tempore regnum   *Cum sancto.*]

---

[1] prestans C.   [2] Corrected to eternum but IV has regi.
[3] Corrected to soluentes.

¶INCIPIUNT OCTO OFFICIALES TONI.

NONANOEANE. AUTENTUS PROTUS.

Gloria . . . seculorum. Amen.

Primo pro culmine tuae quaerere (iustitiae domine) ueri summi quoque lumen
Fac nos petimus ut in caelo semper tibi iubilemus.   Amen.

A. Gaudete in domino.
Rorate caeli.
Etenim sederunt.
Statuit ei dominus.
Suscepimus deus.
Gaudeamus omnes.
Exurge quare.

Exclamauerunt.
De uentre matris mee.
Scio cui credidi.
Factus est dominus.
Inclina domine.
Iustus es domine.
Da pacem domine.

NOEAGIS.   PLAGA PROTI.

Gloria . . . seculorum. Amen.

Secundumque legis uerbum mutua quod dilectione
Et dei et proximi christe mandasti colere
Quo per haec geminę obseruantię praecepta reddamus.   Amen.

A. Ueni et ostende.
Dominus dixit ad me.
Ex ore infantium deus.
Ecce aduenit.
Uultum tuum.
Me expectauerunt.
Fac mecum domine.
Laet(et)ur cor.

Sitientes uenite.
Terribilis est.
Cibauit eos.
Multę tribulationes.
Mihi autem nimis.
Dominus illuminatio.
Dominus fortitudo.

AIANE OEANE.   AUTENTUS DEUTERUS.

Gloria . . . saeculorum. Amen.

Tertia te die Te christe Te resurgere mundo ferrę lumen
Credimus o alme ; fac nos et tuum semper laudare nomen,
Et in patrie Te eternę regione Cernentes (s)edere. Amen.

A. Ego autem sicut.
Dum clamarem.
Confessio et pulchritudo.
Intret oratio mea.
Tibi dixit cor meum.
In deo laudabo.
Ego clamaui.
Dum sanctificatus.
Liberator meus.

Omnia quę fecisti.
In nomine domini.
Uictricem manum tuam.
Uoce iocunditatis.
Repleatur os meum.
Caritas dei diffusa est.
Benedicite dominum omnes.
Si iniquitates.

NOE AGIS. PLAGA DEUTERI.

Gloria . . . seculorum. Amen.

Quarta te noctis christe uigilia discipulis dare celeste solamen
Nos humiles fatentes Te cantantes laudantes tuęque nomen
Potentię nos quaternę tuę euangelicę uocis da cognoscere
monimen

A. Prope esto domine.
Sacerdotes tui domine
induantur.
Intret in conspectu.
Reminiscere.
De necessitatibus.
Salus populi.
Iudica me deus.

Nos autem.
RESURREXI.
Eduxit eos in spe.
Eduxit dominus populum.
Misericordia domini.
NUNC SCIO UERE.
In uoluntate tua.

NEANE. AUTENTUS TRITUS.

Gloria . . . seculorum. Amen.

Quinque tu domine in cęlum uirgines te recipere
Dignatus es, plebi tuę Uerbum reuelare Signis et ostendere
Sensus ecce nostros in te precamur domine disponere,

A. Loquebar.
Circumdederunt me.
Domine refugium.
Uerba mea.

Letare hierusalem.
Miserere mihi deus quoniam
tribulor.
Domine in tua.
Deus in loco sancto suo.

ANNES. PLAGA TRITI.

Gloria . . . saeculorum. Amen.

Sexta tue christe praesentię corporalis hora splendet,
Fontem ecclesie Uitam tribue salientem aquae uiuae :
Feruore quoque plene gratiae hanc semper accende.

A. Hodie scietis.
   In medio ecclesie.
   Os iusti meditabitur.
   Esto mihi in deum.
   Quasi modo.

Cantate domino.
Respice in me.
Omnes gentes.
Dicit dominus ego.

NANA ANNES. AUTENTUS TETRARDUS.

Gloria . . . saeculorum. Amen.

Septemplicem te nunc quoque nobis adesse deposcimus alme
   paraclite
Nostrę mentes ut tuę gratię semper exuberent perfecto munere :
Queque nocent, extingue, Et cuncta quę proficiunt accende
   semper amoris igne.

A. Populus sion.
   Puer natus est nobis.
   Oculi mei semper.
   Aqua sapientie.
   Uenite benedicti.

Protexisti me deus.
Uiri galilei.
Gloria et honore.
Respice domine.

NOE AGIS. PLAGA TETRARDI.

Gloria . . . saeculorum. Amen.

Octo pie O christe lucide beatitudines
Euangelice gratię plebi tuę praebe benignus et clemens :
Sempiterna requie et refoue Sine fine credentes in te

A. Ad te leuaui.
   Dilexisti iustitiam.
   Lux fulgebit.
   Dum medium silentium.
   In excelso throno.
   Letabitur iustus.
   In uirtute tua.

Domine ne longe fac.
Introduxit uos deus.
Iubilate deo.
Spiritus domini.
Deus dum egredereris.
Miserere mihi deus quoniam
   ad te.*

INCIPIUNT LAUDES AD [DULCIA CANTICA] SANCTUS.

SANCTUS	Pater lumen aeternum,
Sanctus	Genitus ex deo deus,
Sanctus dominus	Spiritus maiestate consimilis,

Deus sabaoth: pleni sunt caeli et terra gloria tua: Osanna in excelsis.

Benedictus qui uenit in nomine Domini: Osanna in excelsis.

ITEM LAUDES.

Sanctus	Pater ingenitus,
Sanctus	Orbis redemptor filius,
Sanctus dominus	Uiuificans spiritus pollens in trinitate,
Deus sabaoth	Cuius in laude uoces dabant pueri regem christum collaudantes in altissimis.

Benedictus . . . excelsis.

ITEM.

Sanctus	Ingenitus genitor caelesti uoce fateris :
Sanctus	Filius aeterno genitori rite coeuus :
Sanctus dominus	Spiritus almifluus geniti genitoris et unus :
Deus sabaoth.	

ITEM.

Sanctus	Deus pater ingenitus,
Sanctus	Filius eius unigenitus,
Sanctus dominus	Spiritus sanctus paraclitus ab utroque procedens,
Deus sabaoth	Gloria uictoria et salus aeterna sit deo nostro in excelsis.
Benedictus . . . excelsis[1]	Osanna omnes tua gratia

quos a morte redemisti perpetua :
Morte tua ius mortis cum principe pro-
culcans uitę nos reparans :
Deo patri dans carum te pro nobis
pretium et uiuam hostiam :
Tecum nos resuscitans :
Tecum in cęlis collocans et regni largiris
consortium.

[1] E only to *domini.*

Te ergo deposcimus, ut cum iudex
adueneris cunctorum discernere merita
nos cum angelis et sanctis socies,
Cum quibus tibi canamus,
osanna in excelsis.

ITEM.

Sanctus   Admirabilis splendor inaccersibilisque
lux pater deus :

.Sanctus   Uerbum quod erat in principio apud
deum :

Sanctus dominus   Paraclytus utriusque spiritus :

Deus sabaoth   Cui omne flectitur genu et omnis lingua
proclamat dicens,

Benedictus.

ITEM.

Sanctus   Ante saecula deus pater :

Sanctus   In principio cum patre manens natus :

Sanctus dominus   Patris natique spiritus et ipse :

Deus sabaoth   Nos cernui tui famuli de tuo aduentu
gratulanter dicimus,

Benedictus.

¶(ITEM.)[1]

Sanctus   Deus omnipotens pater :

Sanctus   Dei filius atque unigenitus :

Sanctus deus   [2]Spiritus paraclytus, uoluntas amborum,
uni deo gloria :

Osanna   In altissimis deo omnes dicamus,

Benedictus.*

ITEM.

Sanctus sanctus sanctus . . . &c.

---

[1] Inserted in a later hand on f. 79
[2] IV prefixes Quoque.

[INCIPIUNT LAUDES RESONANT QUAE DULCITER AGNUS
QUI UENIENS PECCATA PIUS TULIT IMPIA MUNDI.]

Quem iohannes in deserto predicauit ouans et dicens, ecce
Agnus.

Qui sedes ad dexteram patris solus inuisibilis rex:
Miserere nobis.

Rex regum, gaudium angelorum, deus: *Miserere.*

Lux indeficiens pater perpetua omniumque redemptio,
eia: *Miserere.*

ITEM LAUDES.

[MUNUS ABEL PUERI MEMORANT HĘC CANTICA SANCTI.]

Cui abel iustus atque sanctus agno agnum obtulit inma-
culatum, *Agnus.*

Qui gratis moderaris cuncta, semper indeficiens rex, *Miserere.*

Tu ades corona confitentium deus: *Miserere.*

Lumen sine nocte uirtus angelorum, manens semper
piissime, eia: *Miserere.*

ITEM. *Agnus dei . . . nobis.*

Qui patris in solio residens per saecula regnas: *Miserere.*

Tu pax tu pietas bonitas miseratio semper: *Miserere.*

Singula discutiens dum sederis arbiter orbis: *Miserere.*

(ITEM.) *Agnus dei qui . . . nobis.*

Qui es uera sapientia, et uerbum, et uirtus patris, *Miserere.*

Qui sedes ad dexteram dei maiestatis in excelsis: *Miserere.*

LAUDES. *Agnus dei qui . . . nobis.*

Omnipotens aeterna dei sapientia christe, *Miserere nobis.*

Uerum subsistens uero de lumine lumen: *Miserere nobis.*

Optima perpetuae concedens gaudia uitę: *Miserere nobis.*

F 2

(ITEM.) *Agnus dei qui . . . nobis.*

Qui sedes in throno regni tui :   *Miserere nobis.*

[*Agnus dei.*

Lux lucis, uerbumque patris, uirtusque perhennis, *Miserere nobis.*
Uerus sanctorum splendor nosterque redemptor, *Miserere nobis.*
Nostra salus pax uera deus altissima uirtus   *Dona.*][1]

¶Redemptori carmina
Ergo pie rex christe nobis dans peccamina
Solue nexorum uincula.*[2]

---

[1] Inserted in a later hand on f. 121ᵛ in MS. E.
[2] Inserted in a later hand with music in neums and alphabetical notation.

The latter part of each MS. contains the Sequentiae and Prosae (in MS. CC ff. 81–135, and in MS. E ff. 122–end). They are given in two forms—(*a*) the melodies in their original shape as Sequentiae (see introduction, p. xx) without words: (*b*) the same melodies in their later form as Prosae, *i.e.*, with full words adapted to them.

The earlier form is to be seen in the facsimiles pll. 1–17, and the later form on pl. 21.

The Proses have all been printed before and are easily accessible so they are not printed in full now, but there is given below a synopsis of the contents of these two MSS., so far as the Sequences or Proses are concerned, including the various later additions which do not form part of the main collections.

The contents of MS. E are given on the left-hand page and those of MS. CC on the right-hand page, arranged synoptically, and of the three columns which appear in each page the left-hand one gives the title of the melody in the original shape (*a*): the middle one gives the title again and the first words of the Prose as they appear in the later form (*b*): while the third column gives a reference to books where the full text of the Prose may be found : the plain numbers refer to Misset and Weale's *Analecta Liturgica* (ii. pp. 22 and 107), and those with K prefixed to Kehrein's *Lateinische Sequenzen*.

The Appendix to MS. CC contains for a third time over the titles of the first few of the melodies (on ff. 153–155, see pll. 18–21): when these differ from the titles as given earlier, the variations are inserted in the synopsis in brackets.

In MS. E the music of some proses has been rewritten, probably in the end of the xii[th] century, on a four-line stave : these are distinguished by an asterisk.[1]

To four of the melodies some words have been adapted and are found even in the original shape (*a*): these words are subsequently found incorporated in the fully developed Prose and in each of these two MSS. they are then distinguished by being written in red capital letters (see pll. 3, 4, 22): they are printed here after the synoptical table (p. 84).

---

[1] See facsimiles in Chappell. (Archaeologia XLVI.)

MS. E

f. 1	i.		Gaude uirgo mater ecclesia	241
	ii = 56		Gaude uirgo ecclesia	95
f. 129	iii		Laudes deo deuotas	K.122
f. 129ᵛ	iv.		Sonent regi nato	K.17
	v.		Clare sanctorum	K.369
	vi.	De sancto andrea apostolo:	Clara cantemus	521
	vii	De sancto bartholomeo apostolo *Multiphariae*	Alle cantabile	522
	*viii	De sancto Stephano martyre	Magnus deus	81
	ix =(27)	De sancto Iusto martyre	Fulget dies	442
	*x		Celsa pueri	K.348
	xi = (52)		Sancti spiritus adsit	K124
	xii	(St Swithun)	Gaudens christi	523
	xiii		Aurea uirga	K255

f. 122

Hic tibi cantori sunt cuncta
 sequentia praesto
Que circulo annorum modulantur
 ordine pulchro

f. 136 INCIPIUNT PROSAE.

i		*1. De Nativitate domini.	Celica resonent.	22
ii	*Beatus vir Stephanus*	2 Sequentiarum. *Beatus vir*	Gloriosa dies	433
iii	*Iustus Iohannes ut palma florebit in caelo*			
	,,	3 Prosae ad sequentia de sancto iohanne evangelista.	Laus armoniae	435
	,,	4 Item prosae de sancto iohanne euangelista	Organicis modulis	32
iv =(xlix)	*De Innocentium agminibus* Pura deum laudet innocentia	5 Sequentia de innocentibus	Pura deum	57
v	*Multiphariae*	*6 Sequentia *Multiphariae*	Nato canunt	K.9

MS. CC

f. 9	Gaude virgo mater ecclesia	241
f. 2	Sonent regi nato	K.17
f. 1	Magnus deus	81

f. 81   f. 89

(i)	Sequentia *Musa* de natale domini	(1.)	*Musa* de natale domini	Caelica resonent	22
(ii)	*Beatus vir*	(2.)	*Beatus vir*	Gloriosa dies adest	433
(iii)	*Iustus ut palma* (*Iustus ut palma Iohannes floret*)	(3)	De sancto Iohanne euangelista	Oramus te	434
	,,	(4)	De sancto Iohanne euangelista	Laus armoniae	435
		(5)	De sanctis innocentibus	Pura deum laudet	57
(iv)	*Multifarie* (*Multifariae* Sequentia)	(6)	*Multifariae*	Nato canunt	K.9

vi	Chorus in Epiphania christi	*7.	Sequentia Chorus in Epiphania	Epiphaniam	K.27
vii	Adorabo	8	Prosa ad sequentia de sancta maria Adorabo	Claris uocibus	411
viii	Fulgens preclara	*9.	Sequentia Fulgens preclara	Fulgens preclara	K.95
ix	Pascha nostrum christus est	10	Prosae ad Pascha nostrum	Prome casta contio[1]	96
x	Eduxit dominus	11	Prosa Eduxit dominus	Pange turma corde	436
xi	Citharis organicisque deum modulemur ouanter	*12	Prosa ad sequentia Cythara de ascensione domini.	Rex omnipotens	K.116
xii	Benedicta sit maiestas domini	*13	In pretiosa sollemnitate pentecostes	Benedicta sit	100
xiii	Mater sequentiarum	14	Prosa ad Mater sequentiarum	Alle caeleste	44
	,,	15	In natali sancti iohannis baptistae	Exulta cęlum	190
xiv	Sanctus petrus apostolus	16	Prosa ad sequentia sanctus petrus	Agmina laeta	417
	,,	17	De principibus lauripotentibus petro summo ac paulo celso	Sanctus Petrus	437
xv	In omnem terram	18	Prosa ad sequentia In omnem terram	Laude iocunda[2]	35
xvi	Hodie maria uirgo	19	..... Sancte Marie Hodie . . .	Aureo flore	439
xvii	Post partum uirgo mansisti	20	De sancta regina ad Post partum marie	Hac clara die Dreves, Analecta Hymnica vii. 101	

[1] Contrast MS. CC which is right. The neums have been erased and lines ruled but the notes have not been filled in.

[2] On f. 152ᵛ next following all has been erased.

(v)	*(Chorus siue Bauuer-isca)*	(7)	*Chorus.*	Epiphaniam domino	K.27
(vi)	*Adorabo* *(Adorabo* de sancta Maria)	(8)	*Adorabo.*	Claris uocibus inclyta	411
(vii)	*Fulgens preclara* (Ęgregius domini resonat laus ista triumphum. Paschali festo canenda)	(9.)	Paschalis.	Fulgens praeclara	K.95
(viii)	Sequentia *Eduxit dominus*	(10)	Prose ad sequentia *Eduxit dominus* de recte sancto pascha.	Prome casta contio	96
(ix)	Sequentia *Pascha nostrum*	(11)	Sequentia *Pascha nostrum*	Pange turma	436
(x)	Sequentia *Cithara*	(12)	Sequentia *Cythara*	Rex omnipotens	K.116
(xi)	Sequentia *Benedicta*	(13)	Prose de Pentecosten	Benedicta sit	100
(xii)	*Mater sequentiarum*	(14)	De sancto Iohanne baptista	Exulta caelum	190
		(15)	Prose ad *Mater sequentiarum*	Alle celeste	44
(xiii)	Sequentia *Sanctus Petrus*	(16)	Sequentia de sancto Petro apostolo	Sanctus Petrus	437
	,,	(17)	Item prosa de sancto Petro apostolo	Agmina laeta	417
(xiv)	Sequentia *In omnem terram*	(18)	De sancto Petro et Paulo	Laude iocunda	35
(xv) = xxx	Sequentia[1] *Ieronima*	(19) = 36	Prosa de sancto Benedicto abbate	Arce superna	438
(xvi)	*Hodie Maria*	(20)	Sequentia *Hodie Maria uirgo*	Aureo flore	439
(xvii)	*Post partum uirgo*	(21)	Sequentia *Post partum uirgo* uel *Greca pulchra*	Hac clara die Dreves, *Analecta Hymnica* vii. 101	

---

[1] SQ. *i.e.* sequentia is repeated before each of the succeeding titles.

xviii	*Maris stella*	21	Prosa ad sequentia de sancta maria ad *Maris stella* Salue porta	K.249
xix	*Angelica*	22	Prosa ad sequentia de sancto (germano) ad *Angelica* Candida contio	87
xx	*Pretiosa*	23	De omnibus sanctis *Pretiosa* Gaudet clemens	440
,,		24	Prosa de omnibus sanctis ad *Pretiosa* Alme caelorum	441
xxi = (xxxiv)	*Quoniam deus* maior et inferior	25 = (39)	Prosa ad sequentia *Quoniam deus* maior Promere chorda	448
xxii = (xxxiii)	*Quoniam deus* minor et excelsior	26 = (38)	Prosa ad sequentia *Quoniam deus* minor Caelum mare[1]	447
xxiii	*Letabitur iustus*	27	Prosa ad sequentia *Letabitur* Laurea clara	524
xxiv	*Iustus ut palma* inferior			
xxiv	*Mirabilis deus*	28	De plurimis martyribus *Mirabiles* Mirabilis deus	137
xxv	*Iusti epulentur*	29	Prosa ad sequentia *Iusti epulentur* Arguta plectro	444
		30	Prosa ut *Iustus ut palma* minor Laudem dicite	525
xxvi = (xxi)	*Lira pulchra*	31	Sequentia prosa *Lira* Lira pulchra	526
,,		32 = (26)	Prosa ad sequentia *Lira* Ecce pulchra	101
xxvii = (xxxix)	*Ecce quam bonum*	33	Prosa ad sequentia *Prota* Cantent te christe	527

[1] A good deal has been erased and rewritten.

(xviii)	*Salve porta*	(22)	Sequentia *Clara maris stella*	Salue porta	K.249
(xix)	*Nobilissima*	(23)	Sequentia *Angelica*	Candida contio	87
(xx)	*Pretiosa*	(24)	Sequentia *Pretiosa* de omnibus sanctis	Gaudet clemens[1]	440
	„	(25)	Item Prose de omnibus sanctis	Almae celorum	441
(xxi) = xxvi	*Lira*	(26) = 32	Sequentia *Lira* de sancto Michahele ierarcho	Ecce pulchra	101
(xxiii)[2]	*Letabitur iustus*	(27) = ix	Prosa de sancto Iusto ad sequentiam *Laetabitur iustus*	Fulget dies	442
(xxii)	*Iustus ut palma*	(28)	Prose de uno confessore ad sequentiam *Iustus ut palma* inferior	Ave pontifex haedde	443
(xxiv)	*Mirabilis deus noster*	(29)	Sequentia *Mirabilis deus* de martiribus	Mirabilis deus	137
(xxv)	*Iusti epulentur*	(30)	Prosa ad sequentiam *Iusti epulentur* de plurimis martiribus	Arguta plectro	444

---

[1] Without musical notes.
[2] Note that the order of the MS. is inverted.

xxviii =(xlii)	*Tympanum*	34 =(47)	Prosa de sancto augustino *Timpanum*	Aule rutile micantem	455
xxix =(xlv)	*Uia lux ueritas*	35	Prosa ad Sequentia *Via lux*	Laude celebret	528
xxx = (xv)	*Hieronima*	36 =(19)	Ad Sequentia *Hieronimam* de sancto monachorum patre benedicto	Arce superna	438
xxxi	*Adducentur*	37	*Adducentur*	Deo promat	529
xxxii	*Ostende* minor	38	Prosa ad Sequentia *Ostende* minor	Precamur nostras	261
xxxiii	*Ostende* maior	39	Prosa ad Sequentia *Ostende* maior	Salus aeterna	K.1
xxxiv	*Letatus sum*	40	Prosa ad Sequentia *Letatus sum*	Regnantem semp.	K.2
xxxv	*Excita domine*	41	Prose ad Sequentia *Excita domine*	Qui regis sceptra	K.4
xxxvi	*Dominus regnauit*	42	Prose ad Sequentia ad *Dominus regnauit*	Nostra tuba nunc	21
(·ee l.)		43	Prosae ad Sequentia *Domine refugium*	Laude canora	449

(xxvi)   *Adducentur*

		(31)	Sequentia *Adducentur* de uirginbus	Alme hiesu	445
(xxvii)	Sequentia *Ostende* minor de aduentu domini	(32)	Sequentia *Ostende* minor de aduentu domini ebdomada prima	Precamur nostras	261
(xxviii)	*Ostende* maior	(33)	Sequentia *Ostende* maior ebdomada secunda	Salus aeterna	K. 1
(xxix)	*Letatus sum*	(34)	Sequentia *Letatus sum*	Regnantem semp.	K. 2
(xxx)	*Excita domine*	(35)	Sequentia *Excita domine*	Qui regis	K. 4
(xxxi)	*Dominus regnauit*	(36)	Sequentia *Dominus regnauit*	Nostra tuba nunc	21
(xxxii)	*Hec est sancta*	(37) =46	Sequentia *Haec est sancta*	Christicolarum sacr.	446
(xxxiii) =xxii	*Quoniam deus* minor	(38) =26	Sequentia *Quoniam deus* minor de sancto Byrino episcopo	Cẹlum mare[1]	447
(xxxiv) =xxi	*Quoniam deus* maior	(39) =25	Sequentia *Quoniam deus* maior de sancto Martino	Promere chorda	448
(xxxv) =l	*Domine refu(g)ium*	(40)	Ad sequentiam *Domine refugium*	Laude canora	449
(xxxvi) =xli	*Laudent te pie*	(41) =49	Ad sequentiam *Laudent te pie*	Laudent condita	450

[1] Both words and music have been erased and rewritten later.

xxxvii	*Tuba* uel *fistula*	44	Ad Sequentia *Tuba* de christi vocabulis	Alma chorus	K.140
xxxviii =(xl)	*Stans a longe*	45 =(45)	Sequentia *Stans a longe*	Stans a longe	453
		46 =(37)	*Hec est sancta*	Christicolarum sacrosancta	446
xxxix =(xliv)	*Dulce lignum*	47	Sequentia *Dulce lignum*	Gaudeat fidelis	530
xl	*Ploratus*	48	Ad Sequentia *Ploratum*	Gloria resonante	451
xli =(xxxvi)	*Laudent te pie*	49 =(41)	Sequentia *Laudent te pia*	Laudent condita	450
xlii =(xlvi)	*Omnes sancti*	50	Prose *Omnes sancti*	Omnes sancti	K.335
xliii	*Tractus iocularis*	51	Prose ad Sequentia *Tractus consona*	Consona caterua	454
xliv	*Bucca excelsa*	52	Prosa ad Sequentia *Bucca*	Ad te pulchra	531
xlv	*Uaga uaria*	53	Prosa ad Sequentia *Uaga*	Aule celse	532

(xxxvii)	*Tuba*	(42)	Sequentia *Tuba*	Alma chorus domini	K.140
(xxxviii)	*Ploratum*	(43)	Sequentia *Ploratum*	Gloria resonante	451
(xxxix) =xxvii	*Ecce quam bonum*	(44)	Sequentia *Ecce quam bonum*	Laude resonet	452
(xl) =xxxviii	*Stans a longe*	(45) =45	Sequentia *Stans a longe*	Stans a longe	453
(xli)	*Tractus*	(46)	Sequentia *Tractus*	Consona caterua	454
(xlii) =xxviii	*Timpanum*	(47) =34	Sequentia *Tympanum*	Aule celestis micantem	455
(xliii)	*Uaga*				
		(48)		Laus inclita	456
(xliv) =xxxix	*Dulce lignum*	(49)	Sequentia *Dulce lignum*	Laus surgat	457
		(50)	Sequentia *Bucca*	Laude pulchra	458
		51)		A)ulae plebs ethereae[1]	459

[1] Without musical notation : followed by a plain Kyrie.

---

[1] This is a mistake for maior.
[2] Over an older Prose which has been erased.
[3] The writing of the two following pages has been erased (ff. 18ᴏᵛ, 181).

(xlv) *Uia lux*
=xxix

(xlvi) *Omnes sancti*
=xlii

(xlvii) *Berta*

(xlviii) *Adorabo* maior

(xlix) Sequentia de sanctis
= iv   Innocentibus   Pura
       deum   laudet   inno-
       centia

(l)   *Scalam ad celos*

(li)   *Planctus cigni*

(lii)

¹ The proses which follow are in a later hand.
² The MS. ends in the middle of this prose.

f. 155ᵛ in a later hand

(52) =xi	Sancti spiritus adsit nobis gratia	K. 124
(53) =77	Dies sacra dies ista	460
(54)	Sacerdotem christi martinum	K. 646
(55)	Uerbum legibus nullis	461
(56) =ii	Gaude uirgo ecclesia	95
(57)	Preçelsa saeclis colitur	138

f. 191 in a later hand

(58)	Gaude mater ẹcclesia fili- orum	120
(59)	Alme deus cui seruiunt cuncta	462

(60)	De sancto Suuithuno	Psallat ẹcclesia mater decora	463

f. 198ᵛ

(liii) Sequentia   *Planctus
sterilis.*

(liv) Sequentia *Simon oboe-
diens.*

G 2

Sequentia viii=(vii) *Fulgens praeclara* has the following words—

Rex in aeternum tribue[1] benignus preconia nostra . . .
Uictor ubique morte superata atque triumphata . . .
Ortus de tribu iuda, leo potens, surrexisti in gloria . . .
Regna petens supera iustis reddens premia in saecula . . .
Ergo pie rex christe, nobis dans peccamina . . .
Fac tecum resurgere ad beatam gloriam . . .

Sequentia xx *Pretiosa* has—

[2]Iam nunc intonant preconia . . .
Christum dominum laudantia per secula . . .
Cuius sacra rutilant dona, quis aeternę uitę consequimur magna
   premia . . .
Quam beata sanctorum sunt agmina . . .
Trinitatem sanctam cernentia in gloria eterna . . .

These words are incorporated in each of the Proses for All Saints' day, Gaudet
clemens and Alme celorum.

Sequentia xxix=(xlv) *Uia lux* has—

Uia lux ueritas paxque tuorum omnia per tempora . . .
Preces et munera hac domo sacra suscipe per sęcula . . .
Et piis precibus almi omnibus SUUITHUNI[3] relaxa peccamina,[4]
Regna concede beata sanctorum in gloria et sancta taber-
   nacula . . .

Sequentia xlvi=(xlviii) *Adorabo* maior has—

Suscipe laus angelorum, laudum carmina lęta,
Prece, uoto supplici, nostra quę mittit caterua . . .
Te conlaudant, adorant, sancte rex, in hac aula.
Et dona per saecula sancta tabernacula . . .

---

[1] Suscipe in the Prose, and E.
[2] E has this *also* among the Tropes for All Saints' Day.
[3] AÐELUUOLDI E.
[4] The word facinora has been added above in E.

INCIPIUNT
MELLIFLUA ORGANORUM MODULAMINA
SUPER DULCISSIMA CAELESTIA
PRAECONIA.

Christe redemptor . . . (p. 47.)

LAUS AMAENISSIMA PER SACRA DULCITER REBOANDA SOLLENNIIS.

Eia omnigenis . . . (p. 47.)

LAUS IOCUNDA CHRISTI GLORIAE DIGNA.

Miserere domine . . . (p. 47.)

LAUS PULCHRA GRECIS PRAECONIIS COMPTA.

Adoneus kirrius . . . (p. 48.)

ELECTUS CONCENTUS   K.

LAUS HERILIS UTILIS ET SALUBRIS   K.

MELODIA SUBLIMIS ET DULCIS   K.

ITEM KYRIELEISON.

ITEM KYRIELEISON.

DENUO KYRIELEISON.

ITEM KYRIELEISON.

DENUO KYRIELEISON.

FINIUNT ORGANA AD KYRIELEISON.

ORGANA DULCISONA DOCTO MODULAMINE COMPTA.

UT PETAT ALTARE RESONAT LAUS ISTA SACERDOS.

Sacerdos dei excelsi . . . (p. 54.)

ORGANA SUPER HYMNUM ANGELICUM.

Gloria   Pax sempiterna . . . (p. 54.)

ITEM LAUDES.

Gloria   Laus tua deus . . . (p. 55.)

DENUO LAUDES.

Gloria   Aue deus summe . . . (p. 55.)

ITEM LAUDES.

Gloria   Quem patris ad dextram . . . (p. 56.)

LAUDES.

Gloria   Quem uere pia laus . . . (p. 56.)

ITEM LAUDES.

Gloria   Prudentia prudentium . . . (p. 57.)

ITEM LAUDES.

Gloria   Quem glorificant . . . (p. 56.)

ORGANA SUPER TRACTUS.

IN PRIMIS IN IEIUNIO LEGITIMO ANTE NATALE DOMINI.

	Qui regis israel . . .	10	39[1]
TRACTUS DE INNOCENTIBUS.	Vidi supra montem[2] . . .		
TRACTUS DE UIRGINIBUS	Qui seminant . . .	217	688*
DE CONFESSORIBUS	Desiderium . . .	208	674*
DE PURIFICATIONE SANCTĘ MARIAE	Gaude maria uirgo . . .[3]		
DE CONCEPTIONE	Aue maria . . .	183	729
DE SANCTO PETRO APOSTOLO	Tu es petrus . . .	182	714
TRACTUS DE IEIUNIO	Laudate aominum . . .	46	169
TRACTUS IN SEPTUAGESSIMO	De profundis . . .	25	109
IN LX	Commouisti . . .	27	116
TRACTUS IN QUINQUAGESSIMO	Iubilate domino . . .	28	122
IN QUADRAGESSIMO	Qui habitat . . .	35	148
ITEM TRACTUS	De necessitatibus . . .	39	156
DOMINICA SECUNDA IN QUADRAGESIMA	Dicit dominus . . .	47	171
DOMINICA TERTIA	Ad te leuaui . . .	55	191
DOMINICA QUARTA	Qui confidunt . . .	63	213
DOMINICA QUINTA	Sepe expugnauerunt . . .	72	236
DOMINICA IN PALMIS	Deus deus meus . . .	86	263
ITEM TRACTUS	Domine non secundum . .	31	136

FINIUNT ORGANA AD TRACTUS.[4]

ORGANA SUPER SEQUENTIA.

IN PRIMIS IN NATIUITATE DEI.

i.e., sequentia (i) with sequentiae (ii)–(vii) and the title of (viii) :
see above, pp. 69–73, and facsimiles 18–21. The series has
not been completed but there follow (f. 155ᵛ) six Proses
written in a later hand on the blank leaves of the quire :
see above, p. 83. Also Organa to some tropes of Easter-
day : see §§ 85, 84 i–iv, 89, 86.

[1] The references are to the pages in *Graduale Sarisburiense*—the facsimile edition
of the Plainsong and Medieval Music Society, London, Quaritch, 1894, and to *Missale
Sarum* (Burntisland, 1861–1883).

[2] Vidi supra montem sion agnum stantem et cum eo centum quadraginta quattuor
milia. Habentes nomen eius et nomen patris eius scriptum in frontibus suis. Et canta-
bant canticum nouum ante sedem dei et resonabat terra in uoces illorum.

[3] Gaude maria uirgo cunctas hereses sola interemisti. Que gabrihelis archangeli dictis credidisti. Dum uirgo deum et hominem genuisti et post partum uirgo
inuiolata permansisti. Dei genitrix intercede pro nobis.

[4] E has (ff. 88–97) the Gregorian music of a series of Tracts which does not
include the second, third, and fourth of the above series, but does include several
others in common use, but not mentioned above.

INCIPIUNT ORGANA AD ALLELUIA.

These are not printed in full, since nearly all of them are well known as occurring in the Sarum Missal or Gradual : but there is given below a synopsis of the contents of these two MSS., so far as the Alleluia-Verses are concerned.

The series in MS. E, which is far the largest one, is taken as a standard of comparison : there are two series in MS. CC : the first (with the Gregorian music) begins on f. 2ᵛ, and is incomplete : the second (with Organa) begins with the above heading at the point now reached in the MS. (f. 163) : these two series are indicated in the synopsis by the number which each Alleluia-Verse bears in the series of MS. E, and are arranged in columns parallel with it : in the columns on the right hand references are given to the pages in *Graduale Sarisburiense* and the Burntisland edition of the Sarum Missal when any given Alleluia-Verse may be found there : others which do not occur in the Sarum books are given in full in foot notes. See pll. 23, 24 for the first page of each series in MS: CC.

	MS. E.	MS. CC.	
INCIPIUNT ALLELUIA PER ANNI CIRCULUM.			
f. 76			
1	Ostende nobis		10.
2	Letatus sum	162.	513
3	Excita Domine	4.	27.
4	Veni Domine[1]	12.	41
5	Rex noster[2]		
6	Dominus dixit ad me	14.	52
7	Dominus regnauit decorem	pl. E	56

[1] Without musical notation.
[2] Rex noster adueni et christus quem iohannes predicauit agnum esse uenturum.

MS. E.   MS. CC.

INCIPIUNT ORGANA AD ALLELUIA.

MS. E.		f. 2ᵛ.	f. 163.	MS. CC.		
8	Dies sanctificatus / Ymera agiasmene[1]	8	8	In primis de natale domini	pl. G	60
9	Dies sanctificatus	9	9	Item alia		
10	Video celos apertos	10	10	De sancto stephano	15.	63
11	Hic est discipulus	11	11	De sancto iohanne	17.	66
		81	81	De sanctis innocentibus	18.	
12	Uidimus stellam	12			19.	84
13	Iubilate deo omnis				20.	91
14	Laudate deum				22.	96
15	Dominus regnauit exultet				23.	100
		67[2]	67	De sancta maria	184.	727
			100	Item	pl. k.	704
16	Confitemini. In uigilia pasce	16	16	In uigilia paschae	115.	355
17	Pascha nostrum (V̷ Epulemur	17	17	In die sanctae paschae	117.	359
18	Angelus domini (V̷ Respondens)	18	18	Feria secunda	125.	382
19	Surrexit dominus et occurrens				120.	370
20	Nonne cor	20	20	Feria tertia	118.	363
21	In die resurrectionis	21	21	Feria quarta	121.	374
		19	19	Feria quinta	120.	370
22	Surrexit altissimus				127.	390
23	Haec dies				123.	379
24	Laudate pueri				123.	379
25	Lauda anima				166.	522
26	Laudate dominum omnes gentes				pl. b.	450
27	Oportebat pati	27	27	Feria sexta	191.	390
28	Christus resurgens				127.	390
29	Gauisi sunt[3]	29	29	Sabbato		
30	Surrexit dominus vere	30	30	Item	130	401
		26	26	Item		
		22	22	Item		
				Item Dicite in gentibus	122.	377
		28	28	Denuo		
31	Confitemini				157.	355

[1] Ymera agiasmeni epiphanimon   Deuthe ta ethni keproscenite ton kirrion   Oti simeron katabi fos mega epi tis gis.

[2] In the margin there has been added Hodie oblatus est in templo uirginis filius cuius diuinitatem omnis non capit orbis.

[3] Gauisi sunt discipuli uiso domino.

	MS. E.			MS. CC.		
32	Omnes gentes				133.	410
33	Ascendit deus				135.	413
34	Dominus in sina				136.	413
35	Ascendens christus	35	35	De ascensione domini	135.	413
		Hymnus angelicus	Doxa en ipsistis . . .	(see p. 60)		
36	Spiritus domini	36	36	Ecce alleluia	140.	442
37	Paraclitus spiritus	37	37	Alia	138.	430
38	Emitte spiritum				137.	426
39	Factus est repente	39	39	Item	140.	439
40	Verbo domini[1]	40	40	Item		
41	Veni sancte spiritus	41	41	Item	138.	432
42	Benedictus es domine				pl. c.	453
43	In te domine speraui				146.	473
44	Iubilate deo = 13				20.	91
45	Gloria et honore				208.	673*
46	Iustus non conturbabitur				208.	674*
47	Posuisti domine				224.	673*
48	Letabitur iustus				207.	673*
49	Beatus uir qui suffert				208.	673*
50	Iustus germinabit				222.	703*
51	Fulgebunt iusti				225.	716*
52	Iudicabunt sancti				199.	954
53	Mirabilis dominus				216	688*
54	Memento domine[2]					
55	Inueni dauid				222	703*
56	Disposui testamentum				222.	703*
57	Elegit te dominus				223.	703*
58	Iustus ut palma	58			207.	673*
59	Iurauit dominus[3]					
60	Iste sanctus digne				207.	673*
61	Amauit eum dominus				222.	703*
62	Diffusa est gratia				228.	721*
63	Specie tua				227.	721*
64	Veni electa mea					721*
65	De profundis				164.	519
66	Dextera dei				161.	511
67	Aue maria				184.	727
68	Post partum uirgo				pl. r.	864
69	Hodie maria uirgo				195.	867
			Precursor domini[4]			

[1] Verbo domini celi firmati sunt et spiritu oris eius omnis uirtus eorum.

[2] Memento domine dauid et omnis mansuetudinis eius.

[3] Iurauit dominus et non penitebit eum Tu es sacerdos in aeternum secundum ordinem melchisedech.

[4] Precursor domini uenit de quo ipse testatur nullus maior inter natos mulierum iohanne bapt'sta.

MS. E.			MS. CC.		
70	Isti sunt due oliue	70	70	De sancto petro et paulo	pl. n. 803
71	Beatus es simon[1]				
72	Sancte paule[2]				
			76	De apostolis	
			77	Item de apostolis	
73	Leuita laurentius	73	73	De sancto laurentio	194. 859
			50	Unius martyris	
			49	Item	
		69	69	De sancta maria	
		68			
				Nos autem gloriari	pl. v.
		109			
				Dicite in gentibus	122. 377
		105	105	De sancto michahele	
		107			
		49			
74	Dilexit andream	74			pl. g. 660
75	In omnem terram	75			pl. x. 661*
76	Non uos me	76			pl. y. 661*
77	Vos qui secuti	77			
78	Sancti tui domine . . .				215. 688*
79	Gaudete iusti[3]				
		48	48	Unius martyris	
		47			
			53	De plurimorum martyrum	
80	Cum sederit filius[4]	80	80	Item	18. 688*
81	Te martyrum				
				De plurimorum	
				Ecce quam bonum[5]	
			51	Item	
82	Iusti epulentur		82	De plurimorum	216. 688*
			52	De omnibus sanctis	
			47	De uno martyre	
			60	De uno confessore	
			61	Item de uno confessore	
			59	Item	
			104	De una uirgine	
			64	Item de uirginibus	

[1] Beatus es simon bariona quia caro et sanguis non reuelauit tibi sed pater meus qui est in celis.
[2] Sancte paule apostole predicator et doctor gentium intercede pro nobis (without music).
[3] Gaudete iusti in domino rectos decet collaudatio.
[4] Cum sederit filius hominis in sede maiestatis sue Tunc dicet illis qui ad dextris eius erunt Uenite benedicti patris mei percipite regnum cum gaudio magno.
[5] Ecce quam bonum et quam iocundum habitare fratres in unum sicut precepit iesus discipulis suis.

MS. E.   MS. CC.

		68	De natiuitate sanctę marię	
		107	De sancto martino	
		74	De sancto andrea	
83	Beatus uir qui timet			208. 673*
84	Venite exultemus (℣ Preoccupemus)			154. 495
85	Confitemini . . et inuocate			157. 502
86	Qui timent dominum			160. 509
87	Domine refugium			153. 492
88	Omnes gentes			133. 410
89	Quoniam deus			156. 498
90	Qui sanat			pl. d. 526
91	Letatus sum =2			162. 513
92	Paratum cor			505
93	Exultate deo			150. 486
94	Eripe me			147. 477
95	Lauda hierusalem[1]			
		43	Dominica	
96	Domine deus salutis	96	Dominica alia	152 489
97	Laudate dominum			pl. b. 450
98	Deus iudex iustus	98	Dominica tertia	142. 465

FINIUNT ORGANA AD
ALLELUIA.

99	Qui posuit fines		pl. f. 529
100	Adorabo ad templum		175. 550
101	Diligam te		143. 467
102	Te decet hymnus		148. 479
103	Replebimur in bonis[2]		
104	Adducentur regi uirgines post eam		231. 729*
105	In conspectu angelorum		121. 919*
106	O quam metuendus		551
107	Beatus uir sanctus martinus[3]		
108	Deus pater deus filius[4]		
109	Dulce lignum		185. 743
110	Hodie oblatus (see p. 89.n.)		
111	Nonne cor=20 but music differs.		118. 363
112	Virtutes cęli		3 23
113	Tu es simon	(f. iᵛ)	788
114	Non uos relinquam	(f. 7ᵛ)	pl. K. 416

[1] Lauda hierusalem dominum lauda deum tuum sion.
[2] Replebimur in bonis domus tuę sanctum est templum tuum mirabile in equitate.
[3] Beatus uir sanctus martinus urbis turonis requiescit quem susceperunt angeli atque archangeli throni et dominationes et uirtutes.
[4] Deus pater deus filius deus spiritus sanctus sed tamen non tres dii sunt sed unus est deus.

ORGANA SUPER RESPONSORIA.

IN PRIMIS DE ADVENTU DOMINI	Ecce dies ueniunt			v[1]
DE NATALE DOMINI IN UESPEROS†	O iuda et hierusalem	℣ Constantes	℣ Gloria	clv
VITATORIUM IN NATALE DOMINI	Cristus natus			clxxi
OCTAUA RESPONSORIA	Te laudant angeli	℣ Ipsum	℣ Gloria	clxxxi
RESPONSORIA DUODECIMA	Descendit de caelis	℣ Tamquam	℣ Gloria	clxxvi
UIGILIA STEPHANI SUPER UENITE	Regem sempiternum			=646
RESPONSORIA QUARTA	Sancte dei pretiose			cxcv
DE INNOCENTIBUS UITATORIUM	Regem regum dominum[2]			
QUARTA RESPONSORIA	Caeli enarrant[3]			
OCTAUA RESPONSORIA	Psallite domino[4]			
DUODECIMA RESPONSORIA	Hodie martirum[5]			
DE SANCTA MARIA RESPONSORIA	Videte miraculum[6]			
RESPONSORIA DUODECIMA	Gaude maria uirgo			143
DE SANCTO BENEDICTO	Sancte benedicte[7]			
DE SANCTO GREGORIO				
DUODECIMA RESPONSORIA	O pastor apostolice[8]			

---

[1] The references are to the Cambridge Edition of the Sarum Breviary (1882), vols. 1 & 3. Where a syllable is printed in italic it is to call attention to the fact that it has a long neupma or jubilum sung to it, often of several strophes with repeats.

[2] Regem regum dominum uenite adoremus quia ipse est corona sanctorum infantum.

[3] Caeli enarrant gloriam dei et opera manuum eius adnuntiat firmamentum : quia in omnem terram exiuit sonus omnium infantum et in fines orbis terrae uerba eorum.

[4] Psallite domino omnes sancti eius et confitemini memorię sanct*ita* . . tis eius.

[5] Hodie martirum flores innocentium et regi nato laudes psallentium persecutionis atrox pruina decoxit nam pretiosa nete† glorificati oblati sunt domino. Cum quo gaudent et regnabunt per omnia sęcula. VERSUS. Don*et*ur nobis eorum quesumus meritis uenia, quorum pro christi infantia cesa est innocentia. Nam pretiosa. ℣. Gloria *ut supra*.

[6] Videte miraculum mater domini concepit uirgo uirile ignorans consortium, stans onerata nobili onere maria et matrem se lęta cognoscit quę sic nescit uxorem.

[7] Sancte benedicte confessor domini audi rogantes seruulos et impetratam cęlitus tu defer indul*gen*tiam. ℣. O benedicte sidus aureum domini gratia seruorum gemitus solita suscipe clementia. Et impetratam.

[8] O pastor apostolice, o defensor ecclesiae Gregori confessor christi, eruditor augustini. Presta nobis auxilium. Per dominum hie*s*um cristum. ℣. Memor esto . . .

ANTEPHANAE AD PROCESSIONEM.

Sedit angelus	VERSUS	Crucifixum	dcccxxix
ITEM.			
Cristus resurgens			dcccvii

ITEM AD PROCESSIONEM.

Cum sederit filius[1]

FINIUNT ANTIPHONA AD PROCESSIONEM.

ORGANA PULCHERRIMA INCIPIT.

DE SANCTA TRINITATE.

I	R̸	Benedicat nos deus	V̸	Deus misereatur	mxlviii
II^a	R̸	Benedictus dominus	V̸	Replebitur	mxlix
III^a	R̸	Quis deus magnus	V̸	Notam fecisti	mxlix
IIII^a		Magnus dominus et magna	V̸	Magnus d. et laudabilis	ml
V^a	R̸	Honor uirtus	V̸	Trinitati lux	mli
VI^a	R̸	Summe trinitati	V̸	Prestet	mliii
VII^a	R̸	Tibi laus tibi gloria	V̸	Et benedictum	mlii
VIII^a	R̸	Benedicamus patrem	V̸	Benedictus es domine	mlii
VIIII^a	R̸	Te deum patrem	V̸	Quoniam magnus[2]	
XII^a	R̸	Benedictio et claritas	V̸	Benedictus es[3]	

[1] Cum sederit filius hominis in sede maiestatis suę et ceperit iudicare seculum per ignem tunc adsistent ante eum omnes chori angelorum et congregabuntur ante eum omnes gentes : tunc dicet his qui ad dextris eius erunt Uenite benedicti patris mei possidete preparatum uobis regnum a constitutione mundi : et ibunt impii in supplicium sempiternum, iusti autem in uitam eternam. Et regnabunt cum deo in saecula.

[2] Te deum patrem ingenitum. Te filium unigenitum. Te spiritum sanctum paraclytum. Sanctam et indiuiduam trinitatem. Toto corde et ore confitemur, Laudamur atque benedicimus. Tibi gloria in secula. V̸. Quoniam magnus es tu et faciens mirabilia. Tu es deus solus. Tibi.

[3] Benedictio et claritas et sapientia. Gratiarum actio. Honor uirtus. Et fortitudo deo nostro In secula sęculorum. V̸. Benedictus es domine in firmamento cęli.

RESPONSORIA IOCUNDA MELODIA COMPTA DE SANCTIS EUANGELISTIS ORGANORUM HIC MODULIS NOTATA INCIPIUNT.

℞ In uisione dei	℣ De medio autem	840
℞ Quattuor facies	Sub pennis eorum	841
℞ Facies et pennas	℣ Pedes eorum	843
℞ Similitudo uultus	℣ Due penne	842
℞ Similitudo aspectus	℣ Et unumquodque	844
℞ Quattuor animalia	℣ De medio autem	845
℞ Statura erat rotarum	℣ Per quattuor	847
℞ Cum ambularent	℣ Cum eleuarentur	849
℞ Euntibus animalibus	℣ De medio autem[1]	
℞ Audiebam	Cum ambularent[2]	
℞ Species firmamenti[3]		
℞ Cum aspicerem		847

DOMINICA ANTE PALMAS IN UESPEROS.	℞ Circumdederunt me	
	℣ Quoniam	dccxiii
DE SANCTO PENTECOSTEN	Aduenit ignis diuinus	mxvi
DE OMNIBUS SANCTIS	O quam gloriosum[4]	
DE SANCTO IUSTO	Sanctissimi martyris IUSTI[5]	

[1] Euntibus animalibus ibant pariter et rote et cum stantibus stabant et cum eleuatis pariter leuabantur quia spiritus uitę erat in rotis. ℣. De medio autem eius.

[2] Audiebam sonum alarum sicut sonum aquarum multarum quasi sonum sublimis dei nam cum fieret uox super firmamentum quod imminebat capiti eorum stabant et summittebant alas suas. ℣. Cum ambularent animalia ut sonus multitudinis. *et reliqua.*

[3] Species firmamenti sub pennis animalium quasi aspectus cristalli horribilis. Sub quo erant penne eorum recte alterius ad alterum.

[4] O quam gloriosum est regnum in quo cum christo gaudent omnes sancti amicti stolis albis secuntur agnum q*u*ocumque ierit. Beati pacifici. quocunque ierit.

[5] Sanctissimi martiris IUSTI sollemnitatem recolentes Te criste deprecamur ut nos semper intercessione illius conser*ua* . . . re digneris.

ISTORIA DE SANCTO SUUITUNO.

	℟	O quam admirabilis	laudibus[1]	
	℟	O quam beatus es[2]		
	℟	Sint lumbi uestri[3]		cp. 974
	℟	Pater insignis[4]		
		Agmina sacra[5]	O sacerdotum	
	℟	Laudemus dominum[6]	Ecce uir prudens	
VII	℟	Ecce uere israhelita[7]		
VIII	℟	Gloriosus uir sanctus[8]		
VIIII		Iste sanctus digne[9]	Magnificauit	
		Iste est de sublimi[10]		

IN NATALE SANCTI IOHAN- NIS BAPTISTAE	℟	Inter natos mulierum	347
IN FESTIUITATE SANCTI PETRI	℟	Petre amas	372
(ST. DENYS)	℟	Vir inclitus[11]	cp. 902

[1] O quam admirabilis uir iste suuithunus inter antistites non minimus qui suis temporibus clara et futuris prebuit exempla. Unde feliciter exultat cristi ecclesia. ℣. Laudibus gloriosus es beate suuiðune quod laetaris cum sanctis. Unde feliciter exultat.

[2] O quam beatus es pie confessor. Hodie namque chorus angelorum reuertentem te ad patriam suscepit intercede pro nobis. Securus.

[3] Sint lumbi uestri precincti et lucerne ardentes in manibus uestris et uos similes hominibus expectantibus dominum suum quando reuertatur *a* nuptiis.

[4] Pater insignis confessor spiðune meritisque clare, cum cristo regnans preces nostras in aula egis eterni subleua : et protege utrumque ordinem cuius egregius extitisti pastor in urbe. Incessanter pro nobis supplica deum. O spiðune egregie confessor ora pro nobis.

[5] Agmina sacra angelorum letamini pro conciui uestro spiðhuno de quo gaudet christi ecclesia feliciter et exultat gaudenter. O sacerdotum nobilissime quo totis uisceribus dilexisti cristum dominum. O spiðune egregie confessor ora pro nobis.

[6] Laudemus dominum in beati antistitis spiðhuni meritis gloriosis : ad sepulchrum eius aegri ueniunt et san*an* . . . tur. Ecce uir prudens spiðunus qui aedificauit domum suam super petram in cuius ore non est inuentus dolus quia deus elegit eum in sa*cer* . . . dotem sibi.

[7] Ecce uere israelita in quo dolus non est inuentus qui probatus repertus est sacerdos magnus iuxta ordinem melchisedech.

[8] Gloriosus uir sanctus suuithunus relinquens terrena mercatus est caelestia.

[9] Iste sanctus digne in memoriam uertitur hominum quia ad gaudium transit angelorum quoniam in hac peregrinatione solo corpore constitutus cogitatione et auiditate in illa ęterna patria conuersatus est. Magnificauit eum in conspectu regum et dedit illi coronam gloriae.

[10] Iste est de sublimibus celorum prepotentibus unus quem manus domini consecrauit matris in uisceribus. huius nos meritis adiuuari supplices de*pos* . . . cimus.

[11] Vir inclitus dionisius confessor domini pretiosus succensus igne diuini amoris constanter sustinuit supplicia passionis et per immanitatem tormentorum peruenit ad societatem angelorum.

f. 190 in a later hand.

    Organa to two Alleluias.

Domine deus saluti	152	489[1]
Deus iudex	142	465

Kyrieleison . . . &c., plain.

f. 191 Three sequences (see p. 83).

O) Redemptor sume carmen	303

The Tracts Gaude Maria (see p. 87)

Commouisti	27	116

One verse of the following hymns from the Breviary :—

Arbor decora	dccxiv
Ymnum canamus glorie. (Chevalier Repert. Hymnol. 8235.)	
Iam christus astra	mi.
Iste confessor	II. 410.

f. 196ᵛ

aue	porta	arī	domini	aue	intacta	uirgo	casta
k)ere	ipili	tu	theu	kere	panacrante	parthene	agnɪ
Aue	domina	protectrix	huius	mundi	Aue	pariens	et	refugium
Kere	despina	keprostasia	tu	cosmu	Kere	tichios	ke	katafigi
et spem	arī	generis	nostri	aue	spes	nostra	dei genitrix	intacta
keskepitu	tu	genus	ymon	kere	elpis	imon	theotoke	aχrante
aue	aue	illud		aue	per	angelum	accipiens
kere	kere	ιo		kere	di	angelu	deξameni
aue	aue	concipiens	arī	patris	arī	splendorem	benedicta
kere	kere	τekoyca	tu	patros	to	apaugasma	eulogomen
aue	casta	castissima	uirgo	sola	innupta	te
kere	cemne	panagia	parthene	moni	animpseute	se
glorificat	omnis	creatura	arī	matrem	arī	luminis	
doxi	paca	keteisis	tin	mitera	tu	photɔs	amin

Draxaste pedias

----

[1] The references are as before (pp. 87, 93) to *Graduale Sarisburiense* and the Sarum Missal or to the Sarum Breviary :

TROPER.   H

Unum legio est sex milia et sexcenti ac sexaginta sex uiri.
An legio iss six þusend 7 six hundred 7 six and sixti3.

I. IN. D. **II.** A. **III.** E. **IIII.** F. **V.** A. **VI.** F. **VII.** C. **VIII.** E.

f. 197 The word Gloria repeated eight times over (each time numbered) with different groups of neums above.

Cum sederit filius hominis . . . (see p. 94.)
O christe martirum turma[1]

f. 198ᵛ Two sequentiae (see p. 8₃).

---

[1] **O christe martirum turma** qui beatos innocentes coaetaneos tibi paruulos gloriosa passione **coronasti eorum nos** his intercessionibus annue ut tecum mereamur in celesti *reg* . . . no **gaudere.**

TROPERIUM ECCLESIE
CANTUAR. (?)

(TROPERIUM ECCLESIE CANTUAR.) (?)

TROPI DE NATALI DOMINI IN GALLICANTU
§§ 6, 5.

ALIA. (§ i.)

Hymnidicis te christe choris ueneremur ouantes
Qui patre progenitum propria te uoce fateris   *Dominus.*a

TROPI DE NATALI DOMINI IN PRIMA MANE.
§ 7.

---

a See the corresponding place in the Winchester Troper for the full text of this and the succeeding pieces : any additional ones are given in full below as they are required.
1 The first two leaves are wanting.

HI TROPI CHRISTI SUNT NATIUITATE CANENDI.
§§ 9, 10, 47 with 49, 12 with 48.

ALII AD OFFERTORIUM.   § 15.

POST COMMUNIONEM.   §§ 16, 17 i, 18 ii and i.

(ST. STEPHEN.) °
. . . . . . sum laureatus ascendit[1] &c.   § 20.

ITEM §§ 23, 22.

ALII. (§ ii.)

Ėya conleuitę . . . § 21.	*Etenim.*
Proceres synagogę disputantes contra me,	*Et iniqui.*
Graui turbine lapidum crudeliter obruentes,	*Adiuua me.*
Cum triumpho martyrii suscipe spiritum meum :	*Quia.*

ITEM. (§ iii.)

Summe tuum princeps nomen quia christe fatebar,	*Etenim.*
Nec tamen accepto potui terrore moueri :	*Et iniqui.*
Intantum ut lapidum premerent me mole suorum :	*Adiuua.*
Atque istis miserere precor peccamina laxans :	*Quia seruus.*

AD OFFERTORIUM.   §§ 25, 24.

ITEM. (§ iv.)

Agmine credendum ex omni duce flamine sancto :	*Surrexerunt.*

(ITEM) (§ v.)

Tergeminosque socios quibusque (. . . .	*Elegerunt.*)
Constituere dapes mentis dare corporis escas :	*Quem lapidauerunt.*
Exemplo domini patientis et incrucifixi,	*Positis.*[a]
Saxorum magno premerent dum pondere sanctum.	*Videbant.*

(AD COMMUNIONEM.)   §§ 26, 27.

---

[a] ℣ Positis autem genibus Stephanus orabat, &c.
   ℣ Videbant faciem ejus tanquam faciem angeli dei, &c.
[1] The missing words probably should have been inserted round the illumination of St. Stephen which precedes this trope : but in point of fact the legend there runs thus :—

> Florigera uita stephanus patet ipse leuita,
> Albo uestitus stolaque rubente uenustus,
> Palmam uictricem uegetans seseque felicem :
> Huius nos precibus nos protege christe rogamus.

TROPI IN UIGILIA IOHANNIS.

(§ vi.)   *Ego autem.*[a]
Hoc mihi donauerat qui uera constat oliua: *Speraui.*
Qui me preueniens lucidis inmiscuit astris: *Et exspectabo.*
Et prepotens spacium celi terręque gubernans: *Quoniam.*

IN NATALI EIUSDEM APOSTOLI ET EVANGELISTE.
§ 28.

ITEM MODULAMINA ANTE INTROITUM. (§ vii.)

Tibi christo regi plaudant omnes angeli plaudant sacerdotes et
cuncti ministri tui:

RESPONSUM.

Qui inter natalis tui gaudia cari tui iohannis nobis prestas
suffragia:

ITEM PRAETITULATI.[1]

Iohannis potatoris profundi pectoris tui et tutoris uirgineę
genitricis tuę

RESPONSUM.

Ad cuius gloriam en tibi adstant hymnistę sacerdotes tui, et tua
in eo preconia efferunt ita modulantes.

AD INTROITUM. § 29 with psalm.   *Bonum est.*

ITEM. § 33 + § 30 with *Gloria.* §§ 31, 32.

ITEM. (§ viii.)

C)elica cęlestem decantent uerba iohannem: *In medio.*
Aurea pro meritis sustollens regna polorum,   *Et implebit.*
Principium reserans summus deitatis et unum: *Stola.*

---

[a] Ego autem sicut oliva fructifera in domo domini | speravi in misericordia dei
mei : | et expectabo nomen tuum quoniam bonum est ante conspectum sanctorum
tuorum. *Ps.* Quid gloriaris.
[1] The MS. has only PR which may equally well stand for Presbyteri, but see
above p. 6.

ITEM.   (§ ix.)

Lux uera christus sui priuilegio amoris iohannem
    honorauit apostolum atque,   *In medio.*
Insignis ut esset ęuangelicę ueritatis adsertor   *Et implebit.*
Quo ceteris altius uerbi dei archana reseraret   *Stola.*

ALII (AD OFFERTORIUM).   § 34.

POST COMMUNIONEM.   § 35.

TROPI IN NATALI SANCTORUM INFANTUM.

§ 36: with this addition (§ x.)

Eyia mater syon, gaude pro pueris tuo collocatis gremio, quos
    impius rex puniens iniuste transmisit ad aethera digne:
Gaudeat etiam mater ęcclesia in toto orbe iam diffusa, et quia
    dolet in passione gaudeat iam in remuneratione:
Dicantur igitur laudes nostro redemptori summo, cui est totum
    posse totumque perficere: in illius laude uerum proferi-
    mus, quia ecce   *Ex ore.*[1]

ITEM ALII DE INNOCENTIBUS.   § 38 with *Et lactentium.*
                                          Domine dominus noster.

(ITEM.)   (§ xi.)

Nate dei clemens paruorum suscipe laudes :   *Ex ore.*
Qui tibi iam nato certarunt sanguine fuso :   *Propter.*

ALII TROPI.   (§ xii.)
Psallite.   § 38 with   *Ex ore.*

(§ xiii.)
Quam miranda § 41 with
Hec inter que mira paras tu semper in orbe,   *Gloria.*

ALII.   (§ xiv.)
Munera prima, § 40 : with § 37 ii, iii.

[1] These two words have been inserted in a later hand.

ALII (AD OFFERTORIUM) (§ xv).

Est deus § 42 i with Laudemus § 43, and
Auxilio domini per tanta miracula fulti :   *Torrentem*

ITEM. (§ xvi.)

Pangite iam pueri laudes et promite christo, eia :   *Anima.*
with Infantum § 42 ii. .ʾ. *Nisi quod*, and § 44.

AD COMMUNIONEM. §§ 45, 46.

IN DIE CIRCUMCISIONIS DOMINI. §§ 11, 14.

AD REPETENDUM. (§ xvii.)

Puer natus est nobis filius dei, rex magnus : hodie laetemur
omnes, eya : dic, domne, eya :

   *   *   *   *   *1

(EPIPHANY)   . . . dei tui. &c. § 54.

but AD GLORIA. (§ xviii.)

Obuia pergat ouans laudum cum munere turba :   *Gloria.*

ALII. (§ xix.)

Stella noua emicuit saluator in orbe refulsit,
ut credant gentes iubilantes dicite fratres :   *Eccc.*
Cuius baptismum nostrum baptisma dicauit :   *Et regnum.*
Qui in uinum conuertit aquas ipse decus omne est : *Et potestas.*

ITEM. (§ xx.)

Hęc est preclara dies tribus sacrata miraculis, in qua
 cum propheta canamus, dicentes   *Ecce.*
Quem magi muneribus honorant et ut regem supernum
 adorant, qui est   *Dominator.*

---

[1] The leaf B.4 is wanting ; B.5 is inserted as f. 35 further on in the MS., but is
printed here following.

In iordane a iohanne baptizatus paterna uoce filius
    patris est hodie adclamatus :   *Et regnum.*
Naturas limpheas hodie mutauit in saporiferos haustus
    per potestates   *Et potestas.*

AD OFFERTORIUM. (§ xxi.)

Regnorum . . . § 56 i.   *Reges.*
Qui cęlum terramque simul per sęcla gubernat,
presepio paruus sed sydera lumen habetur :   *Et adorabunt.*
Per quem . . . § 56 ii, iii   *Suscipiant.*
Iudicium peraget iustum tunc ideo digna :   *Orietur.*

AD COMMUNIONEM. §§ 57, 58.

TROPI IN PURIFICATIONE SANCTĘ MARIĘ.

§§ 59, 61, with AD PSALMUM. (§ xxii.)
Promissam dudum gaudentes ecce benignam : *Magnus dominus.*

ITEM. (§ xxiii.)
Eya nunc . . . § 60.   *Suscepimus.*
Corde senex . . . § 62 ii.   *Secundum.*
Maxima lętitię . . . § 62 iv.   *Iustitia.*

ALII. (§ xxiv.)
O noua . . . § 62 i.   Quod non . . . § 62 iii. *In fines.*
                                                                       Gloria.

ITEM. (§ xxv.)

Pectore laudifluo decantat mysticus ordo :   *Suscepimus.*
Nunc te perferret symeon senilibus ulnis :   *In medio.*
Virgo te gremio portat quem mundus adorat :   *Secundum.*
Omnia cuncta tua sunt dominator, et inde,   *Iustitia.*

ALII. (§ xxvi.)
Hodie quemadmodum patriarchis antiquis repromissum
    est, et sicut reuelante spiritu sancto a prophetis pre-
    dictum est,   *Suscepimus.*
Christum uidelicet dominum qui est salus et
    redemptio generis humani :   *In medio.*

Quando parentes eius in domum domini illum ducebant,
  et senex iustus symeon accepit eum in ulnas suas,
                                                  Secundum.
Quod est magnificum et admirabile cunctisque gentibus
  ad inuocandum salutare,   *Ita.*
Ab uniuersa creatura tua magnificabitur, et usquequaque
  dilatabitur.   *In fines.*

AD OFFERTORIUM. § 63.

AD OFFERTORIUM. (§ xxvii.)

Salue sancta dei genitrix, spes inclita mundi, eya :   *Diffusa est.*
Integra cum pareres sed et integra cum peperisses, eya :   *Specie.*
Aurea dauitico prodisti germine uirgo :   *Eructauit.*

AD COMMUNIONEM. §§ 64, 65.

TROPI IN ADNUNTIATIONE SANCTĘ MARIĘ.
§§ 76 with 73 ; 72 with 75 ; 74.

(AD OFFERTORIUM.) § 77^c.

AD COMMUNIONEM. § 79.

TROPI IN DOMINICA DIE PALMARUM.
§§ 80, 81, 82 i.

*   *   *   *   *[1]

(EASTER). (§ xxviii.) . . . alleluia § 84 iv.   *Alleluia.*

AD PSALMUM.

En ego uerus .   .   . § 84 v.   *Mirabilis.*

[1] The leaf C. 1 is wanting here.

Item. (§ xxix.)

Fregit . . . § 86.   *Intellexisti.*
Exurge . . . § 88.   *Gloria.*

Alii. (§ xxx.)

Filius ad patrem carnis pro parte locutus
   corpore cum uero sit ait, en uenio :   *Resurrexi.*
Cum quo semper eram deitatis munere consors,
   dextera summa patris quem tenet, ecce canit   *Posuisti.*
Et nos in terris colimus, miramur, amamus,
   quod sic ex nostro corpore fulget homo :   *Mirabilis.*

Item. § 89.

Item. (§ xxxi.)

Gaudete et lętamini quia surrexit dominus alleluia
   iocundemur cum illo dicentes, eya :   *Resurrexi.*
Dum resurgeret in iudicio deus,   *Et adhuc.*
Contremuit terra christo resurgente a mortuis :   *Posuisti.*
Terrę motus factus est, et magnus angelus domini des-
   cendit de cęlo :
Custodes uelut mortui effecti sunt :   *Scientia.*
Nimio terrore angeli :   *Alleluia.*

Item. § 87.

Alii. (§ xxxii.)

Factus homo tua iussa pater moriendo peregi :   *Resurrexi.*
Abstuleras miserate manum, mihi reddita lux est :   *Posuisti.*
Plebs cecata meum non nouit lumen amandum :   *Mirabilis.*

Item. (§ xxxiii.)

Iam redeunt omnia luce clare per festa paschalia : infer-
   nus reddit spolia, agnum redʈ[1] formidant omnia,
   quę dei reguntur super imperio :

Ad offertorium. § 91.

Alii. (§ xxxiv.)

Iudicium magno metuens concussa pauore,   *Terra.*
Actibus a prauis sectans monimenta salutis :   *Dum resurgem.*
Perderet ut reprobos, mites saluaret ut omnes :   *Alleluia.*

Item. § 92.

---

[1] Without musical notation.

AD COMMUNIONEM. §§ 93 i, ii, iv, 94.

AD EUCHARISTIAM. § 95.

FERIA SECUNDA.

§ 96, with (§ xxxv). AD PSALMUM.

Munere pro tali glomerantes munia nati   *Confitemini.*

ITEM. § 97.

AD COMMUNIONEM† (OFFERTORIUM). § 98.

AD COMMUNIONEM. § 99.

FERIA TERTIA. §§ 100, 101.

AD OFFERTORIUM. § 102.

AD COMMUNIONEM. § 103.

FERIA QUARTA. §§ 104, 105.

AD OFFERTORIUM. § 106.

AD COMMUNIONEM. § 107.

TROPI DE INVENTIONE SANCTE CRUCIS.

(§ xxxvi.)

Hierusalem solio primo peccante repulsi
in mundo positi et sacro baptismate loti :   *Nos autem.*

In ligno per quod uitę reparator origo :   *In cruce.*
Cuius principium nec finis cernitur umquam :   *In quo.*
Presens preteritum cernit pariterque futurum :   *Per quem.*

ITEM. (§ xxxvii.)

Perspicue . . . § 108   . . . cesa est :   *In quo.*
Quam[1] nos auctore surgendi credimus omnes :   *Per quem.*

ALII. (§ xxxviii.)

Nos cruce regnantem laudemus uoce boantes,   *Nos autem.*
Stipite uulnifico pendentem credite cuncti :   *In cruce.*
Arbore pacifica regnantem credite cuncti :   *Per quem.*

(ASCENSION DAY.[2]) (§ xxxix.)

Quem cernitis ascendisse super astra, o christicolę ?
Ihesum qui surrexit de sepulchro, o celicolę.
Iam ascendit ut predixit, ascendo ad patrem meum et
      patrem uestrum, deum meum et deum uestrum.
Alleluia :
      regna terre, gentes, linguę, conlaudate dominum :
      quem adorant cęli ciues in paterno solio :
      deo gratias dicite eya.

IN DIE ASCENSIONIS DOMINI. § 110.

*   *   *   *   *[3]

(WHIT SUNDAY.)

. . . prestans . . . § 119 v.   *Alleluia.*

[1] No musical notes.
[2] Preceded by a full page illumination of the Ascension but no heading : the illumination has the following legend :—

> Ad celi solium scandens sibi iure paternum
> Ecce birit bini niueo candore decori.
> Secus discipulos stant tristi mente ęoactos :
> Uobis ne mirum uideatur et esse molestum
> Christi conscensus hos uobis dico recensus ;
> Ut tendit celo descendet sic iterato.

[3] Two leaves C.8 and D.1 are wanting.

Item. § 118.

Alii. (§ xl.)

Spiritus ecce uenit sanctorum corda repleuit, eya :	*Spiritus.*
Et quia terrarum flammauit regna canamus,	*Et hoc.*
Pectora confirmat linguarum clausa relaxans, eia :	*Alleluia.*

Item. (§ xli.)

Cum pia per populos diffudit munera cunctos, eia :	*Spiritus.*
Gratias agamus almę trinitati semper :	*Et hoc.*
Perfudit uirtus credentium cordibus :	*Habet.*
Repleuit de celo dominus spiritu sancto corda fidelium suorum :	*Alleluia.*

Item. (§ xlii.)

S)piritus sanctus descendit in discipulos christi hodie, de quo gaudentes dicamus	*Spiritus.*
Gloriam suę dans presentię beatis :	*Et hoc.*
Prestans linguarum notitiam :	*Alleluia.*

AD OFFERTORIUM. §§ 121, 122.

AD COMMUNIONEM. § 123.

TROPI DE SANCTA TRINITATE. (§ xliii.)

Effectrix rerum sanctarum, sancta beatrix,	*Benedicta.*[a]
Gignens et genitus amborum spiritus unus,	*Confitebimur.*
Mortis ab imperio, ihesu moriente, redempti :	*Quia.*
	Benedicamus.

Alii. (§ xliv.)

Summe deus, sancta et indiuisa tibi ueneremur hodie sancta,	*Benedicta.*
In excelsa sede maiestati(s) tuę :	*Sit sancta.*
Deitas lux lucis et fons sanctitatis :	*Atque indiuidua.*

---

[a] Benedicta | sit sancta trinitas atque indivisa unitas : | confitebimur ei | quia fecit nobiscum misericordiam suam. *Ps.* Benedicamus.

ITEM. (§ xlv.)

Cunctipotens genitor natus cum flamine sacro
gloria maiestas deitas uirtus simul una :   *Benedicta.*
Indiscreta manens uirtutis robore semper
quamquam personis capiat cognomina trina :   *Confitebimur.*
Plurima nunc laudum gaudentes dona ferendo
atque suas iugiter uirtutes rite canendo :   *Quia.*

IN NATIVITATE SANCTI IOHANNIS BAPTISTE.[1]
§§ 124, 126, 127.

ALII. (§ xlvi.)

Vatum firma fides regis baptista iohannes
ex utero sterili narrant preconia christi :   *De uentre.*
Post longum senium inspirato germine foetę :   *Vocauit.*
Qui quondam moysi dixit te ex nomine uidi :   *Et posuit.*
Vt resecem ualide peruersi dogmatis acta : *Sub tegumento.*
Ne feritas seui ualeat me sternere mundi :   *Posuit me.*

ITEM. §§ 129 with 125. § 128.

AD OFFERTORIUM. § 130.

(AD COMMUNIONEM.) § 131.

---

[1] Preceded by an illumination with the following legend : —

    Elisabeth sterilis mater diu facta iohannis
    Protulit infantem super omnibus hunc elegantem :
    Sic pugillari pater hunc poscit uocitari :
    Dum poscit loquitur dominum bene fando precatur.

(St. Peter.[1])   § 132.

(§ xlvii.)

Diuina beatus Petrus ereptus clementia in se rediens
  dixit   *Nunc scio.*
Custodet† ac defensorem uitę meę :   *Et eripuit me.*
Constantissimum sui nominis percussorem :   *De manu.*
Sancti collegii nostri maligni peruasorem :   *Et de omni.*
Quę me circumdabat collegio iniquo :   *Plebis iudeorum.*

ALII.   §§ 133, 135.

ALII.   (§ xlviii.)

O pastor egregie solue nostrorum peccaminum uincula
  precibus flagitamus deuotis : laus deo nostro ypane :
  cantate, psallite domino, eia ; ypane :   *Nunc scio.*

ITEM.   § 134.

AD OFFERTORIUM.   §§ 136, 137.

AD COMMUNIONEM.   § 138 with

(§ xlix.)

Rex regum dominus sic nos olim pius infit,   *Symon.*

*   *   *   *   *2

(St. Benet.)   . . . felix benedictus.   § 67. iii.

ALII.   § 69. i, iii, ii.   § 70. ii, i.

AD OFFERTORIUM.   §§ 171, 68, 169.

AD COMMUNIONEM.   § 71.

---

[1] Preceded by a full page illumination of St. Peter's deliverance from prison, with the following legend :—

> Clauiger ecce petrus occulto carcere clausus
> Angelus hunc fractis soluens affamine nodis :
> Hunc linquens uallem potes hunc ascendere collem.
> Ferrea porta quibus patulos dat aperta regressus :
> Uersus et in sese petrus inquit nunc scio uere.

[2] Two leaves D.7, 8 are wanting.

TROPER.   I

(ST. LAWRENCE.)[1]   § 150.

(IN THE MARGIN.)

Adest alma dies sancto decorata triumpho
laurencii sancti ideo modulemur ouantes   *Confessio.*
Est ubi pro meritis laurencius hic coronatus   *Sanctitas.*
Qui leuita sacer flammas superauit atroces   *In sanctificatione.*

ITEM. (§ l.)

Laudibus organicis psallamus uerba quod clamant pro-
     phetica   *Confessio.*
Sacra cuius hodie celebremus sollempnia   *Sanctitas.*
Premia pro meritis illum magnificasti   *In sanctificatione.*

ALII. § 151.

AD OFFERTORIUM.   § 153 incomplete.[2]

*   *   *   *   *

THE ASSUMPTION OF THE B.V.M.

(§ li.)

. . . feliciter migrauit ad ęthera :   *De cuius.*
Plaudit cętus cęli coniubilat omnis noster lętus chorus
                                    Et conlaudant.

ITEM. § 157.

AD OFFERTORIUM. §§ 77, 78.

AD COMMUNIONEM. § 159.

(THE NATIVITY OF THE B.V.M.[3])

(§ lii.)

Cantemus omnes mellifluum carmen fibrarum ore tonanti,
                                      Gaudeamus.

---

[1] Preceded by a full page illumination with the following legend :—
           Conspectu decii laurentius adstat iniqui,
           Quem decius uerbis nimium constrinxit acerbis.
           Precipiens fano grates impendere uano :
           Quod quia neglexit poenis furiendo reflexit,
           Lecto ferrato post impositus reparato
           Piscis ut assatur laurentius igne crematur.

[2] The leaf E. 3 is wanting.

[3] Preceded by two illuminations, the first of which has the following legend :—
           Credidit angelico ioachim pernuntia uerbo,
           Credens foecundam conceptu germinis annam :
           Christum glorificat inopi qui semper habundat.

And the second—
           Ecce patet partus quem . . . erat anna per artus
           Aecclesie matrem genuit pregnando salutem,
           Quam domino uouit pater ad templumque dicauit.

Quia hodie sola innupta uirgo manens, et post partum uirgo
    innupta maneret,   *De cuius.*
Benedictam proclamantes dominum uniuersę machinę cosmi
    benedicunt :   *Et conlaudant.*

ALII. (§ liii.)

Splendore sollempni rutilat dies dauidis ex stirpe orta, quia
    refulsit uirgo maria unde iubilo magne exultationis pro-
    clamemus in choris,   *Gaudeamus.*
Claram et perspicuam seu cunctis digne colendo   *Sub honore.*
Cordetenus mentes spiritum cum omnibus uotis :   *De cuius.*

ITEM. (§ liv.)

Angelorum chori exultent quod uirgo sacra celi principem iam
    conspicatur : exultemus omnes dicentes   *Gaudeamus.*
Qui sui corporis cęli domino hospitium prebuit :   *De cuius.*
In arce poli semper uoce consona canunt :   *Et conlaudant*

(ITEM.) (§ lv.)

Aurea post christum uolumus si scandere regna :   *Gaudeamus.*
Dulcifluas digne retinendo cantibus odas :   *De cuius.*
Alternis sonis modulos promamus ouanter :   *Sub honore.*
Agminibus uariis dominum qui in laude fatentur : *Et conlaudant.*

ITEM. §§ 165, 167, 166, 168 incomplete.

*   *   *   *   *1

(MICHAELMAS.) (§ lvi.)

                . . . fratres § 175 i   *Benedicite.*
Numine de summo clarissime numine celi : ii   *Potentes.*
Christo nos foueat sanctis precibus quoque nostris : iii
                                 Ad audiendam.

ALII. (§ lvii.)

Principis ętherei michaelis festa colendo
cęlica deo turba festiue nabla cieto,[2]   *Benedicite.*
Laudibus alternis ter trinis uocibus almis,   *Potentes.*
Terrigenas internas deum celeres uolitatis heroes : *Qui facitis.*

ITEM. (§ lviii.)

Cernere quis uultum patris et gaudere per ęuum: *Benedicite.*

---

[1] The leaf E.6 is wanting.
[2] nablo cieto. Novalaise Troper.

DE EODEM. (§ lix.)

Quando fuit preliator michael archangelus bellum forte iniit cum
    dracone, uicit eum et proiectus est accusator de cęlis militięt
.   eia :   *Benedicite.*
Veneranter conlaudate eum omnes cęli militis, eia :   *Qui facitis.*
Christicolis omnibus per orbem magnificandos :   *Ad audiendam.*

ALII. § 176.

AD OFFERTORIUM.   §§ 178, 177, 179.

AD COMMUNIONEM.   § 180.

*   *   *   *   *1

(ALL SAINTS)   . . .   § 177 iii, iv.

AD OFFERTORIUM.   § 198.

AD COMMUNIONEM.   § 199.

(ST. MARTIN)²   §§ 200, 201, 146.

ITEM. (§ lx.)

Dicat in aethera deo laudes et contio tota,
martinoque simul decantent organa uocis :   *Statuit.*ª
Sidera qui statuit, martinum et ipse sacrauit :   *Et principem.*
Christus ut ęcclesię sanctae sua iura libaret :   *Ut sit.*
Palma decora uelut nitet ether in ordine phebi :   *In ęternum.*

ALII. (§ lxi.)

Inclitus hic rutilo celebremus stemate martine
plebs ueneranda patre modulando canamus in unum :   *Statuit.*
Et tibi christe decus ditasti munere summo :   *Et principem.*
Aecclesiam proprio firmans per sęcla patrono   *Vt sit illi.*
Et decus ore pio cęlum super esse rogasti   *In ęternum.*

ª See above, p. 29.
[1] The leaf E.8 is wanting.
[2] Preceded by an illumination with the following legend :—

> Podere uestitus post christum pulchre chelidrus,
> Querens martinum falli uirtute peritum :
> Quod quia non potuit quam cera sub igne liquescit.

(AD COMMUNIONEM)[1]

Quam bene lętatur *ut supra.* § 149.

(ST. ANDREW).[2]　(§ lxii.)

Intuito placido qui cernit cuncta regendo,	*Dominus.*[a]
Aecclesię proceres sese nuntiante futuros :	*Petrum.*
Ore benigniloquo germanis talia dicens,	*Venite.*

ALII.　(§ lxiii.)

Cum populis pietate sui medicamine ferret	
ad rectum reuocans tramitem moribunda sequentes :	*Dominus.*
Undosi studio peragrantes marmora ponti	*Petrum.*
Cum mali illorum perflans dulcedine corda	*Uenite.*

AD OFFERTORIUM.　§ 207.

AD COMMUNIONEM.　§§ 208 i, 202.[3]

(APOSTLE.)[4]　§§ 162, 163, 206, 204 incomplete.

*　　*　　*　　*　　*[5]

(MARTYRS) . . . § 182 ii, iii.

ALII.　(§ lxiv.)

Contritis placidas prebes qui cordibus aures,	*Intret.*[b]
Quorum tu solita nexus pietate resoluis,	*Redde.*
Quo semper dominum agnoscant te fore iustum :	*Vindica.*

[a] Dominus secus mare Galileæ vidit duos fratres | Petrum et Andream et vocavit eos : | venite post me faciam vos fieri piscatores hominum.

[b] See above, p. 37.

[1] Without musical notation.

[2] Preceded by an illumination with the following legend :—

> Hic pater andreas cruce quem constrinxit egeas
> Quem post se reuocat ihesus dum littora calcat,
> Classibus omissis sequitur conamine cordis.

[3] Without musical notation.

[4] Preceded by an illumination with the following legend :—

> Bis seni proceres christi sub pace ualentes
> Bis senas sedes domini dominantur et edes,
> Cuius suffragiis domino sociemur in astris.

[5] The leaf F.4 is wanting.

AD OFFERTORIUM. § 211.

(ITEM.) (§ lxv.)

Firmati uero uegetati flamine sancto :   *Confitebuntur.*[a]
Qui satis ostendunt quod sis mirabilis ipse :   *Et ueritatem.*
Hanc tibi quo pulchram recinant per sęcula laudum :   *Alleluia.*
Mirificas et laudandas nimiumque stupendas,   *Misericordias.*
Hoc resonent omnes iubilant psallantque fideles,   *Quoniam.*

ITEM. (§ lxvi.)[2]

Vera est in cęlo sanctorum lętitia, dum claram semper
   cernunt dei presentiam :   *Letamini.*[b]
Prima est hominis beatitudo peccatorum omnium indulgentia.   *Beati quorum.*
Non est plena indulgentia, ubi precedit pura confessio : *Pro hac.*[1]

AD COMMUNIONEM. § 212.

ALII. (§ lxvii.)

Qui pariter cernunt moderamine cuncta, eia :   *Ecce oculi.*[c]
Est quę sola suis fiducia maxima seruis.   *Ut eripiat.*
Sponte sua qui dant pro domino corpora loeto :   *Quoniam.*

DE UNO MARTYRE.

Sic quoniam &c. § 209, § 210.

ITEM. (lxviii.)

Culminibus cęli rutilat laudabitur atque   *Lętabitur.*[d]
Flagrat iam redolet quoniam sic fortiter egit[2]   *Et sperabit.*
Sanctificando deum gaudent iure per euum   *Et laudabuntur.*

---

[a] Confitebuntur cæli mirabilia tua, domine : | et ueritatem tuam in ecclesia sanc-
torum | alleluia, alleluia. ℣. Misericordias domini cantabo.
[b] Lætamini in domino et exultate iusti et gloriamini omnes recti corde.
   ℣. Beati quorum remissæ sunt iniquitates &c.
   ℣. Pro hac orauit ad te omnis sanctus &c.
[c] Ecce oculi. ? from Psalm xxxiii (xxxii) 18.
[d] Lætabitur justus in domino | et sperabit in eo : | et laudabuntur omnes rectio
orde. *Ps.* Exaudi deus.
[1] This trope has no musical notation.
[2] The four preceding words have no musical notation.

ALII. (§ lxix.)

Tripudians martyr cęlesti munere fretus   *Letabitur.*
Quem totis semper dilexit nisibus ipse :   *Et sperabit.*
Christicolis perpes sancti glomerantur in ęuum : *Et laudabuntur.*

ITEM. (§ lxx.)

Cum uenerit uerbum summi patris arbiter orbi
ut referret mentis cunctorum gesta bonorum,   *Lętabitur.*
Nunc ad leta potens iubilemus alta tonabit
uoce, loquens cunctis, noster rex ecce coruscat : *Et laudabuntur.*

AD OFFERTORIUM. § 185.

AD COMMUNIONEM. (§ lxxi.)

Quem uerum genui natum uerax pater ipse,   *Semel iuraui.*[a]

ITEM. (§ lxxii.)

Hęc meus accipiet quę sunt promissa fidelis :   *Quicumque.*[b]

(§ lxxiii.)

Nos sinus. REQUIRE RETRO. § 157 i or 196 i   *Gaudeamus.*
In quo nos beatus gaudere monet apostolus   *Sub honore.*
Quia naturam nostrę humanitatis copulauit naturę   *Eructauit.*
   suę diuinitatis   *Gaudeamus.*

§§ 184, 183, and 185,[c] 187[c] REQUIRE RETRO.

TROPI IN NATALI UNIUS CONFESSORIS.
§§ 144, 145, 214 incomplete.

*   *   *   *   *1

[a] Semel juravi in sancto meo semen eius in aeternum permanebit &c.
[b] Quicumque fecerit uoluntatem patris mei &c.
[1] The leaf F.8 is wanting here, and B.4 is inserted out of place : see above (p. 105).

(VIRGINS)[1]   (§ lxxiv.)

Sic regni statuis leges sic cuncta coerces :   *Dilexisti.*[a]
Omnibus hęc imitanda tuis exempla relinquens :   *Propterea.*

ALII. § 216.

AD OFFERTORIUM. § 217, with

Sustentans humiles concidens iure superbos :   *Lingua.*

§ 218.

TROPI IN DEDICATIONE ECCLESIAE.

*   *   *   *   *[2]

---

[a] Dilexisti justitiam et odisti iniquitatem : | propterea unxit te deus, deus tuus oleo lætitiæ præconsortibus tuis. *Ps.* Eructavit.
[1] Preceded by an illumination with the following legend :—

    Virginibus cœtus en christi lumine frœtus
    Arce deum summa ueneratur laudi chorea
    In thalamis celi sponso ueniente fideli.
[2] The rest of the quire is wanting.

(UERSUS AD KYRIELEYSON.)

Cunctipotens genitor. . . (p. 48)

Regum summe cęli domine imperaris ubique nos proclamantes
  ad te clementer respice nostrique *eleison* K.
Poscentibus opem tuam misellis *eleison* K.
Sanctorum uia salus et uita lux et diadema quem ueneratur mira
  phalanx angelica deuote *eleison*
  Christe cum patre regnans pari iure fons eius gratię rogamus
    te corde *eleison* X.
  Redemptio nostra *eleison* X.
  Verbum perhenne lumen de lumine solque iusticię saluator
    benigne *eleison*
Dator uite spiritus alme mentibus nostris te ipsum ingere,
  paraclite, gratiarum munere nos replens abunde *eleison* K.
Qui spiras ubi uis *elison* K.
Ō trinitas indiuidua creatrix uera gubernatrix pia[1] per secula
  deus simplex unitas tibi laus eterna *eleison.*

Kyrrie omnipotens pater[2] . . . pl. 3. 930*

Kyrie rex genitor . . (p. 49)

Kyrie fons bonitatis[3] . . . pl. 2. 929*

Fons et origo lucis[4] . . . pl. 4. 931*

O rex clemens rex omnipotens *eleison.* K.
Conditor pie immortalis *eleison.* K.
Tu qui solus cuncta gubernas *eleison.*
  Christe tuis condonando nunc crimina *eleison.* X.
)s qui potes[5] soluere nexus reatus *eleison.* X.
  Et qui prothoplasti ade mortem uicisti *eleison.*
Kirrie rex sabaoth nostra et salus summa *eleison.*
Kirrie o sanctum pneuma et o nobis tu sother *eleison.*
Kirrie o patiron en[6] theos xponcraton† otheos emmanuel E . .
  Eleison hymas in eternum sit amen *Eleison.*

---

[1] pie V.   [2] In line 5, read precepto qui mundum.
[3] In line 2, read saluares : in 3, septiformi, so L. IV. : in 5, astans . . .
decantat, so IV. L.V. crimine V. : in 6, assis nostris, so L.V. clamamus, so IV. L.V.
pie iesu IV. L.V.   [4] In line 2, read constant cuncta.
[5] es qui potens V.   [6] o V.

Summe deus qui cuncta creas *eleison.*   *K.*
Qui regis arces ethereas *eleison.*   *K.*
N)os placido uultu uideas *eleison.*
   Tu christe patris speculum *eleison.*   *X.*
   Qui reformasti seculum *eleison.*   *X.*
   P)resentem iuua populum *eleison.*
Qui procedis ab utroque flamen *eleison.*   *K.*
E)ns[1] amborum amor et ṣpiramen *eleison.*
Assis nobis pius et solamen
Peccatorum dona medicamen *eleison.*

Rex uirginum amator deus Mariẹ decus *eleison.*
Qui de stirpe regia claram producis Mariam *eleison.*
Preces eius suscipe dignas pro mundo fusas *eleison.*
   Ch)riste deus de patre honoratus[2] Maria matre *eleison*
   Q)uem uentre beato Maria edidit mundo *eleison*
   S)ume laudes nostras Marie alme dicatas *eleison.*
O paraclite obumbrans corpus MARIE *eleison.*
Q)ui dignum facis thalamum pectus Marie *eleison.*
Q)ui super celos spiritum leuas Marie *eleison*
   F)ac nos post illam[3] scandere tua uirtute E . . .
   S)piritus alme *eleison*

---

[1] Es L.   [2] homo natus V.   [3] Ipsam L.V.

(LAUDES AD GLORIA)

Gloria.   Qui deus et rector   .   .   .   .   (p. 60.)

Gloria.   O gloria sanctorum   .   .   .   .   (p. 59.)

with Regnum tuum   .   .   .   (p. 55, line 10.)

(LAUDES AD SANCTUS)

Mundi regnans ante principium   *Sanctus.*[1]
Nec habiturus terminum   *Sanctus.*
A) patre non habens initium sed a matre sumens exordium
                                                Sanctus.
A)b initioque manens flamen qui culparum es purgamen
                                              Dominus.
T)ua regnans in gloria descendit ad infima summi patris filius
       quem sic benedicimus   *Benedictus.*
Serui formam ut sumeret
    seruum ut redimeret
    ergo patri nato et flamini redempti
    mente dicamus hilari   *Osanna.*

Sanctus	Sit tibi summe deus laus et benedictio uirtus
Sanctus	Deitas lux lucis et fons bonitatis
Sanctus	Existens in solio deus sempiterno
Dominus	Quem colimus sanctum trinum ueneranter et unum
Benedictus	

[1] Here follow two farsings of the Sanctus in a later hand and the second of them without music.

(PROSAE)

S(alus) eterna	K. 1	Alma chorus domini	K. 140	
Regnantem sempiterna	K. 2	Benedicta sit beata	100	
Qui regis sceptra	K. 4	Exulta celum	190	
Iubilemus omnes	K. 5	Laude iocunda	35	
Nato canunt	K. 9	Laudum carmina	123	
Celeste organum	K. 7	Mane prima sabbati	K. 93	
(Celica resonent) clare	22	Laus tibi . . . creator	K. 846	
Magnus deus	81	Organicis canamus	32	
Oramus te eterna	Dr. x. 279	Ad matris anne annua	124	
Rex magne deus	Dr. vii. 136	*Ad uincula sancti petri*		
Celsa pueri	K. 348	Nunc luce alma	106	
Eia recolamus	K. 10	Stola iocunditatis	K. 625	
E(piphaniam domino)	K. 27	A rea uirga	K. 255	
Letabundus	K. 13	Verbi dei parens alma	Dr. x. 143	
Gaudete uos fideles	K. 28	Ave preclara maris	254	
Dixit dominus	K. 384	Alle—cantabile	Dr. viii. 137	
Concentu parili	K. 217	Iubilcmus omnes una	Dr. x. 283	
Fulgens preclara	K. 95	Alle—celeste	44	
Prome casta concio	96	Potestate non natura	K. 184	
Concinat orbis	97	Post partum uirgo	K. 325	
Psalle lirica carmina	98	Aue maria gratia plena	K. 264	
Laudes saluatori	K. 81	Recolamus uenerandam	Dr. viii. 72	
Victime paschali	K. 83	Ad celebres rex celice	K. 168	
Ad heç colenda	412	Laudes regi christo	Dr. x. 371	
Clare sanctorum	K. 369	Superne matris gaudia	K. 338	
Salue crux uitale	Dr. x. 24	Ecce pulchra canorum	101	
Hodierna resonent	413	Laus honor sit	122	
Rex omnipotens	K. 116	Omnis fidelium ecclesia	114	
Sancti spiritus assit	K. 124	Sacrosancta hodierne	K. 401	
Resonet sacrata	118	Christo regi cantica	420	
Eia musa dic queso	119	Ecce dies triumphalis[1]		
Almifona iam gaudia	135	Virgines gaudeant		
Ueni spiritus eternorum	99	Exultemus in hac die	Dr. viii. 290	
Laudes deo deuotas	K. 122		incomplete.	

This collection cannot date much earlier than the end of the xiith century: it contains several sequences of Adam of St. Victor, Potestate non natura, Superne matris gaudia, Ecce dies triumphalis: the latter seems to point to some close connexion between the collection and the Monastery of St. Victor, which would account for Adam's sequences being so soon incorporated: on the other hand it does not contain those of Adam's sequences which were most commonly in use in England later, *e.g.*, Congaudentes exultemus for St. Nicholas: Zyma uetus expurgatur for Eastertide: Lux iocunda for Whitsuntide: Quam dilecta tabernacula for Dedication, &c.

[1] See Gautier *Oeuvres poétiques d'Adam de S. Victor* ii, p. 88. (Paris, 1859.)

(TROPI MONASTERII SANCTAE MARIAE WIGORN.)

(VERSUS AD KYRIELEYSON.)

Clemens rector . . . . (p. 50.)[1]

Cunctipotens . . . . (p. 48.)

Pater creator . . . . . (p. 49.)

O pater excelse . . . . (p. 52.)

Conditor Kyrie . . . . (p. 51.)

Regum summe . . . . (p. 121.)

Fons et origo . . . . . (p. 121.)

Orbis factor . . . . . (p. 133.)

O rex clemens. . . . . (p. 121.)

Kyrie deus sempiterne uita uiuens uite[2] eleyson.   K.
Kyrie rex immense sceptrum tenens imperiale eleyson.   K.
Kyrie pater increate necnon ingenite eleyson.   K.
   Christe cuius dextera condita sunt omnia eleyson.   X.
   Christe altissimi nate uirginisque inuiolate eleyson.   X.
   Christe qui nos proprio redemisti sanguine eleyson.   X.
Kyrie spiritus clarificans repletos caligine eleyson.   K.
Kyrie paraclyte procedens ab utroque eleyson.   K.
Kyrie septiformis gracie prepotens in munere.   K.
   Petimus reple nos karismate quos purgasti crimine.   E. . . .
   Fidelium[3] aduocate eleyson.   E. . . . *leyson.*

Summe deus . . . . . (p. 122.)

Kyrie fons bonitatis . . (p. 121.)

Kyrie rex genitor . . . (p. 49.)

Kyrie rex splendens[4] . . . . . . pl. 3, 931*

---

[1] The variants in this and other kyries following are given below (pp. 132–139).
[2] in te L. IV.   [3] O fidelium L. IV.
[4] In 2 read salutant rex immense for proclamant incessanter. 5 and 6 are transposed. In 7 read alme.

Splendor eterne clemens deus nobis eleyson.   *K.*
Qui solus soluis uinclum dire mortis eleyson.   *K.*
Et puro corde te laudemus semper eleyson.   *K.*
  Christi clamantibus ad te pie deuota mente succurrens
    eleyson.   *X.*
  Tu qui cuncta creas solo iussu cunctaque foues spiritu
    eleyson.   *X.*
  Suffragium nobis ihesu pium confer ab arce polorum
    eleyson.   *X.*
Ueram pacem deus pater ingenite nobis prebe eleyson.   *K.*
A peccatis nos emunda tu genite mundos serua eleyson.   *K.*
Paraclite purifice lumen cede.   *K.* . . .
  Fidem auge poscentibus te.   *E.* . . .
  Ut demum carnis onere deposito glorie.   *E.* . . .
  Fac perfrui almi nate cum angelorum agmine eleyson.
                       . . . *leyson.*

Kyrie rex celse tibi laudes celebramus exaudi clemens et
  seruis semper eleyson.   *K.*
Piissime kyrie precelse uirginis nate marie alme clemens
  nobis eleyson.   *K.*
Kyrie residens gloriose patris dextra throno pollenti
  caterue tue eleyson.   *K.*
  Inuisibilis christe pie uirtute immensa glorie tue nostri
    dignare eleyson.   *X.*
  Christe clemens cuncte uirtutes iugiter polorum arce
    quem laudant pulcre plebi tue eleyson.   *X.*
  Mirifice o christe fulgens patrie eterne claritas semper
    nobis ab arce eleyson.   *X.*
Kyrie uoce corde deuote postulamus eleyson.   *K.*
Mitissime kyrie tue turme eleyson.   *K.*
Kyrie pollens summo honore dominator immense.   *K.* . . .
  Petimus omnes per gloriosam dextere tue uirtutem.   *E.* . . .
  Nobis ihesu bone nunc et semper eleyson.   *Eleyson.*

Rex uirginum amator . . . (p. 122.)

Rex omnium sanctorum deus splendor et decus eleyson.   *K.*
Qui heredes eterne lucis electos facis eleyson.   *K.*
Qui in sanctis semper es tuis admirabilis eleyson.   *K.*
  Christe princeps iustorum forma et finis illorum eleyson. *X.*
  Uictores coronans et reis uitam donans eleyson. *X.*
  Sanctorum precatu seruos soluens a reatu eleyson. *X.*
O paraclite patri compar genitoque eleyson. *K.*
Amborum munus electis datus in usus eleyson. *K.*
  Qui de terrenis celestes homines facis.   *E. . . .*
Qui culpas demis et confers munera gratis. *K.*
  Illustras mentes sancto feruore calentes.   *E. . . .*
  Nos a peccatis soluens iungensque beatis.   *E. . . .*
  Spiritus alme eleyson.

(LAUDES AD GLORIA)

Gloria in excelsis. . . .

  Regnum tuum solidum . . . (p. 55.)

  Spiritus et alme . . .   pl. 14.   585.

(LAUDES AD SANCTUS)

Sanctus *Scande thronum* De domina.[1]

    *   *   *   *   *

     . . . fidelium munda
Miscens cum supernis choreis carmina
Gemens quod peccati prematur sarcina
Orat humilis actu[2]   *Osanna in excelsis.*

Sanctus . . . *domini.*

Laudes deo ore pio corde sereno concio melos tinnulo :
In iubilo cum cantico simul ad alta resonet uox cum organo :
Alpha et ω puro carmine necne dicito:
Patri almo genito quoque flamini sancto
Trino deo omnes proclament,   *Osanna in excelsis.*

---

[1] This entry is merely a rubric preceding a gap in the MS.
[2] For the complete farsing see p. 138.

Sanctus	Clemens deus pater qui libras omnia palmo :
Sanctus	Clemens dei fili lumen de luce coëqua :
Sanctus	Clemens creator spiritus paraclite piator :
Dominus.	

Sanctus	Perpetuo numine cuncta regens :
Sanctus	Regna patris disponens iure parili :[1]
Sanctus	Consimilis qui bona cuncta facis :[2]
Dominus	O deitas clemens seruorum suscipe laudes.[3]
Benedictus	

Sanctus	Sancte ingenite genitor sine genitrice geniti MARIE :
Sanctus	Sancte fili in gloria equalis pater o qualis deitas sine patre marie matris :
Sanctus	Sancte spiritus amborum amor suauissimus sub cuius umbra exultat uirgo mater maria :
Dominus	Cuius gloria pre cunctis MARIAM glorificauit.
Benedictus	MARIE filius,
Qui uenit	A celsa gloria patris ad humilitatem ancille sed regine matris :
Osanna.	

Sanctus	Christo regi regum benigne sacra pangamus preconia.
	In sacratione corporis sacri sanguinisque uoce dicamus pulcra.
	Ipsi redemptori supplicamus una.
	Largitor optime rectorque benigne respice nos in terra.
	Existens cum patre et cum sacro flamine
	Nostra munda pectora.
	Iuste iudex iudicans tecum sis nos suscitans,
	In dextra parte collocans,
	Benigneque sanctificans. *in excelsis.*

---

[1] perenni IV.   [2] nutris IV.   [3] laudem IV.

Sanctus	Sanctorum exultatio :
Sanctus	Sanctorum benedictio :
Sanctus	Sanctorum consolatio :
Dominus	Quem decet laus salus et honor :
Pleni	Cui dulci iubilo sanctorum concinit ordo.
Benedictus	

(LAUDES AD AGNUS)

Agnus dei . . . Quem iohannes in deserto . . . (p. 67.)

      Agnus dei . . .

Quem iohannes in iordane baptizauit ouans et dicens, ecce *Agn.*
Qui gratis moderaris cuncta solus indeficiens rex :   *Miserere.*
Lumen sine nocte uirtus angelorum manens semper
    piissime, eya :   *Miserere.*
Tu ades corona confitentium deus.   *Dona.*

      Agnus dei . . .

Qui deus es uerus homo factus uirgine natus,   *Miserere.*
Morte redemisti pie uitam te tribuisti.   *Miserere.*
Parce reis indulge malis fer opem tribulatis :   *Dona.*

Agnus dei . . . Qui patris in solio . . . (p. 67.)

Agnus dei . . . Lux lucis . . . (p. 68.)

      Agnus dei . . .

Deus deorum creator omnium rex angelorum   *Miserere.*
Inferni uastator paradisi reserator perhennis saluator,[1]

    Miserere.
Mortis exactor uite reparator mundi saluator,   *Dona.*

      [1] IV transposes 2 and 3.

TROPER.   K

    Agnus dei . . .
Fons indeficiens pietatis,   *Miserere.*
Auctor summe bonus bonitatis,   *Miserere.*
Pax eterna dator caritatis,   *Dona*

    Agnus dei . . .
Mortis dira ferens ut nostra pianda piares,   *Miserere.*
Adiuua surgens ut nos iustificares,   *Miserere.*
Celos ascendens ubi nos in pace locares,   *Dona.*

(LAUDES IN DIE PASCHE)

Christus uincit Christus regnat Christus imperat.
              Exaudi Christus.
Summo pontifici et uniuersali pape uita.
    Saluator mundi   Tu illum adiuua.
    Sancte Petre   Tu illum adiuua.
    Sancte Clemens   Tu illum adiuua.
    Sancte Sixte   Tu illum adiuua.   Christus. . . . &c.
(Regi anglorum) a deo coronato salus et uictoria.
    Redemptor mundi   Tu illum adiuua.
    Sancte Ae(d)munde   Tu illum adiuua.
    Sancte Erminigilde   Tu illum adiuua.
    Sancte Oswalde   Tu illum adiuua.
    (Sancte Edwarde   Tu illum adiuua.)   Christus. . . . &c.
(Regine anglorum) salus et uita.
    Redemptor mundi   Tu illam adiuua.
    Sancta Maria   Tu illam adiuua.
    Sancta Felicitas   Tu illam adiuua.
    Sancta Aetheldrida   Tu illam adiuua.   Christus. . . . &c.
(N) archiepiscopum et omnem clerum sibi commissum deus
    conseruet.
    Saluator mundi   Tu illum adiuua.
    Sancte Ealphege   Tu illum adiuua.
    Sancte Thoma   Tu illum adiuua.
    Sancte Dunstane   Tu illum adiuua.   Christus. . . &c.

(N) Episcopum et omnem clerum sibi commissum deus conseruet.

    Saluator mundi   Tu illum adiuua.
    Sancte Oswalde   Tu illum adiuua.
    Sancte Wlstane   Tu illum adiuua.
    Sancte Dunstane   Tu illum adiuua.
    Sancte Egwine   Tu illum adiuua.   Christus. . . . &c.

Omnibus principibus et cuncto exercitui anglorum salus et uictoria.

    Saluator mundi   Tu illos adiuua.
    Sancte Maurici   Tu illos adiuua.
    Sancte Georgi   Tu illos adiuua.
    Sancte Sebastiane   Tu illos adiuua.   Christus . . imperat.

Rex regum   Christus uincit :
Rex noster   Christus regnat :
Gloria nostra   Christus imperat.
Auxilium nostrum Christus uincit :
Fortitudo nostra   Christus regnat :
Liberatio et redemptio nostra   Christus imperat.
Uictoria nostra inuictissima   Christus uincit.
Murus noster inexpungnabilis†   Christus regnat.
Defensio et exultatio nostra   Christus imperat.
Ipsi soli imperium gloria et potestas per immortalia secula
    seculorum Amen   Christus . . . imperat.
Ipsi soli laus et iubilatio et benedictio per immortalia secula
    seculorum Amen   Christus . . . imperat.
Ipsi soli honor et claritas et sapientia per immortalia secula
    seculorum Amen   Christus . . . imperat.

(TROPI MONASTERII SANCTI ALBANI.)

(VERSUS AD KYRIELEYSON.)

Te pater supplices . . . (see p. 46 and note.)[1]

Clemens rector . . . . (p. 50.)[2]

Pater creator omnium . . (p. 49.)[3]

Conditor kyrie . . . . (p. 51.)[4]

Cunctipotens genitor . . (p. 48.)[5]

Rex magne genitor quem sancti adorant semper eleyson.   *K.*
Voces nostras tu clemens digneris hodie rex cęli exaudire,   *K.*
Viuificans nos crimina nostra dele creator eleyson.   *K.*
    O agye patris genite iudex noster nostras preces sus-
    cipe eleyson.   *X.*
    Fons et origo lucis perpetuę uita salus pax ęterne
    domine,   *X.*
    Qui de supernis descendere uoluisti propter hominem
    quem fecisti eleyson.   *X.*
Consolator qui es flamen cuncta alens uiuificans eleyson.   *K.*
A patre et uerbo procedens spiritus,   *K.*
Semper sit tibi gloria laus uirtus potestas per ęterna
    secula seruos tuos audi piissime eleyson.   *K eleyson.*

[1] In 8 read Clamat incessanter hic chorus creator spiritus eleyson IV. L.
   In 9 read Coęterne patri et filio tu nobis eleyson
         In excelsis tibi magna sit gloria eterne deus
         Dicamus indesinenter una uoce omnes eleyson IV. L.
[2] In 4 read rex christe for sabaoth IV. L.V.
   For 5 read Patri ęqualis sedulas nostras preces rex suscipe IV. L.V.
   In 6 read augens IV. L.V.
   In 7 omit Respice . . . inclite IV. L.V., and read spiritus paraclyte for
     redemptor orbis terre. IV. L.V.
   For 9 read Qui manas a patre et filio et ore et corde atque mente psallentes,
     nunc tibi o beate consolator precamur . . . &c. IV. L.V.
   In 2 read magne for pie IV. L.V.
[3] In 7 read Consolator spiritus supplices . . . IV. L.V.
   In 8 read nostra for uera IV. V.
   In 9 read Distributor gratię uitę dona nobis tribue et benignus nostri . . .
     &c IV. L.V.
[4] In 2 read dele V.
   In 3 read Ne IV. L.V.
   In 6 read nobis for pius V.
   Omit 9 i. IV. V. L. has it inserted later with sancta instead of una.
[5] In 8 read sensificans IV. V.

¶O pater excelse . . . . (p. 53.)¹*
Kyrie fons bonitatis . . . (p. 121.)
Kyrie deus sempiterne . . (p. 125.)
Orbis factor . . . . . (p. 125.)²   pl. 5.   933*
Lux et origo³ . . . . .   pl. 4.   931*

¶Kyrie genitor eleyson.   *K.*
Omniumque factor eleyson.   *K.*
Bonorum largitor eleyson.   *K.*
    Christe genite eleyson.   *X.*
    Prodiens a patre eleyson.   *X.*
    Mundi redemptor eleyson.   *X.*
Kyrie spiritus eleyson.   *K.*
Illustrans omnibus eleyson.   *K.*
Trine et une,   *Kyrie*
    Semper miserere tu ymas.   *Eleyson.**

Kyrie rex genitor . . . . (p. 49.)⁵

[Rex uirginum amator . . . (p. 122.)]

¹ In 5 read Purifica mentes IV. V.
  In 6 read niteant uirtutibus IV. V.
  In 7 read alme. V.
  In 8 read communio for sapientia IV. V, and uera for uerax IV.
  For 9 ii, iii read Et donis uenie culparum uincula solue
        Nostre aduocate eleyson. V, but IV omits altogether.
² In 2 read pelle IV. V.L.
  In 6 read confirmans . . conseruat V. L. confirmans . . conseruansque IV.
  For 7 read Ignis sensifice flamen utriusque eleyson. *K.* V.
  In 8 read Nexus soluens culpe nos orna uirtute eleyson. *K.* V.
  In 9 read ihesu bone for paraclite IV. L.V.
³ Contrast the version on p. 51.
  In 2 read constant cuncta clemens.
  In 4 read hominum for omnium and transpose 5 and 6.
⁴ Compare the Hereford Missal (Leeds, 1874), p. 40.
⁵ Transpose 4 and 5 IV. L.V.
  In 8 read cuncta sunt. L.V.
  In 9 read Quesumus for petimus. V.

(LAUDES AD GLORIA)

Gloria in excelsis . . . .

Laudemus dominum quem laudat celicus ordo.	*Laudamus.*
Nomen et imperium cuius est semper benedictum.	*Benedicimus.*
Cuncta poli iubilatio quem ueneranter adorat,	*Adoramus*
Gloria digna tuis qui confers premia sanctis,	*Glorificamus.*
Qui pietate tuis sola misereris alumpnis,	*Gratias.*
Machina te cęli te laudat spiritus omnis.	*Domine.*
Sanctus ter seraphin sanctus resonent tibi sanctus.	*Deus.*
¶Plebibus et nostris pius esto uocibus istis.	*Domine fili.*
Pectora nostra tuo confirma numine sancto.	*Domine deus.*
Sordibus a cunctis nos munda christe piaclis.	*Agnus dei.*
Eterni patris ingeniti splendorque perhennis.	*Filius.*
Ut sceleris sine labe tibi placeat tuus orbis,	*Qui tollis.*
Mentibus ut puris ualeamus psallere tibi.	*Qui tollis.*
Principium sine principio sine temporis euo.	*Qui sedes.*
Flectitur omne genu cui subditur atque potestas,	*Quoniam.*
Rex regum dominus residens super astra polorum	*Tu solus.*
Cuncta tenens summoque regens moderamine uerbi	*Tu solus.*
Qui cęlum terramque tenes mane necne profundum	*Cum sancto.**

¶*Gloria* . . . Quem uere pia laus . . . . (p. 56.)[1]*

Gloria in excelsis . . . .

Qui de morte tuum uoluisti surgere natum	
et mortis uincla soluere morte sua.	*Benedicimus.*
Quem tellus mare quem sydus benedicit et omne	
et nos in terris uocibus ymnisonis.	*Adoramus.*
Quem ter ternus apex diuini numinis index	
laudat glorificat seruit adorat amat.	*Glorificamus.*
Solus splendiferi stellarum nomina cęli	
nosti scis cursum et retines numerum.	*Glorias.*
Qui uitę portas nobis pro crimine clausas	
dignaris nati pandere[2] morte tui.	*Domine deus.*

---

[1] The first line is sub-divided into two tropes: in line 4 read cui for quem and in line 8 tibi for tua.   IV.

[2] soluere L.

¶Deus pater omnipotens rex cęlestis   *Deus pater.**
Rex regum cuius constant sine
  Regens cuncta benigne :   E. . . .
  Celica ac terrea pontica simul atque :   E. . . .
  Continens in ordine moderans suo quęque :   E. . . .
  Summa residens in poli arce :   E. . . .
  Terris dignatus es descendere :   E. . . .
            tempore regnum   *Cum sancto.*

Gloria . . . Qui deus et rector . . . . (p. 60.)[1]

  Gloria in excelsis . . . .

Quem decet ut superis sociatus laudet et orbis,   *Benedicimus.*
Cuius nos mundat pietas benedictio firmat,   *Adoramus.*
Factorem rerum facilem dominumque polorum,   *Glorificamus.*
Poscentes iugiter misereri et parcere semper,   *Gratias.*
Dicentes merito benediceris ac ueneraris,   *Domine.*

Gloria . . . . Aue deus . . . . (p. 55.)[2]

Gloria . . . . O gloria sanctorum . . . . . (p. 59.)

            with Regnum tuum solidum . (p. 55.)

Gloria . . . . Angelica iam pater .   . . . (p. 58.)[3]

Gloria . . . . Ut possimus consequi . . . . (p. 57.)[4]

Gloria . . . . Deus inuisibilis . . . . . . (p. 61.)[5]

  Gloria in excelsis . . . .

Sponsus ęcclesię quam tibi sociasti pendens in cruce
  proprio sanguine,   *Laudamus.*

---

[1] L has only the first eight tropes.
[2] In line 3 read decenter celestis. IV. L.
   In line 6 read confitetur teque glorificat in euum IV. L. and L ends here.
   In line 8 read deuota IV.
   In line 10 read delens IV.
[3] L ends after the fourth trope : IV reads superi there and candes in the next trope and adds Christe cęlorum. *Cum sancto.*
[4] In 3 read benedicunt, terra : in 4 read angelice, sanctum ter proclamantes devote : in 5 read ubique for devote IV. L. Then L ends but IV has trope 6 and adds munda corda accende in te desideria nostra qui regnas. *Cum sancto.*
[5] L ends after the fifth trope but IV has all and adds Christe cęlorum as above.

Cuius domum decet sanctitudo in dierum longi-
    tudine.   *Benedicimus.*
Preces nostras suscipe in hac aula tua hodie et in
    omni tempore.   *Adoramus.*
Templum quoque tuum fac in nobis petimus et nos
    posside.   *Glorificamus.*
Qui es uia uita et fons misericordię custosque tuorum
    ubique,   *Gratias.*
Omnia qui contines regendo regisque continendo
    uerbo tuo iure,   *Domine fili.*
Alme patris genite redemptor ac totius salutis
    reparator humanę,   *Domine deus.*
Te supplices exoramus hodie,   *Suscipe.*
Et cunctis in hac domo salubria petentibus tribue : *Qui sedes.*
Iustos conserua fide.   *Quoniam.*
Lapsis manum porrige.   *Tu solus dominus.*
In commune nobis cunctis tribue corporis
    salutem atque anime :   *Tu solus altissimus.*
Bone IESU qui cum patre manes uiuis regnas imperasque
    ubique atque,   *Iesu.*

Gloria . . . . Quem dominum rerum . . . (p. 56.)[1]

Gloria in excelsis . . . .

Quem iugi uoce affantes agmina cęlestium laudant
    clamantes   *Et in terra.*
Pax beata tuis pacem gestantibus illis quibus minis-
    trauerunt terrenis iudiciis   *Laudamus.*
Lęta laudum carmina uocibus angelorum adiunge
    o rex clementissime   *Benedicimus.*
Quem tellus ponthus ęthera colunt tremunt assidue
    et benedicunt agię nomen tuum melliflue   *Adoramus.*
¶Almipotens altissime qui uerbum patris lumen es
    de lumine auxiliare domine   *Domine fili.*
Splendor mirabilis ęterna patris sapientia cęlestium
    terrestrium tu fabricator optime   *Qui sedes.*
Unus honor atque culmen sit tibi uirtus gratiarum
    actio regnans in euum christe redemptor   *Cum sancto.**

---

[1] In line 1 read uerum, in line 4 read cęli ciues quem iugiter IV. L.   The latter
ends after the fifth line : in the last line Nos nostrasque preces IV

Gloria in excelsis . . . .

Quam deus acceptat quam digno munere ditat,	*Laudamus.*
Quem laudant cherubin benedicunt sancta seraphin,	*Adoramus.*
Quem caro glorificat quem spiritus omnis adorat,	*Gratias.*
Qua cęli sursum sunt pleni et terra deorsum,	*Domine deus.*
Principium rerum fons lucis origo bonorum,	*Domine fili.*
¶Magnus de magno patre natus et unus ab uno	*Domine deus.*
Hostia propter nos factus pius ipse sacerdos	*Miserere.*
Nam peccatores sumus ac miseri uehementer :	*Qui tollis.*
Ut nos et totum releues a crimine mundum :	*Qui sedes.*
Nostra caro et sanguis homo noster uiscera nostra,	*Miserere.*
Corpora sanctifica mentes et pectora munda :	*Tu solus.*
Qui cęli atque maris terręque simul dominaris,	*Tu solus.*
Qui crucifixus eras sed iam *per* . . secula regnas *Cum sancto.**

¶(LAUDES AD SANCTUS)

Sanctus	Pater ex quo omnia deus,
Sanctus	Filius per quem omnia deus,
Sanctus	Spiritus in quo omnia.
Dominus.	

Sanctus	Deus pater ingenitus . . . (p. 65.)

The first three tropes only and then there follows as—
PROSA IN PASCHA.   Omnes tua gratia . . . &c. (p. 65.)

Sanctus	Cuncta coeterno disponens ordine uerbo.
Sanctus	Cuncta regens numen uerum de lumine lumen.
Sanctus	Cuncta fouens flamen tibi gloria laus honor amen.
Dominus.	Suscipe seruorum clementer uota tuorum.
Benedictus.	Natura nostra sumpta saluatio nostra.
Osanna.	

Sanctus.	Sanctorum exaltatio . . . (p. 129.)

Sanctus	Ex quo sunt omnia.
Sanctus	Per quem sunt omnia.
Sanctus	In quo sunt omnia.
Dominus.	Tibi gloria in secula.
Pleni.	Cui sit perpetuo laus decus omnis honor.
Benedictus.	

Sanctus.	Deus omnipotens pater . . . (p. 66.)
Sanctus.	Perpetuo numine . . . . . (p. 128.)
Sanctus.	Clemens deus pater . . . . (p. 128.)
Sanctus.	Laudes deo ore pio . . . . (p. 127.)

Sanctus.	Quem pium benedicit turma : O . . .
	In terris fidelium munda : O . . .
	Miscens cum supernis choreis carmina : O . . .
	Gemens quod peccati premantur sarcina : O . . .
	Orat humilis actu.
Osanna.	

Sanctus.	Summe ingenite genitor . . . (p. 128.)

Sanctus.	Deus pater cuius presentia suis bona ministrat omnia
Sanctus.	Verbum patris perenne gaudium mundi salus uita fidelium
Sanctus.	Deo patri laudes et filio cum spiritu reddat hec contio.
Dominus	Benedictus cuius sunt omnia celum tellus aer et maria.
Benedictus.	

Sanctus.	Summe pater deitatis amor bone conditor orbis
Sanctus.	Sanctorum splendor decus inuiolabile pacis
Sanctus.	Quem chorus ecclesie colit ac ueneranter adorat
Dominus.	Te dominum celi clamat iubilatio sancta
Pleni.	Lux uia uita salus tibi psallimus omne per euum.

(LAUDES AD AGNUS)

Quem iohannes in deserto . . . (p. 67.)[1]

Quem iohannes in iordane . . . (p. 129.)

Omnipotens eterna . . . . . . (p. 67.)

Qui patris in solio . . . . . . (p. 67.)[2]

Lux lucis uerbumque . . . . . (p. 68.)

Spes mundi laus atque salus deus et homo uerus,   *Agnus.*
Morte perire dolens hominem uenis ipse creator,   *Qui.*
Indueras hominem certans cum principe mortis,   *Miserere.*
Iuste belligerans numen celas deitatis eia,   *Miserere.*
Crucem scandis homo mactaris hostia patri,   *Dona.*

Agnus.   Fons indeficiens pietatis :
Miserere.   Auctor summe bonus bonitatis :
Miserere.   Pax eterna dator caritatis.

Agnus.   Lux angelorum factor et eorum :
Miserere.   Rector celorum uita beatorum :
Miserere.   Uirtus sanctorum redemptor cunctorum.

Agnus.   Splendor patris illustrans omnia :
Miserere.   Qui pro nobis factus es hostia.
Miserere.   Te rogamus tua clementia.

Agnus.   Qui pius ac mitis es clemens atque suauis
Miserere.   Angelicus panis sanctorum uita perennis
Miserere.   Culpas indulge uirtutum munere reple.*

---

[1] In line 3 read Christe IV.
In line 4 read pax perpetua hominumque redemptio eya IV.
      but V alters only hominumque redemptio.
[2] In line 1 read regnas IV.
In line 2 read clemens IV. V.

(TROPI ECCLESIE CHRISTI DUBLINENSIS.)

(VERSUS AD KYRRIELEYSON.)

Deus creator . . .	pl. 1.	929*
Cunctipotens genitor . . . (p. 48)		
Conditor kyrie . . . (p. 51)		
Kyrie fons bonitatis . . .	pl. 2.	929*
Lux et origo . . .	pl. 4.	931*
Kyrie rex splendens . . .	pl. 3.	931*
Rex uirginum . . . (p. 122)		

Summe rex sempiterne dator uite *eleyson.*
Rex iusticie pater pie *eleyson.*
Creator creature uniuerse *eleyson.*
    Summe superni regis nate *eleyson.*
    Saluator mortis nostre tua morte *eleyson.*
    Par patri pari potestate *eleyson.*
Summe spiritus alme *eleyson.*
Procedens ab utroque paraclite *eleyson.*
Trine et une deus inmense
    In fine uenture iudex in carne
    A(e)terna pietate nos tuere *eleyson.*

Orbis factor . . .	pl. 5.	933*
O rex clemens . . . (p. 121)		

(LAUDES AD GLORIA)

Gloria . . .	Regnum tuum solidum . . .	(p. 55)
	Spiritus et alme . . .	(p. 127.)

(ITEM AD KYRRIELEYSON)

Kyrie omnipotens pater . . .   pl. 3.   930[*]

Clemens rector . . . (p. 50)

Kyrie deus sempiterne . . . (p. 125)

Kyrie uirginitatis amator inclite pater et creator marie *eleyson.*
Kyrie qui nasci natum uolens de uirgine corpus elegisti marie
    eleyson.
Kyrie quet septiformis repleta neupmate pectus consecrasti
    mar(i)e *eleyson.*
   Christe unice de maria genite quem de uirgine nasciturum
     stirpis dauidice[1] . . . dei tremunt prophete *eleyson.*
   Christe usie gigas fortis . . . qui pro homine homo sine
     uirili semine prodisti de uentre marie *eleyson.*
   Christe celitus nostris assis precibus qui pro uiribus ore corde
     actuque psallimus proles pie ihesu marie *eleyson.*
Kyrie spiritus alme amborum nexus amorque celestis gratie
    rorem infudisti marie *eleyson.*
Kyrie qui incarnato de marie carne christo sub nostra specie
    super florem quiescit marie *eleyson.*
Kyrie simplex et trine crismate sacro nos reple ut digno carmine
    decantemus laudes marie *eleyson.*[2]

---

[1] The MS. is very illegible.   [2] Cp. Kyrie fons bonitatis.

DE MS. ANGLICO BIBLIOTHECAE S. BAUONIS GANDENSIS.[1]

DE NATIUITATE DOMINI.

Hic enim est de quo . . . § 10. i–iii with
Ipse est enim saluator mundi

Et uocabitur.

Gloria	Laus tua deus . . . (p. 55.)[2]	
Sanctus	Deus pater ingenitus . . . (p. 65 ; i–iii only.)	
Agnus	Cui abel iustus . . . (p. 67 ; i only.)	
	Quem iohannes in iordane. . . . (p. 129 ; i only.)	

DE EADEM.

Quem patriarcharum uoces prophetiae, atque
precinunt cetus nostri reparatio casus

Puer.

In genitore manens natus sine tempore christus
en homo processit factus de uirginis aluo

Cuius.

Aeterno regi laus et iubilatio semper
en modo uatidicis modulemur in ardua dictis

Et.

(A CONFESSOR. ?) § 145.

Hinc memorans psalmista dei magnalia dicit

?

Pangite nunc socii laudes summae deitatis
Quae tanto supra astra suos sublimat honore

?

IN NATALI SANCTI STEPHANI. § 23, ii–iv.

IN NATALI INNOCENTUM.

Ex ore.

Hodie te domine sugentes ubera sanguine clamant nosque
laudibus eia

(ps.) *Domine dominus.*

Hodie gaudent in celis lactentes martyres, dicite filii, eia

---

[1] See Pamelius *Liturgicon* (Cologne, 1609), ii, p. 611.
[2] Without the Prose.

IN EPIPHANIA DOMINI. § 54.

IN PURIFICATIONE SANCTE MARIAE.
§ 60 with § 62. ii, iv.

IN DIE PALMARUM.
§ 82 with § 80. iii.

′   IN DIE SANCTO PASCHAE.
§ 87 and also § 91.

IN PENTECOSTE.

Hodie spiritus sancti gratia repleatur corda nostra, dicite eia	*Spiritus.*
Missus a sede patris	*Repleuit.*
Igneis linguis	*Et hoc.*
Penetralia intuendo	*Omnia.*
Omnipotentia patri atque filio equalis	*Scientiam.*
Quod dies testatur praesens et fidelibus et incredulis	*Alleluia.*

IN NATIUITATE SANCTI PETRI.

Hodie principis apostolorum christi solennitatem cele- bramus fratres deuoti, omnes una uoce dicentes	*Nunc scio.*

with § (xlvii), ii–iv and § 135. iv.

Agnus dei . . .

Qui sedes ad dexteram patris unigenite iesu christe	*Miserere.*
Rex regum gaudium angelorum deus	*Miserere.*

IN DEDICATIONE BASILICAE.

Rex quia magnificus templum sibi dedicat istud	*Terribilis.*
Annua nempe dies sacratae iam redit aulę	*Hic domus.*
Quam manus omnipotens petra fundauit in alta	*Et porta.*
Ante dei uultum penetrant qua uota piorum	*Et uocabitur.*

Gloria.   Quem ciues . . . (p. 59.)

IN EADEM. § 189.

IN UARIIS SOLENNITATIBUS.

(*Kyrie.*)   Te christe supplices   . . . (p. 47.)

TROPI AD BENEDICAMUS.[1]

Benedicamus uos† regnanti desuper *domino.*
Deo per secula pueri reddite *gratias.*

---

[1] From Oxford Bodleian MS. Junius 121. Institutes of Polity, &c., in Anglo-Saxon (see Thorpe's *Ancient Laws and Institutes of England,* ii. 304–341) : written in on f. 1.

APPENDIX.

(DE TROPERIO MONASTERII SANCTI MAGLORII)

Gregorius presul meritis et nomine dignus
Unde genus ducit summum conscendit honorem
   renouauit monimenta patrum piorum dum composuit hunc
   libellum musice artis scole cantorum anni circuli
                                 Ad te leuaui.[1]

      ITEM ALII TROPI. § I.

    AD OFFERTORIUM. § 3.

    AD COMMUNIONEM. § 4.

TROPI IN NATIUITATE DOMINI.

Quem queritis in presepe pastores dicite?
Saluatorem christum dominum infantem pannis inuolutum
   secundum sermonem angelicum.
Adest hic paruulus cum maria matre sua de qua dudum uati-
   cinando isaias dixerat propheta ecce uirgo concipiet et
   pariet filium. Et nunc euntes dicite quia natus est, alleluia,
   alleluia.
Iam uere scimus christum natum in terris de quo canite omnes
   cum propheta dicentes,   *Puer natus est nobis.*

    § 9.

      (ITEM.)

Gaudeamus hodie quia deus descendit de cęlis et propter
   nos in terris :   *Puer.*
Quem prophete diu uaticinati sunt :   *Et filius*
Hunc a patre iam nouimus aduenisse in terris   *Cuius.*

    §§ 14 i + 48. 10 i–iii. 11.

---

[1] The text is deficient in the MS. and has been restored from The Novalaise
Troper, f. 2.

AD OFFERTORIUM. § 15 i–iii.

(ITEM.)

Concentu parili chorus omnis aecclesię psallat mirabilia
     tua domine :   *Tui sunt.*
Hęc sunt etenim prima et precipua diuinę creationis
     opera :   *Orbem.*
Omnia in sapientia mirabiliter condidisti :   *Iustitia.*
Misericordia et ueritas preibunt ante dominum,
     eya :   (*Misericordia.*)
Tu humiliasti sicut uulneratum superbum humilem
     quoque exaltasti, eya dic domne, eya :   *Tu humiliasti.*

AD COMMUNIONEM. §§ 18, 17.

TROPI DE SANCTO STEPHANO.

§ 19 then AD INTROITUM.

Hodie stephanus martyr caelos ascendit quem propheta
     dudum intuens eius uoce dicebat,   *Etenim.*
     with § 20 ii–iv.

(ITEM.)

Salus martyrum hodie stephanum ad cęlos uexit coro-
     nandum dicentem,   *Etenim.*
Rogabat muniri diuinitus quod timebat fore fragilius : *Et iniqui.*
Qui iudeos christum negantes confundit propheticis oraculis.

§§ 23 (ii), 22.

AD OFFERTORIUM. § 25 i–iii.

AD COMMUNIONEM. § 27.

TROPI DE SANCTO IOHANNE.

AD PROCESSIONEM. § 28.

AD INTROITUM. §§ (viii), 32, 31, 29.

AD OFFERTORIUM. § 130.

AD COMMUNIONEM. §§ 35 i, ii.

(Item.)

Corda fratrum famam uoluunt inclitam quod sanctus carne
    uiueret in sęcula cui omnes laudes personemus
    dicentes,   *Exiit.*

TROPI DE INNOCENTIBUS.

§ 38 . . . . *Ex ore.*
Nate dei clemens paruorum suscipe laudes,   *Et lactentium.*
Qui tibi iam nato certarunt sanguine fuso :   *Propter.*

§§ 37, 40, 41.

(Item.)

Laudibus infantum resonemus cantica uatis :   *Ex ore.*

AD OFFERTORIUM. §§ (xvi), 421

AD COMMUNIONEM. § 45.

(Item.)

Orate pro nobis martyres christi, eya : diebus ac
    noctibus, eya :   *Uox in rama.*

TROPI DE EPIPHANIA DOMINI.

AD MISSAM. §§ 55,.53 i–iv, 54, 53 v.

AD OFFERTORIUM. § 56.   *Suscipiant.*

Iudicium peraget iustum tunc ideo digna :   *Orietur.*

AD COMMUNIONEM. § 57.

(Item.)

Letetur omnis caro baptizato domino eya,
Cui stella ducente reges eya,
Deportauerunt aurum simul thus et myrrham, eya.   *Reges.*

TROPI DE PURIFICATIONE SANCTĘ MARIE.

§ 59 i with   *Suscepimus.*
Christum quem sacris hodie suscepit in ulnis
   exultans symeon plaudat et anna simul.   *In medio.*
Sumpserat unde quidem carnis sub tempore formam : *Secundum.*
Oribus orbigerum modulatur ubique locorum.

    §§ 59.   62 i, iii + 61 ii with

Aurea dauitico . . . . § (xxvii) iii.

AD OFFERTORIUM.

Salue sancta dei genitrix spes inclita mundi,   *Diffusa est.*
Integra cum pareres sed et integra cum peperisses,
   eya :   *Et in seculum.*

AD COMMUNIONEM.   § 65.

TROPI DE RAMIS PALMARUM.   § 82 i.

(EASTER.)

     *   *   *   *   *

    . . . simul laudant dicentes   *Alleluia.*
   ITEM.
Paschale carmen in laude christi o cęlicolę pangite, qui
   hodie surgens a mortuis consona uoce ait patri,   *Resurrexi.*
Ad destruendam principis mundi uirtutem :   *Posuisti.*
Deus pater summe tam ineffabiliter ante sęcula genuisti
   et de sepulchro resuscitasti :   *Mirabilis.*
    §§ (xxxii), 84, v + 88.

AD OFFERTORIUM.

Christo commendante in cruce in manus patris spiritum, *Terra.*
Quando ueniet iudicare uiuos et mortuos :   *In.*
   § 91.

AD COMMUNIONEM.   § 93, i. ii. iv.

FERIA SECUNDA. § 96.

FERIA TERTIA. § 100.

FERIA QUARTA.

Christus ab arce poli dum iudex uenerit orbis
a dextris pariter positis sic dicet amicis : *Uenite.*
Iam fugiant lacrimę gemitus precordia linguat : *Quod.*
Hunc mecum loeti placidum gaudentes per aeuum, *Alleluia.*

ITEM ALII.

Iam philomelinis promat fibriis chorus instans,
arbiter aethre michans populus qua fabitur almis : *Uenite.*
Obsequiis mihi qui uariis seruistis in aruis : *Percipite.*
Aethereis retonantes clangite uocibus odas : *Alleluia.*

TROPUS DE SANCTA CRUCE.

Gloriant cuncti fideles christi in inuentionis die ligni
 pretiosi : *Nos autem.*
In eo quo nos proprio redemit cruore : *In.*
Cuius complexu deus pater regit undique mundum : *In quo est.*
Per ipsum induti stola inmortalitatis, *Per quem.*
Caelestem christe largire benedictionem pro nobis
 fundens in cruce sanguinem : . . .
Gloria nostra crucis est uictoria et paradisi ianua : *Gloria patri.*

ITEM. § 108.

IN ASCENSIONE TROPI AD PROCESSIONEM.
§ (xxxix.)

TROPI AD INTROITUM. §§ 112 + 111. 113. 110 i.

AD OFFERTORIUM.

Eleuatus est rex fortis in nubibus, hodie cernentes eum
 angeli testimonium proferentes dixerunt, *Uiri.*

AD COMMUNIONEM. § 115.

TROPI DE PENTECOSTEN. § (xl.)

(ITEM.)

Deus inmensus et eternus (117 ii): *Spiritus.*
Gratiam suę dans presentię sanctis: *Et hoc.*
Omnia terrestria atque superna : *Scientiam.*

AD OFFERTORIUM. § 118.

Laudes almo spiritui proclamemus, eya, et in excelsis
iubilemus, eya : *Confirma.*

§ 121, i.

AD COMMUNIONEM. § 123.

TROPI DE SANCTO IOHANNE. § 124 + 126 ii–iv.
127. 126 i.

AD OFFERTORIUM.

Gratuletur omnis caro dilecto domini, eya, pangat uox
humana melos illi et in excelsis corda extollamus,
eya : *Iustus.*

§ 131.

TROPI DE SANCTO PETRO.

Diuina beatus petrus ereptus clementia in se rediens dixit, *Nunc.*
Lux iusticię in tenebris me inluminauit et de carcere
eduxit : (135 ii) *Et eripuit.*
Saluator meus hiesus christus : *De manu.*
Quę me circumdedit iniquo concilio : *Plebis.*

(ITEM.) § 135 i. +

Custodem ac defensorem uitę meę : *Et eripuit.*
Constantissimum nominis sui confessorem : *De manu.*
Sancti collegii nostri maligni peruasoris : *Et de.*
+ 135. iv.
133.
Et petrus ad se reuersus dixit *Nunc scio.*
134. i. 132. i–v.

AD OFFERTORIUM.

Uocibus excelsis domini ueneremur amicos :   *Constitues.*

AD COMMUNIONEM.

Symonis eya uiro christi pia uerba canamus, eya,   *Symon.*

TROPI DE SANCTO PAULO. § 139.

DE SANCTO BENEDICTO. §§ 68. 66. 67.

TROPI DE SANCTO LAURENTIO. §§ 150, 151, 152.

DE SANCTA MARIA. §§ 156, 155 i–iii.

(ITEM.)

Magna christi munera magna rite personant
    sollempnia :   *Gaudeamus.*
Uirgo christi maria hodie feliciter migrauit ad aethera: *De cuius.*
Plaudit coetus cęli coniubilat omnis noster lętus chorus :   *Et.*

(ITEM.) 157. i with

In quo nos beatus gaudere monet apostolus :   *Diem.*
Quę hodie cęlos ascendit mortis deuicto principe : *Sub honore.*
Admirantes eam genuisse deum et hominem :   *De cuius.*
with 155. iv.

(ITEM.)

Uirginis et matris sub honore canentis,† eya,   *Gaudeamus.*
157 ii. iii. with Almi regis ianua lucida famulorum
    suscipe uota placabilia :   Ps. *Magnus dominus.*

AD OFFERTORIUM. §§ 77, 78.

AD COMMUNIONEM. § 159.

(ITEM.)

Ecce dei matris sollempnia sancta colentes, laudibus
    uoce canamus ita,   *Gaudeamus.*
Laude uotiua mente uoce sonora,   *Sub.*
Glorificandum deum ingenitum patrem omnipotentem,   *Et.*
Cum sancto spiritu in eternum :   *Filium.*

ITEM.

Fulget 159. i. ii . . . . christi celebris processit
in orbem : unde   *Gaudeamus.*

TROPI DE SANCTO MICHAELE.

§§ 174, 173, 172 i with
Ipsum collaudantes in quem cernere cupitis semper :   *Potentes.*
Vini habentes diuinam per quam geritis mirabiles res :   *Qui factis.*

172 iii with Humani superas iungentes uocibus odas,   *Benedicite.*
Et uos concentu pariter celebrate fauentes :   *Potentes.*
Nuntia dum geritis per que bene corda paratis :   *Ad audiendam.*

AD OFFERTORIUM.. § 177 i.

AD COMMUNIONEM. § 180.

TROPI DE OMNIBUS SANCTIS.

§§ 193, 197, 194.

A solis ortu usque occasum,   *Gaudeamus.*
Qui nos transtulit in regnum claritatis suę :   *Diem.*
Quorum memoria in libro uitę est secreta :   *De quorum.*
Cernentes hominem paradiso restitutum ; unde   *Et conlaudant.*

AD OFFERTORIUM. § 211.

TROPI DE SANCTO MARTINO.

§§ 201, 146 i. ii with

Inter primates   *Ut sit.*
Contio hęc martine te petit memorare suorum :   *In aeternum.*

TROPI DE SANCTO ANDREA.

Humani generis miseratus morte iacentis,   *Dominus.*
Quos bene diuini flamma succendit amoris :   *Petrum.*
Ordine apostolico dicens hęc corde benigno :   *Uenite.*

DE SANCTO NICHOLAO.

Presulis insignis nicholai uocibus altis
annua pacifice iubilentur cantica, namque   *Statuit.*
Officio dignum qui sanxit presulis illum :   *Ut sit.*
Ac sibi perpetuum concessit ab hoste triumphum.   *In aeternum.*

TROPI DE TRINITATE. § (xlv.)

TROPI DE DEDICATIONE.

§§ 189, 188, 190.

(ITEM.)

Sanctus euigilans iacob a somno pauensque cęcinit
    dicere,   *Terribilis.*
Uere dominus est in loco isto,   *Hic.*
Quem christicolis superna agmina pandit :   *Et uocabitur.*

AD OFFERTORIUM. § 191. i

AD COMMUNIONEM. § 192.

DE SANCTO BARTHOLOMAEO.

§§ 205, 204.

AD OFFERTORIUM. § 164.

TROPI DE MARTYRIBUS.

§ 182.

Rex cęlorum deus et terrestrium pręsta ut per unicum
    filium tuum tam gloriosum,   *Intrei.*

AD OFFERTORIUM. § 211.

TROPI DE SANCTO UINCENTIO.

Qui merito fidei mentes solidando tuorum
deicis aduersas pulchro moderamine uires   *In uirtute.*
Hac acie quoniam uitiorum proterit hostem :   *Et super.*
Per quod uita piis patuit per sęcula cunctis :   *Desiderium.*
Scilicet aeternę radiantia proemia uitę: *Tribuisti ei.*

ITEM.

Diffidens propria tumidum dum proterit hostem
pectore uoce simul UINCENTIUS ecce triumphat :   *In uirtute.*
Per quod perpetuum uictor regnabit in aeuum :   *Et super.*
Quo spes quo requies manet indubitata laborum :   *Desiderium.*
Post poenam brauium post uerbera dira coronam,   *Tribuisti ei.*

ITEM.

Palmam uincentii tollamus ad astra tonanti,   *Et uoluti.*
uocibus egregiis psallentes eya canamus,   *In.*
Omnia qui seui spreuit tormenta tirampni†:   *Et super.*
Passus at inuictus martyr susceptus ab astris :   *Desiderium.*
Stemma triumphi culmen olimpi :   *Tribuisti.*

DE UNO MARTYRE. §§ (lxxix, lxix.)

TROPI DE UNO CONFESSORE.

§ 144, with SUPER PSALMUM.
Hic memorans psalmista dei magnalia dicit   *Misericordias.*

§ 212 i. ii with
Committens illi pascendas proprias oues :   *Ut sit.*
Imbuit illius diuino flamine mentem :   *In aeternum.*

(ITEM.) § (lx) i, ii, iv with
Trinum rite deum concinat cęlicus ordo   *In ęternum.*

ITEM.

Hic quoniam forti mundo certamine uicit,   *Statuit.*
Ut uictor sumptis ualeat regnare tropheis :   *Et principem.*
Inter uictores similis quos gloria replet :   *Ut sit.*
Thuris flagrantem qui christo portet odorem :   *In aeternum.*

TROPI DE SANCTO MAGLORIO.

§ 200 with

Lampade cęlestis coronatus triumphat in astris   *In aeternum.*

§§ 145 i, ii + 146 iii + 145 iii. 213.

AD OFFERTORIUM. §§ 69, 70, i.   *Magna est.*

Lauream regni cum triumpho laudis, eya ;
    confessorum summo, eya, eya :   *Magna est.*

AD COMMUNIONEM. § 71.

TROPI DE UIRGINIBUS.

§ 215.

TROPI DE CONUERSIONE SANCTI PAULI.

Terrigenę cum cęligenis pro principe paulo   *Gaudeamus.*
Cuius in hoc tam mira sui miseratio fulget   *De cuius.*
Omnes nos etiam gentes quibus extitit auctor   *Et conlaudant.*

The greater tropes of this volume are—KYRIE. Te christe supplices (p. 47). Clemens
    rector (p. 50), Theoricam (p. 49), Conditor K. (p. 51), *Kyrie sapientia uirtus,*
    Jesu redemptor, Cunctipotens (p. 48) and later additions *K rex seculorum,*
    K deus (p. 125), O rex clemens (p. 121).
GLORIA. Sacerdos dei (p. 54), Laus tua deus (p. 55), *Christus surrexit, Qui*
    barathri, Quem uere (p. 56), O siderum (p. 61), *Rector ab arce,* O gloria (p. 59),
    Prudentia (p. 67), *Laudibus eximiis,* O laudabilis (p. 59), Angelica (p. 58),
    Quem cuncta laudant, Ut possimus (p. 57), *Laus tibi summe deus, Terrea*
    tempnentis, Quem patris (p. 56), Quem iugi (p. 136), Quem glorificant (p. 56),
    Sit tibi laus, Qui cęlicolas, Quorum mens, Hanc quesumus (p. 57), Quem ciues
    (p. 59), Qui deus (p. 60), and later additions *Ingenitum geniti,* Laudemus
    dominum (p. 134).
SANCTUS. *Summe pater de quo,* Pater lumen (p. 65), Pater ingenitus (p. 65), Deus
    pater ingenitus (p. 65), *Deus fortis,* Ante secula (p. 66), and later additions
    Perpetuo numine (p. 128), Sancte ingenite (p. 128).
AGNUS. *Hodie natus est,* Quem iohannes in deserto (p. 67), Cui abel (p. 67), *Deus*
    inuisibilis, Omnipotens altissime, Omnipotens eterna (p. 67), Qui patris (p. 67),
    Spes es luxque, Christe redemptor.orbis.
    Those printed in italics are not among the English tropes printed in this volume.

[[IDS DECEMBRIS NATALE SANCTAE LUCIE UIRGINIS. SONUS VIII.

ITEM TROPOS.

Adest nunc celebranda sollempnitas constantissimę
uirginis lucie qua propheta dudum intuens feliciter
conlaudat dicens, *Dilexisti.*
Ps. *Diffusa est.*

ALIOS TROPOS.

Ecce iam omnes christicole luciam uirginem constanter
laudantes canite cum psalmista dicentes, *Dilexisti.*
Que elegisti sponsum habere regem non terrennam† sed
celestem christum dominum : *Propterea.*
Sacrosancto pneumate paraclito qui te digne laudifi-
cando exilarauit : *Oleo.*
Ps. *Specie tua.*

XII KL IAN. NATALE SANCTI THOMAE APOSTOLI. TONUM II. §§ 204, 206, 163.

ALIOS TROPUS.

In excelsa sollempne dominum ueneremus, eia est et eia :
Flagitemus pium pro quo sancta ac ueneranda aposto-
lorum festa perornat
Et eia laudes persoluamus canentes, eia, *Mihi autem.*
Ortum deificum apostolicis culminibus diriuunt, hunde *Amici.*
Hactum apostolicis arua dedisti reginem† dum ad aethera
loca magnificatus est : *Nimis.*
Ps. *Intellexisti.*

ALIOS TROPOS.

Delictiscendo† latendo imperitis indoctus, et eia et eia, *Mihi.*
Rite studiose uel firmiter arce cacumen : *Amici tui.*
O decus in apostolicis alta kamena : *Nimis.*
Ps. *Dinumerabo.*

ALII UNDE SUPRA.

Sanctorum colegia apostolorum ouans colaudat ita propheta :   *Mihi.*
Trinitatis nomen spargens per mundi climata :   *Nimis.*

ITEM LAUDES.

Gloria in excelsis . . . Decus eterne patris.

IN UIGILIA NATALIS DOMINI.

AD PRIMO GALLOCANTUM.†
STACIO AD SANCTAM MARIAM. TONUM II.

ITEM TROPUS.

In principio deus de se fecit trinitatem quia pater et
  filius et unus   *Dominus.*
Filium ienuit† in utero uirginis :   *Filius.*
Ipse est quem ienuit† puerpera regem :   *Ego.*

ITEM ALIOS.[1]

Quem uates cecinerunt iam in utero uirginis descendit : *Dominus.*
Missus a patre luminum :   *Filius.*
Quem ante secula mecum habuit† hodie nisi† ad te   *Ego.*
                            Ps. *Quare fremuerunt.*
ALII UNDE.

Christum regem descendentem de caelis in terris una
  uoce dicamus omnes deo gracias semper :   *Dominus.*
Quod uerbum caro factum est et abitauit in nobis :   *Filius.*
Quod in principio erat uerbum et uerbum erat aput†
  deum :
                                                         Ego.
                            Ps. *Q. ae. e. Amen.*
ITIDEM.

Uerbum altissimi patri ienitoque† regi proficiat laude
  psallendo :   *Dominus.*
Quem uita largire reginam quem ad gloriam recitare   *Filius.*
Uenerantem filio baptizando prophetando atque dicendo,   *Ego hodie.*

---

[1] 887 calls this AD SUFFICIENDUM, and this title recurs not infrequently.

TROPUS AD CHYRRIELEISON.

Miserere rex omnium . .

ITEM LAUDES CUM TROPIS.

Gloria in excelsis. Quem ciues . . . (p. 59.)

ITEM SANCTUS UNDE.

Sanctus pater lumen eternum . . . (p. 65.)

ITEM MANE PRIMA.

STACIO AD SANCTAM ANASTASIAM.

ITEM TROPUS ANTEQUAM DICATUR OFFICIUM.

Iam uenit lux uera et qualis sit ipse domine nuncia
    nobis : ille qui illuminat omnem ominem† uenien-
    tem in hunc mundum
Deo gracias semper in bethleaem natus est,
Iherusalem uisus est,
Et in omnem terram honorificatus est rex israhel :
Deo gracias.
Amplificare carmina laudis dulcis amator melhodie et
    dic Lux fulgebit et filius dei, eia   *Lux fulgebit.*
            AN. SONUS VIII. Ps. *Dominus regnauit.*

ITEM TROPUS.

Lux de luce apparuit rex quem iohannes predicauit,
    iam uenit lux uera qui adnunciat pacem melhodie
    et dic   *Lux.*
Qui nascetur rex gencium super nos,   *Quia natus.*
Princebs† regum omnium deus,   *Princebs pacis.*
Et regnabit in seculum seculi,   *Cuius regni.*
                         Ps. *Parata sedes.*

ALII. § 7. i.

Laudes cum tropis.

Gloria. . . Quod patris ad dexteram (p. 56. n.)]]

¹[IN DIE NATALIS DOMINI

stacio ad sanctum petrum.]

[incipiunt tropus antequam dicatur officium.]

Quem queritis . . . . (p. 145)

Alios.

Gaudeamus hodie . . . (p. 145)

Item alii.

§ 10 i–iii with
Et regni eius non erit finis
Pater futuri seculi

Et uocabitur.
Magni.

Item alios. §§ 14. [11]

§ 48 with
Emmanuhel fortis deus rex omnipotens atque

Magni.

Alios.

§ 47. iv. *Puer.* with § 10. iv *cuius* with § 13

Et uocabitur.

Alios.

Altissimi filius et²

Magni.

Alios.

Hodie orta est stella ex iacob et exsurrexit homo de
israhel quia
Princeps pacis pater futurist† seculi :
Dominabitur a mari usque ad mare et a flumine usque
ad terminos orbis terre :

Puer.
Cuius.

Et uocabitur.

---

¹ The MS. 1121 which is taken as the basis of the text printed here only begins
at this point.
² 1240 has instead Pater futuri seculi.

[[Alios.

§ 5. i with
Glorietur pater in filio suo hunigenito,   *Et filius.*
Ipse in trinitate &c. (§ 5. ii)   *Cuius.*

ALIUM UNDE.

Puer natus est nobis filius dei rex magnus hodie letemur
    omnes eia dicite eia,   *Puer natus.*

ITEM UNDE SUPRA.

Ueneranda trinitas in personis proprietas quem pate(r)
    de sinu suo transtulit filium aulam ingrediens hodie
    natus est, exultate,   *Puer.*
In praesepio positus regensque sidera in cuiu(s) laude
    omne decantate   *Cuius.*
Stella de luce reuelatus est a magis adnunciatum† est
    regem regum glorificate,   *Et uocabitur.*
Princebs pacis pater futuri seculi adoremus christum
    dominum principem pacis: *Magni.*

ALIOS.

Hodie super terra kanent angeli letentur arcangeli
    gratulatur prophete dicentes,   *Puer.*

ALIOS.

Laus honor uirtus deo nostro decus et imperium regi
    magno
Qui hodie natus est in terris ipsum solum adoremus
    gaudentes et exultantes atque dicentes   *Puer natus.*
In principio erat et est in seculorum secula: *Cuius.*
Ecce uenit deus et homo de domo dauid sedere in trono: *Et.*
                              Ps. *Notum fecit dominus.*

ALIOS.

Letamini omnes natus est christus filius altissimi
    cantate et psallite laudate deum dicentes,   *Puer.*

ALIOS.

Natus est altissimi hodie filius nomen eius hemanuel
    rex admirabilis eia,   *Puer.*
Uolo eum agnoscere christum dominum principem
    pacis: *Cuius.*

AD GLORIAM.

Adoremus ingenitum patrem ueneremus filium
    hunigenitum dominum nostrum ihesum

christum glorificemus procedentem spiritum
sanctum trinum et unum simul gloria laus
atque honor sit semper illi : *Gloria patri.*
Sine principio gloriosus nunc et semper uenerandus
Sine fine permanet in secula seculorum amen.

ALII.

Glorietur pater cum filio suo hunigenito, (*see* above)
In princ[ip]io erat et est in seculorum secula Amen.

AD REPETENDUM.

Uenite gentes credite lucem seculi quia uidi dominum
uenientem in terris, *Puer natus.*

TUNC DICAT DIACHONUS UERSUM AD KIRRIELEISON.

Christe redemptor . . . (p. 47.)

AD ROGANDUM EPISCOPUM.

Summe sacerdos emitte uocem tuam et recita nobis angelorum
cantica que precinerunt regi nato domino : eia dic domne.

DEINDE DICAT EPISCOPUS LAUDES.

Gloria in excelsis . . Omnipotens altissime. . . . (p. 57.)

AD SEQUENTIAM.[1]

Filius dei te nascente,
rex adorande pastor bone,
gregem conseruare dignaris precamur. Alleluia. Adest una.]]

AD OFFERENDAM. § 15.

[[Te decet gloria homnis honor uirtus quoque potestas
in aeternum, eia *Tui sunt.*

---

[1] 1119 and 887 Natus est altissimi hodiae filius nomen eius hemanuhel
rex alleluia, eia *Alleluia.*

TROPER. M

Celum terra equora creatura cuncta laudes tibi concre-
pent, eia : *Orbem.*
Iusticia equitas solio glorie tue decet omnipotens, eia :
Preparatio.

ALII UNDE.

Christum natum hodie in terris uenite adoremus
eum omnes corde contricto et humili spiritu
huna uoce proclamantes *Tui sunt.*
De aula uirginali egrediens hodie nobis apparere
dignatus es hunigenite quecumque uoluisti
fecisti quia tui sunt celi et tua est terra *Orbem.*
Mundum quem fabricaueras uisitare uenisti
domine fraude facta condolens protoplasti tui :
ideoque poscimus firmetur manus tua domine
et exaltetur dextera tua : *Iusticiam.*
Magnus et metuendus est dominus iubilate eia
cantate domino eia eia *Magnus*
Misericordia et ueritas preibunt ante dominum
eia eia *Misericordia.*
Tu humiliasti sicut uulneratum superbum umilem
quoque exaltasti eia, eia, *Tu humiliasti.*
Iusticia. Praeparacio sedis tue.

TROPUS DE SANCTUS.

Sanctus. . . Deus omnipotens pater[1] (p. 66)]]

ANTE COMMUNIONEM ANTIPHONA.

Emitte spiritum sanctum tuum domine et dignare sanctificando
mundare corda et corpora nostra ad percipiendum corpus et
sanguinem tuum.

DIACHONUS.

Nos frangimus domine, tu dignare tribuere ut immaculatis manibus illud tractemus.

---

[1] 1240 has Pater lumen (p. 65) : the above Sanctus has many erasures and correc-
tions.
887 adds § 15 i–iii for the offertory and has AD ANTIPHONA.
Haec festa precelsa conuenit omnes sacrum corpus percipere una uoce proclamantes,
Emitte spiritum sanctum.

CHORUS.

O quam beatum pectus illud quod christi corpus meruerit digne
percipere.

AD ALTARE.

O quam pretiosa huius aescae comestio quae esurientem satia(t)
animam.

CHORUS.

O quam beati uiri illi qui christum meruerint sustinere cui
angeli et archangeli munera offerunt immortali et aeterno
regi Alleluia.

AD AGNUS DEI.

Redemptor mundi. . . .

[Agnus dei miserere nobis eia et eia. . . .

Lux indeficiens. . . .]

AD COMMUNIONEM. § 17.[1]

[ITIDEM.

Hinc natum de uirgine cuncta creata fatentur quia   *Uiderunt.*
Omnia quem uenerantur adorant hac benedicunt,   *Salutare.*
                                      Ps. *Iubilate deo.*

TROPUS AD ITE MISSA EST.

Qui regis astra corda sedula corpora mentis et mundum, lux qui
es et uita, deduc nos in semita recta que ducit ad regna
supera :

DEINDE DICAT DIACHONUS.   *Ite missa est.*

Noxia crimina laxare digneris in aeternum haec et
premia :   *Deo gratias.*]

[1] 887 adds
     Salue uera dei proles aethere missus agie sancte rex regum
        celse sabaoth   *Viderunt.*
     Hunc natum de uirgine cuncta creata fatentur conlaudant
        ueneranter adorant hac benedicunt   *Salutare.*
        ℣ *Iubilate deo omnis terra cantate et exultate et psallite.*
                                  Salutare.

M 2

IN NATALI SANCTI STEPHANI.

TROPHOS [IN DIE AD MISSA(M). TONUM I].

Hodie Stephanus martyr.   (p. 146.)   §§ (ii), 23.

ALIOS.

Clamat hians caelis Stephanus quos uidit apertos   [*Etenim.*]
    with § 22, ii, iii.[1] and
Dum tuus in tanto quatior discrimine testis   *Quia.*

ALIOS.

Configunt proceres ihesu discerpere testem :   *Etenim.*
Insequiturque pium frendens insania furum :   *Et iniqui.*
Exercere tuis libuit quia legibus almis :   *In tuis.*

ALIOS.

Salus martyrum.   (p. 146.)

[[ALIOS TROPOS.

Peruersa agentes maliciose et iniusti :   *Etenim.*
Falsa cogitantes :   *Et aduersum.*
Peccatores maliciosi et dolosi :   *Et inimici.*
Sed tu misericors et miserator :   *Adiuua.*
Suscipe meum in pace spiritum (§ 20. iv.)   *Quia seruus.*

ALIOS.

Iubare corusco sublimes leuite stephanum ad etera ferte
    beatum ore tonante ;   *Etenim.*
Fatentem egi sublime pectore mundo :   *Et iniqui.*
Super aquis regis sceptra humana que iura ihesum
    tempnere conati :   *Adiuua.*
Laureumque tropheo adtolle alme uictrici :   *Quia seruus.*

ALII AD GLORIA.   § 20 i with

Nunc omnes gloriam pangite trinitatis† summe :   *Gloria.*

AD REPETENDUM.

Gaudeamus omnes in domino qui tantam graciam
    sancto stephano demonstrauit ut celos uidere(t)
    apertos et filium hominis stantem ad dexteram
    patris : dicite eia   *Etenim.*

---

[1] 1240 adds Laetus ut in dubio § 23. iv.   *Quia.*

Ad kirrieleison.

Deus solus et inmensus. . . .

Ad episcopum rogandum.

Sacerdos dei excelsi . . . (p. 54.)

Item laudes unde supra.

Gloria . . . Qui indiges nullius laude . . .]]

Ad offerenda. § 25, i, iv.[1]

[[Ad offerenda.
Almo dei stephano leuite psallamus sedule quem
primum de populo, with § 25. iv.

Alium § 24 i, ii with
Sanguinem innocuum sine causa dire terrentes
Lauream regni . . . &c. § 25. ii.[2] *Surrexerunt.*

Ad sanctus.

Sanctus . . . Osanna plasmatum. . . .

Ad agnus dei.

Agnus . . . Miserere supernos omnium . . .]]

Ad communionem.[3] § 27. i.

---

[1] 1119 adds Ad uersum Protomartir hostem uicit : gaudeamus, *Uitam.*
[2] 887 adds Statuerunt apostoli septem uiris aptis altaribus sacris
    Inter quos fulget stephanus protomartir qui officium ministrat
       in gloria laudis
    Nempe ipse leuita ad excelsa pergens uestigia regis uiditque
       filium hominis stantem ad dexteram patris
    Et nos omnes christicole qui sumus grex christi cum psalmista
       uoce consona in eius honore psallamus dicentes *Etenim.*
  Item alios.
    Miles ouans hodie per uulnera carnis uocatus (§ 22 i.) *Etenim.*
    Ore inprobo simulque lapidibus in me seuiebant *Et iniqui.*
    Te ad dexteram patris cernens christe deuote precor *Adiuua.*
    Propter te enim haec pacior *Quia seruus.*
[3] 1119 adds Et eicientes eum extra ciuitatem lapidabant inuocantem
       dominum et dicentem *Domine.*
  1240 adds in a later hand § 27 ii.

IN NATALI SANCTI IOHANNIS EUANGELISTE.
§§ 29,[1] 32, (viii,)

ITEM ALIOS.

Sacro fonte pectoris sui debrians iohannem dominus	*In medio.*
Reuelans ei altius sacramenta caelestia :	*Et impleuit.*
Diligendo autem familiarius unum :	*Stolam.*

ITEM ALIOS.

Omnia concludens uerbi diuini creata :	*In medio.*
Quem dilexit amans diuino pneumate plenum :	*Stolam.*

[[ALIOS.

Qui linguas infancium facit disertas ipse repleuit hos	
iohanni :	*In medio.*
Iocunditatem et exultacionem thesaurizauit super eum :	*Et.*
Amauit eum dominus et hornauit eum :	*Stola.*
Ps. *Plantatus in domo.*	

ALIOS.

Iohannem christus pociora sacro amore	
gaudia cuius ouans ordo sacer roborauit, eia	*In medio.*
De sacro portans in cena pectore gratum,	*Et impleuit.*
Uirgo sequens dominum quoniam dileccior est :	*Stola.*
Ps. *Misit dominus manum suam et tetigit hos meum.*	
	Et impleuit.

ALIOS. § 31.   with AD GLORIA.

Inienitor† manens uerbum cum pneumate pandit :	*Gloria.*[2]

887 adds Celos apertos cernens stephanus clamauit ore benigno	*Uideo.*
and has § 27 ii with	
Positis autem ienibus beatus stephanus orabat dicens	*Domine.*
[1] [With Ps. Amauit eum dominus et honorauit eum.	*Stola.*]
[2] 887 has AD GLORIA	
Summe trinitati et unice deitati supplices modulacione	
canamus	*Gloria.*
1119 adds Ille qui dixit aperi os tuum :	*In medio.*
Cibauit illum pane uite :	*Et impleuit.*
Statuit illi testamentum sempiternum	*Stola.*
Qui linguas infancium facis disertas mutosque loqui ipse	
repleuit os iohanni.	

LAUS UNDE.

Gloria . . . O gloria sanctorum. . . .]][1]

AD OFFERENDA.

Psallite dilecto meruit qui laudem iohanni :
  gratuletur omnis caro dilecto domini :
  pangat omnis turba melos et in excelsis corda extollamus,
    eia :   *Iustus.*
[atria melliflua quatinus mereamur adire   *Bonum.*]

[(ITEM.)

Iusticie quoniam tonuit moderamina iusta (§ 130. i)
Iustus ut palma florebit ante dominum, eia eia   *Iustus.*
Auferens et fractum mansurum iure per euum (§ 130 ii)
Uelut cedrus libani psallite, eia   *Sicut cedrus.*
Uirtutes &c. (§ 130 iii)
Multiplicabitur eia cantate eia uoce precelsa dicentes, *Multipli.*
Psallere domino et cum eo regnare in eternum psallite
  psallite,   *Bonum.*
Ad annunciandum mane misericordiam domino conlaudere,
  eia eia   *Ad adnunciandum.*
Plantatus in domo domini florebit uelut amigdalum, eia
  dic dompne, eia eia   *Plantatus.*

AD AGNUS.

Uenite fratres in unum . . .]

AD COMMUNIONEM. [§ 35. i.]

Corda fratrum (p. 147) with
℣ *Hic est discipulus ille qui testimonium perhibet de his*   *Gloria.*
                               Seculorum amen.   *Exiit.*

---

[1] 887 adds AD SEQUENCIAM   Regi inmortali &c. (p. 189).

  And AD OFFERENDAM.

  Gratulatur omnis caro dilecto domno, pangat omnis turba melos
    et in aeternum corda extollamus, eia   *Iustus.*

IN NATALI INNOCENTUM.
§§ 39,[1] 37, 40, [41].

ITEM ALIOS.

Pangite iam pueri laudes expromite christo : (§ xvi)	*Ex ore.*
Nate dei clemens paruulorum suscipe laudes : (§ xi)	*Et.*
Qui tibi iam nato certarunt sanguine fuso :	*Propter.*

[ITEM TROPI AD MISSAM MAIOREM.

Hodie paruulorum cunule precioso perfunduntur san- guinem sed christus qui queritur potenter euasit inlesus, ideo fratres deuote affate dicentes,	*Ex ore.*
Aduhc† lactis potus non esca fortis refertur,	*Infancium.*
Rector eorum ipse quos in laude tua semper sagaces esse concedis : .	*Et lactancium.*
Nominis ob tui odium immensum peremptorum :	*Propter.*][2]

AD OFFERENDA. [§ 42 ii, 44.]

Erepti secum fantur de morte beati,	*Anima.*

AD COMMUNIONEM. [§ 45.]

Sancta hieremiae recinunt haec dicta prophetae ecclesiae signo cum dolet esse rachel :	*Uox in rama.*

---

[1] [With Sit tibi laus et honor perpes iubilacio christe :   *Propter iniquitatem.*]
[2] 1119 adds Quia super astra omnia uerbo ordinans   *Ex ore.*
  with § 43 . . . . *Ex ore.* and then
  § 42 incomplete . . . *Anima. i.e.* as trope to the offertory.
Also for the Communion it adds
  Pangite nunc christicole crudelis uisi regni
  quo sunt interfecti lactantes propter dominum   *Vox in rama.*

[[TROPUS DE OCTABAS DOMINI.[1]

ITEM AD MISSAM MAIOREM.   § 48 cue.

ITEM TROPUS DE KYRRIELEISON.

Rex magne domine quem . . . .

ITEM LAUS.

Gloria . . . Laus tua deus . . . . .

AD OFFERENDAM.   § 15.

ITIDEM ALII.

Pater eterne uerbum patris spiritus alme deus hune,   *Tui sunt.*
Cuncta que uoluisti domine sapiencia tua sunt facta :   *Orbem.*
Temporum metas stabili regens nutui omnia te laudant
    auctorem :   *Iusticia.*

ITEM SANCTUS.

Sanctus . . . Deus pater ingenitus . . . (p. 65.)

ITEM AGNUS DEI.

Agnus . . . Omnipotens eterne . . . . (p. 67.)

AD COMMUNIONEM.

Gaudeat cunctus populus per orbem
gaudeat clerus pariterque uulgus
gaudeant montes simul hęc resultet
    frigida tellus :   Quia.   *Uiderunt.*]]

[1] 1240 adds § 48 with Pater futuri seculi et   *Magni.*

IN EPIPHANIA DOMINI.

[STACIO AD SANCTUM PETRUM.]

§ (xx), 55, 54 i-iii, 53 i, iii, iv. [(xix.)]

Adueniente christo stella magna uisa est et a magis
    adoratus est : hodie in iordane baptizatus est quia
    (§ 53. v)   *Ecce*
Rex regum ipse regnans in throno patris sui :   *Et regnum.*
Quod permanet nunc et in aeternum :   *Et potestas.*

(ITEM.) [AD REPETENDUM.]

Ut sedeat in throno dauid patris sui in aeternum : (53 ii)   *Ecce.*
A patre cuncta data christo sunt secula, namque   *Et potestas.*

[[ALII TROPI.

Hodie regi magno magi munera obtulerunt :
hodie filius dei a iohanne in iordane baptizari uoluit :
hodie ihesus christus aqua(m) mutauit in uinum :
omnes una uoce cantemus dicentes,   *Ecce aduenit.*

ALII DE QUO SUPRA.

Ecce apparens rex israhel cui omnes clerus ahc† populus
    laudes eum prophetis gratulantes dicamus,   *Ecce aduenit.*
Adoremus ienitum ante luciferum filium regis excelsi
    quia in trina magestate uenit :   *Et regnum.*
Ipse est rex regum et dominus dominancium cuius
    regnum solidum in eternum manet :   *Et potestas.*

ALII.

Propheticus sermo christum uenientem intonat ita : *Ecce aduenit.*
Quem deuote magos sidus apparuit nouum :   *Et regnum·*
Cuius uentilabra in dextram† gestans purgauit tunc
    nouum :   *Et potestas.*

ITEM AD GLORIAM.

Qui hodie mistica munere trinam declarauit personam :   *Gloria.*

AD REPETENDUM.

Stellifer ether tene†[1] iubilando canamus :   *Ecce aduenit.*[2]

---

[1] 1119 has tumet.   [2] 887 adds § 54 iv.

LAUDES.

Gloria . . . . Rector ab arche . . . .]]

AD SEQUENCIAM.

O dux magorum tibi sit laus gloria iocunditas sempiterna :
nos quoque omnes dicamus eia   *Alleluia.*

AD OFFERENDAM.

Regi christo iam terris manifestato quem adorant hodie
magi psallite omnes cum propheta dicentes,   *Reges.*

AD COMMUNIONEM.

Stella praeuia reges ab oriente ueniunt regem regum
natum inquirentes dicentesque,   *Uidimus.*

[[XIII KAL. FEB.
NATALE SANCTORUM FABIANI ET SEBASTIANI.

ITEM TROPUS. § 182.

Suscipe sanctorum festiuitas† rex pie laudes
quas tibi concinimus psalmi modulando canemus :   *Intret.*
Uox uotumque noster tibi et famulatur et imnis :   *Gemitus.*
Qui reddis brauium iustis in arce polorum :   *Redde.*
Ultrice reprobos merite qui cuspide perdes :   *Uindica.*
                          Ps. *Deus uenerunt.*

ITEM TROPUS.

Celica sanctorum quod clamat turba sub ara
affectu socio psallamus uoce canora :   *Intret.*
Iudicii librans qui iusto pondere pensas :   *Redde.*
Qui nullas sontum culpas pacieris inultas :   *Uindica.*
                          Gloria patri.

ALII.

Intret in conspectu.

Iustis premia digna ferens nocuis quoque penas :   *In sinu.*

Martirum cruor ablatus pie clamat ab ara :   *Qui effusus.*

XI KAL. FEB. NATALE SANCTI UINCENTI MARTIRIS.

TROPUS SONUS VIII. §§ (lxviii. lxix.)

Quem ciues polorum prostratis uultibus orant

Hic te martir uicentit̄ sua dextra coronat

Nosque in laude tua roboemus uoce tonamus :   *Laetabitur.*

Ps. *Exaudi deus.*

ALIOS. § (lxx) with

Cunctorum christe sanctorum crimina solue

ut uerum possint te mundi cernere lumen: *Et laudabunt.*

Gloria patri.

ALIOS.

Umilis rabidi inuictus insaniam hostis interius adciit

   modestus sustinuit securus inrisit :   *Laetabitur.*

Sciens paratus esse ut resisteret

nesciens elatus esse quo uinceret: *In domino.*

Uestigia domini ac magistri sequens suis sequendis

   exempla monstrauit :   *Et sperabit.*

De ostibus triumphandi et humilitatis custodiende: *Et laudabunt.*

ALIOS.

Psallite iam *require in antea in sancti saturnini.*[1]

AD OFFERENDAM.

Agmina iam celica dant tibi laudes eternas, quia

Gloria et honore.]]ᵃ

[1] See p. 214 ; it is missing in the MS. 1121, which in its present state only begins at Christmas. 887 has it here in full.

ᵃ Gloria et honore coronasti eum et constituisti eum super opera manuum tuarum, domine.

IN PURIFICATIONE SANCTAE MARIAE.

§ 62 i. iii with 61 ii.[1]   § (xxv.)

ALIOS.

Caelorum rex aduenisti ut nos redimeres :   *Suscepimus.*
Quem simeon senex placide suscepit in ulnis :   *In medio.*
Te laudant omnes pariter cum uoce resultant :   *Secundum.*
Tu totus dexter iustus iudexque uenturus :   *Ita.*

ALIOS.

Adest alma uirgo maria
adest uerbum caro factum
quem adorantes omnes, (§ 59 i)   *Suscepimus.*
Lumen aeternum christum dominum, (§ 59 ii)   *In medio.*
In brachiis sancti symeonis, (§ 59 iii)   *Secundum.*
Gloria salus et honor, (§ 59 iv)   *In fines.*
In plenitudine gratiae :   *Iustitia.*

[[ALIOS. 59 i.

Hodie simeon senex puerum in templo portat
Nosque illum suspicimus† dicentes   *Suscepimus.*

ALIOS.

Alma splendor nobilis uirgo maria filium nobis pro-
    tulisti per quem horbis houans : cui nos sub cardine
    in excelsis laudes patri referamus :   *Suscepimus.*
Arce patris missus est, a magis adoratus est, odie lumen
    uerum christum dominum maria offert in temp-
    lum :   *Secundum.*
Quem capere non queunt celi simeon accipiens detulit
    ulnis nouo lumine cum laude et honore psallat
    omnis etas :   *In fines.*

AD REPETENDUM.

Aurea post christum uolumus sic scandere regna,
    with § 59 i.   *Suscepimus.*[2]

---

[1] [With Pius esto precamur cum ueneris :   *In fines.*
         Solus tu clemens benignus et iustus :   *Iusticia.*
         Dampnans impios et remunerans pios :   *Dextera.*]
[2] 1119 adds Aulam sanctam nu(n)c tui uirgo leti ingressi plebs
         orat omnis que tu sistit sollempnitati ut sacra
         poli pateant illi in pace omnis : dic domne   *Suscepimus.*

TROPUS ITEM AD KIRIELEISON.

Clemens rector eterne pater . . . . (p. 50)]]

AD OFFENRENDA.†

Aurea dauitico prodisti germine uirgo (§ xxvii. iii)   *Diffusa.*
In seculorum secula :   *Et in secula.*

AD UERSUM (§ xxvii ii.)

AD COMMUNIONEM. § 65.[1]

[[DOMINICA IN PALMIS.

STACIO AD LETERANIS. § 81.

Hodie namque christus cum humana lingua cum a
   seruiris et armonia et quamuis fierit frigida misit
   regis spolia arbor et fluxu hosana   *Domine ne longe.*

ALII UNDE.

Mens febet† proprie certa luce relicta insidiantes sum
   pios gigantes per horas singulas   *Domine ne longe.*

(LAUDES IN DIE PASCHE.)

Christus uincit christus regnat christus imperat.   iii uicibus.
Exaudi christe.   iii uicibus.
Ecclesia sancta dei salus perpetua.
          Redemptor mundi   Tu illam adiuua.
          Sancta dei genitrix   Tu illam adiuua.
          Sancte Michael   Tu illam adiuua.

---

[1] 1119 has St. Benet here with §§ 66, 67 and others (see below).

Sancte Gabrihel   Tu illam adiuua.
Sancte Raphael   Tu illam adiuua.
Exaudi christe.   iii uicibus.
Ihoanni pontifici et huniuersali papa uita.

Sancte petre   Tu illum adiuua.
Sancte paule   Tu illum adiuua.
Sancte clemens   Tu illum adiuua.
Sancte siluester   Tu illum adiuua.

Exaudi christe.   iii uicibus.
Ugone regi serenissimo adeo coronato magno et pacifico uita et uictoria.

Sancta maria   Tu illum adiuua.
Sancte iohannes   Tu illum adiuua.
Sancte andreas   Tu illum adiuua.

Exaudi christe.   iii uicibus.
Omnibus iudicibus uel custodibus uel cuncto exercitui christianorum salus et uictoria.

Sancte stephane   Tu illos adiuua.
Sancte dionisii   Tu illos adiuua.
Sancte ylarii   Tu illos adiuua.

Exaudi christe.   iii uicibus.
Congregacioni isti salus et pax et protectio.

Saluator mundi   Tu illos adiuua.
Sancte benedicte   Tu illos adiuua.
Sancte paule   Tu illos adiuua.
Sancte antoni   Tu illos adiuua.
Sancte hilarion   Tu illos adiuua.

Rex regum   Christus uincit christus regnat christus imperat.
Uictoria nostra   Christus uincit christus regnat christus imperat.
Auxilium nostrum Christus uincit christus regnat christus imperat.
Spes nostra   Christus uincit christus regnat christus imperat.
Arma nostra inuictissima   Christus uincit christus regnat, &c.
Murus noster inexpugnabilis   Christus uincit christus regnat, &c.
Gloria nostra   Christus uincit christus regnat christus imperat.
Ipsi soli imperium gloria et potestas per inmensa secula seculorum.
Ipsi soli uirtus fortitudo et uictoria per infinita secula seculorum.
Ipsi soli honor laus et iubilacio per omnia secula seculorum.

amen iii uicibus.
Congregacionem istam.   Deus conseruet.   iii uicibus.

Feliciter feliciter feliciter.
Tempora bona abeas.
Tempora bona abeas.
Tempora bona abeas.
Multis annis AMHN.][1]

[1] [prefix Hora est psallite iube dompnus canere eia eia dicite.]

[IN DIE SANCTO PASCHE.

STACIO AD SANCTUM PETRUM.

ITEM TROPUS IN DIE.

Hora est psallere iubat† dompnus canere, eia eia dicite]

§ 83 . . . quia surrexit. Alleluia.[1]
Ad sepulchrum residens angelus nuntiat resurrexisse christum :
En ecce completum est iliud quod olim ipse per pro-
　phetam dixerat ad patrem taliter inquiens,　　　*Resurrexi.*

§§ 85, xxxii [xxxi][2]

ALIOS.

Aurea lux remeat ihesus iam morte perempta
sic crucifer patri dauidis affatur, en ego　　　　*Resurrexi.*
Quo compos hominis caelos iam uictor adirem :　　*Posuisti.*
Omne quod est fuerat superest tu uides ubique :　*Mirabilis.*
Te mundus caelum pariter laudando proclamant :　*Alleluia.*

ALIOS.

Ego autem constitutus sum rex praedicans praeceptum
　tuum et morte deuicta,　　　　　　　　　*Resurrexi.*
　　with § 84 ii, iii, iv.

ALII.

En ego uerus sol . . &c. (§ 84 v)　　　　　*Resurrexi.*
Destructo mortis imperio :　　　　　　　　*Posuisti.*
Quoniam mors mea facta est mundi uita :　　*Mirabilis.*
Exurge gloria &c. . . . (§ 88)　　　　　　*Alleluia.*

---

[1] 1240 has between Palm Sunday and Easter § 213 i and iii and between them
　　　Quod manna ualeat cunctis praebere supernum :　　*Et principem.*
　　　Armis praecinctus uerbi uestiuit honorem :　　　　*Ut sit illi.*
and begins Easter with Summe sacerdos . . . . in a later hand.
[2] 887 adds § 84, and also to Alleluia (?) the trope
　　　Preclara adest dies christus qua resurgens hoste triumphato
　　　　uitam dedit mundo : cuius uoce summo clara gratulanter
　　　　cum propheta proclamemus omnes ita　　　　　*Hec dies.*
　　　Iam redeunt gaudia festa luce clara iam nobis paschalia æterna
　　　　rapit spolia agnus sine macula qui regit dispensat semper
　　　　imperia　　　　　　　　　　　　　　　　*Pascha.*
　　　Laus ether stellifer laudat titan et luna globi fulgentes reboant
　　　　gens lingua sexus et ętas iubilantes uoce clamant
　　　　Ihesus crucifixus iam regnat per omnia.

Alios.

Iam tua iussa pater mortem superando peregi :   *Resurrexi.*
Uincere quo mundum mortem zabuloque ualere(m) :   *Posuisti.*
Mistica perdocui gemina sacramenta sophiae :   *Mirabilis.*
Omne quod nunc spirat pater te laudat canendo :   *Alleluia.*

Item alios.

Factus homo de matre pater tua iussa secutus :
in qua crucis ligno mortis auctore perempto :   *Resurrexi.*
Ne michi tunc caecata cohors obsistere posset
nominis atque mei lumen fuscare serenum :   *Posuisti.*
Clara dedit sancte legis documenta patere
agmina sanctorum traxi super aethera mecum :   *Mirabilis.*

[[Alios.

Exultemus omnes gaudio magno, eia
Quia hodie surrexit christus dominus, eia
Gracias tibi laudes quia dicamus, eia   *Resurrexit.*

Alios.

Christus hodie surrexit a mortuis et patrem conlaudans
     ait,   *Resurrexi.*
Destructo mortis imperio :   *Posuisti.*
Quoniam mors mea facta est mundi uita :   *Mirabilis.*

Item alios.

Resurrexit dominus uictor lucis aditus non pepercit
     mortem patris refertur graciam :   *Resurrexi.*
Natus homo iudaicam et deus sciuit prosapia mortem
     fertur dilectus patrem conlaudans surrectus :   *Et adhuc.*
Tremens terra christicola pro sua surgens ouancia quo
     dominatum erat rex matre pius surrexit a patre :   *Posuisti.*
Corpus labet sepulchrum miratur preses hoc facto
     custodes eius exterrite surrexit causa mirabili :   *Scientia.*
Clamant et conlaudant omnis uulgus populus clerus
     resultet corus eterni regis gloria :   *Alleluia.*

Alios.

Christus deuicta morte personet uoce clara patris dicens : *Resur.*
Cum saeuiens iudeorum me circumdare turba :   *Posuisti.*
Cuncta qui ab oculis tue magestatis nouissima et
     antiqua sunt aperta :   *Mirabilis*

Alios.

Inmortalis filius dei hodie surrexit unde plaudentes cum
     patri deo dicamus, alleluia   *Resurrexi.*
TROPER.   N

Adtinguens a finem usque ad finem fortiter et
    disponens omnia suauiter :   *Posuisti.*
Qui celum terra simul laudant dicentes,   *Mirabilis.*
O paradisicole cherubin a laude ciete :   *Alleluia.*

AD GLORIA.

Cantate domino canticum nouum resurrexit dominus :
    gloria laus et honor sit semper illi alleluia :   *Gloria.*

AD REPETENDUM.

Claustra destruxit inferni et subuertit potenciam diaboli:
                                                            Resurrexi.

ITEM AD KYRIELEYSON.

Christe redemptor . . . .

ITEM TROPOS DE LAUS.

Gloria . . . Te consonant mentis . . . .
ALIOS LAUDES.
Gloria ⸱. . . Prudencia prudencium . . . .]]

AD SEQUENCIAM.

Christus surrexit ex mortuis mortis confractis uinculis ;
    gaudentes angeli uocem in altissimis proclamant
    dicentes,   *Alleluia.*

[AD SEQUENCIA.
Saluator mundi te resurgente rex adorande pastor
    bone gregem conseruare digneris precamur   ]

AD OFFERENDA.

Ab increpatione &c. § 91, i, ii.[1]
Quando uenit iudicare uiuos ac mortuos :   *In iudicio.*

---

[1] [add to line 1—Leo fortis surrexit hodie deo gratias :   *Terra.*
and for line 3—Christus iudicaturus est euuos hac mortuos quando uenerit : *In iudicio.*
and for ℣℣—Notus in iudea deus israhel, magnum nomen eius eia eia. *Notus.*
        In pace factus est locus eius et in sion habitacio eius eia eia, *Et factus.*
        Ibi confregit archum et scutum et gladium et bellum dic domne
            eia eia,   *Ibi confregit.*]

Christo surgente a mortuis uenite adoremus eum omnes
una uoce proclamantes, *Alleluia.*

[TROPOS DE SANCTUS.

Gloriosa dies adest . . . . .]¹

AD COMMUNIONEM. § 93. i, ii, iv²

TROPHI AD AGNUS DEI.

Pro cunctis deductus . . . .
[Agnus dei miserere nobis eia et eia.]

[ANTIPHONA SUPER SACRIFICIUM AD COMMUNICANDUM] § 95.

[AD EPISCOPUM INTERROGANDUM.

Princebs ecclesie pastor ouili tu nobis benedicere digneris
Hen pastor uenies sanctos et almos portans sic dominum
    gaudium mundi
Illum suscipite quem deus hornat qui saluat patriam ecce beatos
Cuncti uos homines currite una nostrum pontificem reddite
    laudem
Omnes presbiteri omnes ad agnum nostrum antestitem
    canite carmen.
Letamini modo ne taceatis sed currant pedibus mentem parati
Christus te domine saluet in euum et uitam faciat perfrui sancta
Cuncti uos homines omnes et huni humiliate uos ad benedic-
    cione(m)
Humili uoce laudantes atque dicentes in altissimi† deo gracias.]

¹ 1240 has SANCTUS Deus pater ingenitus.
² 887 adds *Gloria. Seculorum. Amen.*
  ℣ *Non in fermento malicie et nequicie sed in azimis sinceritatis et ueritatis.*

N 2

FERIA SECUNDA.

STACIO ANTE SANCTUM PETRUM.

TROPHI. § 96.

Dulciter agnicolae festiuum ducite pascha
iam quia iordanis meruistis fonte renasci : *Introduxit.*
Ciuibus aethereis manantem manna decoris, *Ut ut lex.*†
Dixerat hoc moyses quondam, christus iubet at nunc *In ore.*
Aeter humus pariter pelagus unita uoce decantant, *Alleluia.*

ALII.

Ecce ueri luminis celebranda nempe choruscat
paschae dies qua fonte perhenni iam renouatos : *Introduxit.*
Qui dederat priora precepta legis modo iubet
quo mistica documenta patrum firmiter teneatis : *Ut ut lex.*†
Laudibus aethereis recinendo paschae triumphis
ᵗpsallat unita cohors redemptus est quia mundus : *Alleluia.*

ITEM ALIOS.

Iam celebranda dies renitet uera luce choruscans
qua rubrum mare transito sacro fonte renatos : *Introduxit.*
Quo paschale decus pariter pio corde captantes
sacra adimplere precepta christi pleniter studeatis : *Et ut.*
Laude cum angelica laetabunda uoce resultans
nostrum pascha canat immolatus est quia christus : *Alleluia.*

[ITEM TROPUS IN DIE.

Hec est nimis perfulgida festa potentissimus in qua
seruitute populum eruit suum.
Iam paschalis occisus est agnus cuius mors uestra fuit
uita.
Diuina pauit quos manna christo psallite laudes et
hodas alleluia morte calcata :
Hunicus patri perditam ouem reduxit ad gregem adque *Introd.*
Ps. *Confitemini iiii.*
Gloria seculorum. Amen.

ALIOS.

Sacro suo cruore redemit atque *Introduxit.*
Patribus sicut uestris promisit : *In terram.*
Ut uos liberos faceret zabulum submersit in mare : *Et ut lex.*
Iam renati atque redempti laudes dicite regi eterno : *Alleluia.*

ALIOS.

Qui uos uocauit de tenebris ipse	*Introduxit.*
Lumen admirabile suum :	*In terram.*
Ut maneat eius sacra in uestro pectore iussa,	*Et ut lex.*
Iam nunc omnis aetas sexusque decantent	*Alleluia Alleluia.*

ALIOS.

Saluator mundi *ut supra*   *Introduxit.*
In mente abete diem istum in quo existis de terra egipti
     et   *Introduxit.*

ITEM KYRIE.

Clemens rector . . . .

ITEM LAUS.

Gloria . . . Christe salus mundi . . . .

ITEM AD GLORIA.

Surrexit christus a mortuis . . . . see above p. 178.

ITEM LAUDES IN PASCHA.

Gloria . . . Ciues superni . . .

AD SEQUENTIAM.

Cantibus altissonis tua repetimus carmina laudis,
     suscipe petimus pie rex cantica fratrum quod
     cecinit in laudem tuam.

AD ALLELUIA.

Christus surrexit ex mortuis mortis confractis uinculis
     &c. (see p. 178)

AD SEQUENCIA.

Inmortalis filius dei surrexit a mortuis unde gaudentes
     cum eo deo patri dicamus   *Alleluia nunc exultet.*]

AD OFFERENDA TROPHI.

Et ecce terrę motus factus est magnus,	*Angelus.*
Et accedens reuoluit lapidem seditque super eum,	*Et dixit.*
[Quem queritis] Non est hic	*Surrexit.*[1]

FERIA TERTIA.

Epurgans populos dominus baptismate tinctos,	*Aqua.*
Quosque suae fortis socios sibi cesseris esse,	*Firmabitur.*
Ac statuet celsa secum residere cathedra,	*Et exaltabit.*
Psallentes placidum claris cum uocibus hymnum	*Alleluia.*

ALIOS.

Iam rudes populos caelesti pane refertos	*Aqua.*
Christus in his gaudens sedet aeternumque sedebit	*Firmabitur.*
Sedibus astrigeris statuet de munere summo	*Et exaltabit.*

[(ALIOS.)

Discipulus dominus reserans archana superna,	*Aqua.*
Haeterea de sedens manans sapiencia summa,	*Firmabitur.*
Pnaeumate namque repleuit eorum pectore sacro,	*Et exaltabit.*

Ps. *Dicat nunc.*   Ps. *Et clamauerunt ad dominum.*]

FERIA QUARTA.

Iam philomelinis (p. 149)   with the insertion

Nullius auris aut cor lumen cernere nouit,	*Quod uobis.*

ALIOS.

Uos quia certastis bene iam post funera carnis,	*Uenite.*
Scilicet optatum auido quoque corde cupitum,	*Quod uobis.*
Unde polo terraque pium resonetur ouanter,	*Alleluia.*[2]

---

[1] 1119 adds Cum reserat clausi christus monumenta sepulchri,   *Angelus.*
 Nam mortis tenebras uita superauit acerbas :   *Surrexit sicut.*
 Discipulus lacrimas fundit dum petrus amaras :   *Surrexit dominus.*
[2] 1119 adds Ad ęc domini congregantium discutientia populorum dicit ipse
 ad iustos,   *Uenite.*
 Cum mellifluo modo letantes cum deo gaudentes in regno,   *Quod.*
 Uoces laudantes atque strenuo modulo dicentes,   *Alleluia.*
 Uenturusque secundo iudicaturusque laudabilisque dicendo,   *Gloria.*

[AD REPETENDUM.

Esuriui enim et dedisti michi manducare
Sitiui et dedistis michi potum.

ITEM LAUS.

Gloria . . . Qua iugi uoce . . . . .]

[FERIA QUINTA.

TROPUS.

Concine nunc plebs cernua mistica carmina christo
nisibus ex cunctis plangent dictis super his que tunc *Uictricem.*
Discipulis patefacta bonis sunt spiritui qui
alma flagrarunt pleno feliciter ore *Quia.*
Noster sermo canat uasti cum flatibus apte
dulciter egregias laudes et clangat in altis: *Alleluia.*
  Ps. *Confitemini.* Ps. *Notum fecit.*
  Ps. *Tulerunt iusti spolia impiorum et decantauerunt
   domine nomen sanctum tuum.*]

OCTAUAS PASCHAE.

Ecce omnes redempti genus electum regale sacer-
 dotium gens sancta populus adquisitionis depon-
 entes omnem malitiam, *Quasi.*
Si gustatis quoniam dulcis est dominus, *Ratio.*
Ut in eo crescatis in salutem, *Lac.*
Accedentes ad lapidem uiuum canite omnes, *Alleluia.*
  [Ps. *Exultate.* Ps. *Testimonium.* Ps. *Cibauit eos.*]

ITEM ALIOS.

O populi sacro domini baptismate nati, *Quasi.*
Sensibus effecti puerique senilibus actis, *Ratio.*
Moribus ac iterumque senes puerilibus annis, *Lac.*

ITEM LAUDES.

Gloria . . . Sit tibi laus tria . . . . .]

Ad communionem.

Sic ait en christus dubitat dum uulnera thomas : . . . *Mitte.*

[[ITEM TROPUS DE SANCTI ORIENTII
{item Geraldo}

Iam patronis emicat festa christo reddite odas plebs deuota
Qua petens alta oriencius ad astra roboamini christicole
    nunc in arua   *Alleluia.*
Nunc plebs cuncta pro sacerdoti infula qui nitet in caelo en ecce

Ad repetendum.

Uera iam in illo sunt completa psalmographi oracula
    qua dicens ait   *Statuit.*

TROPOS IN FESTIUITATE SANCTI AUTERII UEL SANCTI GERALDI.

Glorificando deum gratanter sumite laudem
nunc iam christicole uenit quia temporis hora
psalmodice pia uota auterio reddere cuius   *Os iusti.*
Uirginibus iunctus ideo sapientibus ipse
lampade cum chorusco procedit obuiam sponso   *Et lingua.*
Quod cum iuste datum fuerit tunc toto precatu
obtineat reis ueniam quia permanet semper   *Lex dei.*

Item alios.

Festiuus nunc dies adest uiri beati nempe auteri cuius
    accionem atque uirtutem psalmista conspiciens
    dudum uaticinando dicit de seipso   *Os iusti.*
Hecce quia sapienter talentum creditum sibi domino
    suo duplicatum reportauit ideo cum seculi iudicibus
    et ipse sedebit   *Et lingua.*
Quicque aiutorem retributore percipiens mercedem felit†
    intrabit in domini sui gaudium ubi semper ouanter
    manebit quoniam bene perseuerauit   *Lex dei.*

Alios.

In beati huius laude auteri humili uoce canite omnes
   hoc quod psalmista prophetali organo fatur de
   illo   *Os iusti.*
Hic iam caelo receptus coniungitur hodie sanctis atque
   cum ipsis percipiens regnum gaudebit iure per
   aeuum   *Et lingua.*
Cum uenerit christus ad iudicandum tunc isdem auter-
   ius subueniat nobis quia perstitit uere   *Lex dei.*

Alios.

In iubilo uocis auterio psallite patri   *Os iusti.*
Namque sophia *require in festiuitate sancti benedicti* (§ 66.)

Alios.

Laudibus alternis niuee uox uincula turme
Militis ingeminet persoluere debita regi   *Os iusti.*
Astrigera resonet quo rite boemata scandit
geraldi festum diuina uoce caterua   *Os.*
Cuius in exemplo meruit pie uiuere christo   *Et lingua.*
Mortalium dum corda suis secernit ab aruis   *Lex.*
Edificant alios uerbi de rore superni   *In corde.*

Item alios.

Concrepet alma cohors christi nunc corde geraldo
Mistica uox cuius dauitica fatur in odis   *Os.*
Qua gaudebit opima ferens tunc premia miles *Et lingua.*
Uirtute gratis domini moderante superna   *Loquitur.*
Nos quo glorificet sacra munera dando perhennis   *Lex.*
Insignis precibus magni semper quia candet   *In corde.*

Alios.

Concinat en domino noster nunc coetus ouanter
carmine dauitico psallens in laude geraldi   *Os iusti.*
Lustrabit iugiter qui flagrans intima cuius   *Et lingua.*
Quo pie iustificet deuotos uire perhenni   *Lex dei.*]]

[1]IN NATALI PHILIPPI ET IACOBI TROPHI.

Mortificando sua propter te corpora sancti   *Exclamauerunt.*
Hostibus allisis mundique principe uicto   *Et tu.*
Ut tibi dulcifluę psallant recinendo per euum   *Alleluia.*

[1] [IN ASCENSA DOMINI TROPOS first].

ALIOS.

Alme tuum semper cernentes iure regimen	*Exclamauerunt.*
Nostra benigne libens detergis noxia soter	*Et tu.*
Unde fidelis ouans proclamet turba per eon	*Alleluia.*

ALIOS. [AD REPETENDUM.]

Aspera portantes propter te corpora sancti   *Exclamauerunt.*

[ITEM LAUDES.

Laudat in excelsis . . . .]

[TROPUS DE SANCTE CRUCIS. § 108.]

IN DEDICATIONE.
§§ 190, 189, 188.

Diuinus succendat amor feruentia corda	
sanctorum meritis ut pia digna canat	*Terribilis.*
In quo caeli terraeque compos adoratur a cunctis	*Hic domus.*
Nisibus arta dei populorum noxia uitans	*Et porta.*
Intrant mox per quam iustorum gaudia uitae	*Et uocabitur.*

ITEM ALIOS.

Hic trina sonat deitas unaque potestas	*Terribilis.*
Nectare dulcedinis diuorum numine plenus	*Hic domus.*
Lumine lustrata piorum stematis alti	*Et porta.*
Per quam christicolę triumphantes supera scandunt	*Et uocabitur.*

ALIOS.

Haec meruit sponsum ciuitas amplectere christum	
manet enim felix et pariens ideo	*Terribilis.*
Diuinis fulgens rebus de munere sponsi	*Hic domus.*
Angelicis conferta bonis ubi sancta dicantur	*Et porta.*
Per quam plebs honorata dei sacra limina lustrat	*Et uocabitur.*

ITEM ALIOS.

Concinat en plectrum felicis postulo linguae	*Terribilis.*
Sotheris et dextra persistat nunc benedicta	*Hic domus.*
Qua criminum minuat hic fas per secula clemens	*Et uocabitur.*

ALIOS.

Haec est etenim aula dei de qua dictum est	*Terribilis.*
Subplantans uitia plebis proclamat ouanter	*Hic.*
Peruia pulsanti reserantur limina cordis	*Et porta.*
A christo gratis poscentibus orrida tergi	*Et uocabitur.*

ALIOS.

Typica uisione stupefactus iacob excitus somno pauens-	
que dixit	*Terribilis.*
Angelico dedicata frequenti numine celsi	*Hic domus.*
Domus oratu manet quaerentibus optima semper	*Et uocabitur.*

ALIOS.

Hanc diuina manus sacrauit caelitus aulam	*Terribilis.*
Hic pietate dei ueniam cum fide petamus	*Hic domus.*
Hoc templum toto laudabitur orbe per euum	*Et uocabitur.*

ALIOS.

Angelicos patriarcha choros olim dominumque	
innixum scalę cernens proclamat ouanter	*Terribilis.*
Spiritus solimam deditus policam peregrinam	
aruis que mittit duo copiam beatorum	*Hic domus.*
Porta haec iustitia est caeloque dirigit almos	
ac iusti penetrant paradysum semper ouanter	*Et porta.*
Speque fide dominum retinent praecordia sacra	
quae templum domini corpus quoque iurae† fatentur	*Et.*[1]

ITEM ALIOS.

Sanctus euigilans &c. (p. 153).

ITEM ALIOS.

Agmina perhenniter iubilant angelica hunc locum pro-	
testa(n)tur sacrum dicentia	*Terribilis.*
Hanc domum deo assignant prosequendo fidelium prae-	
cordia	*Hic.*
Adest porta per quam iusti properantes redeunt ad	
patriam	*Et porta.*
Astra polus terrae pontus conlaetantur haec dicentes	
carmina	*Et uocabitur.*

---

[1] 1119 adds Innixum scalis dominum ut uidit iacob

angelicosque globos hos dedit ille sonos	*Terribilis.*
Omnia illa bonis conferta per omnia iustis	
qui sperant uitae praemia perpetuae	*Hic domus.*
Haec domus est collata piis sine nomine cunctis	
qua ualeant sceleris tergere probra sui	*Et uocabitur.*

[add § 113 here out of place without music or gregorian cues.]

ALIOS.

Plebs ueneranda patrum dictis memorare priorum
territus in somnis quę cernens fatur iacob   *Terribilis.*
Tu prece fundo pia laudes et concine uota   *Hic domus.*
Ex uiuo lapide constructa et firma nitescens   *Et porta.*
Pestiferos pellens quae percipit undique lectos   *Et uocabitur.*
Fortia sanctorum praecordia fusa per orbem   *Aula.*

ITEM ALIOS.

Festa templi reuoluentes saluatoris dextera mereamur
    benedici ut fecundi psallere possimus dicentes   *Terribilis.*
Multoque horrendum est hic aliquid indecens cogitare
    quia   *Hic.*
Concede hoc nobis sancte deus ut domus tua simus   *Et.*
Te enim christe diligens habitatorem promeretur   *Et uocabitur.*

AD PSALMUM.

Tripudiantes reboremus† odas magnifici dei   *Dominus regnauit.*

AD GLORIA.

In hoc templo trinitatis laus perseueret que illi semper
    fore grata agnoscatur   *Gloria saeculorum amen.*

[TROPUS.

Psallite cum laude cantate deo fratres gratulantes
Tempus instat adest hora psallite iam nunc dicentes
O gloriose rex deus alme te laudamus domine in aula
    sancta tua psallite illi eia   *Terribilis est.*
        Ps. *Uidit iacob scalam sumitas† eius*   *Terribilis.*

ALIOS.

Hęc meruit meritis ut pie digna canant   *Terribilis.*
In quo cęli terre que compos adoratur a cunctis   *Hic domus.*
Nisibus arta dei populorum noxia uitans   *Et porta.*
Intrant mox per quam iustorum gaudia uitę   *Et uocabitur.*
      Ps. *Reges terre adferent gloriam suam.*

AD SICUT ERAT.

Tripudiantes reboemus odas magnifici dei (ut s.)   *Sicut erat.*
O gloriose rex . . .   *Terribilis.*

ALII.

Dominus fundauit eam, o quam   *Terribilis.*]

AD SEQUENTIA.

Regi inmortali laudes nunc dicite celsas
alleluia canens nostra caterua sonet   *Alleluia.*

AD OFFERENDA.

Concrepet ecclesia laudes uoce salomonis nostra caterua
simul decantet domino dicens   *Domine deus.*
Tantam sollempnitatem celebrantium propiciare dignetur
peccatis   *Deus israhel.*

ALIOS.

Depromit haec templi structor rex uerba tonanti   *Domine deus.*
Beati erunt qui te edificauerunt, tu autem in filiis tuis
laetaberis   *Deus.*

AD COMMUNIONEM (really VERSUS).

Consummata est domus domini dei eia yppane   *Maiestas.*

ALIOS.

Rex pacificus salomon edificauit templum in hierusalem
domino : dic domne eia   *Fecit.*

AD COMMUNIONEM.

Domum istam tu protegere digneris christe qui dixisti   *Domus.*
Est domus hic iustis dicata per omnia uotis
in qua percipiet quisquis pia dona frequenter   *In ea.*[1]
[Ps. *Querite et inuenietis pulsate et aperietur uobis*   *In ea.*
An. *Cum uenerit ille arguetur mundum.*]

IN DIE ASCENSIONIS.
§§ (xxxix), 110, 112 [113].

Cum patris dextram uictor conscenderet agnus
ecce uiri clari duo almis fantur alumnis   *Uiri galilei.*
Iudex adueniet gentes ut iudicet omnes   *Quem.*
Corpus hoc referens caelesti sede refulgens   *Ita ueniet.*

[1] 1119 has here DE SANCTA CRUCE Glorientur cuncti (p. 208), &c.

Item alios.

Montis oliuiferi christus de uertice scandens
ecce duo uiri clara uoce clamarunt dicentes   *Uiri.*
Ad patrem pergit filius seruans uestigia pacis   *Quemadmodum.*
Ad diem magnum quo iudicaturus est orbem   *Ita ueniet.*

[Alios.

Quem uerbum decorat sanctum alternum reuertens ad
    alta cuius honore christicole culmen eia   *Uiri.*
Sancti humili prece uasto clangitur uisu   *Quid admiramini.*
Intuens† in caelum gaudebunt angeli tristes apparent
    sancti   *Quemadmodum.*
Non turbetur cor uestrum sed gaudete uade(te)
et uenio ad uos iterum modulamine dulces   *Ita ueniet.*
Discipuli tristes in se dicentes non turbemini quia ipse
    nobis dixit eia   *Alleluia.*

Item laus.

Gloria . . . Laus tibi domine   Ps. *Ascendit deus.*

Ad sequentiam.[1]

Saluator mundi te ascendente &c. (p. 178)
                              Alleluia Rex omnipotens.]

Ad offerendam.

Eleuatus est rex fortis in nubibus hodie (cp. p. 149)
    cernentibus apostolis angeli testimonium proferentes
    dixerunt   *Uiri.*
Stigmata uiuificae cum crucis arma reportans   *In caelum.*
Ut iudicet mundum in aequitate   *Sic.*

Ad uersum.

Ab intuentium oculis euectus est ad aetherea regna   *Cumque.*

Ad communionem.

Corpus quod nunc in terra sumimus iam sedet ad
    dexteram patris in caelum : et ideo consona uoce
                                          Psallite domino.

[1] 887 Ad sequenciam. Regi inmortali &c. (p. 189).

IN PENTECOSTEN TROPHI. §§ 118.[1]

Inclita refulget dies ualde cunctis ueneranda,
spiritus sancti aduenienti gratia consecrata
de quo sacrosancta ita ante precinuit prophetia,†   *Spiritus.*
Cuncta regit cunctaque replet cunctaque reformat :   *Et hoc.*

ALIOS.

Paraclitus sanctus postulans pro nobis gemitibus
    inenarrabilibus hodie   *Spiritus domini.*
Inmensus et aeternus,   *Repleuit.*
Gloriam sua dans presencia beatis,   *Et hoc quod.*
Terrestria atque superna,   *Sciencia.*
Sanctorum karismata   *Habet.*
Praestans linguarum notitiam :   *Alleluia.*
                    Ps. *Exurgat deus.*

    ALIOS.

Mystica paracliti uirtutum flamma choruscans
ecce diem dechorat celebrem cui psallite laudes, eia   *Spiritus.*
Almi certe patris uerbum quoque spiritus idem,   *Repleuit.*
Distribuens linguas christi iunioribus omnes,   *Et hoc.*
Infera digniter et supera facta cuncta perhornans,   *Scienciam.*
Angelicis modulis promamus uoce canora :   *Alleluia.*
      [Ps. *Emitte spiritum. Gloria seculorum Amen.*]

    ITEM.

Sanctus en ueniens sanctorum pectora lustrans,   *Spiritus.*
Et quia terrarum flamauit regna canamus :   *Et hoc.*
Pectora confirmat linguarum clausa relaxans :   *Sciencia.*

    ALIOS.

Psallite candidati spiritus paracliti laudem dicentes,   *Spiritus.*
Missus ab arce patris,   *Repleuit.*
Igneis linguis,   *Et hoc.*
Penetralia intuendo omnia,   *Sciencia.*

---

[1] 1240 has Psallite cum laude   *Spiritus.*
     Missus ab arce patris   *Repleuit.*
     Igneis linguis   *Et hoc*
     Penetralia intuendo   *Omnia.*
and 887 adds to the first line—Cantate deo fratres tempus adest
  hora instat psallite iam nunc eia.

GLORIA GRECA.[1]

Doxa patri ke io ke agio pneumati
ke enim ke agis ke is tos eonas ton eon. amen.   [*Spiritus.*]

[TROPOS.

Hodie descendit spiritus sanctus uelut ignis super
   apostolos et eorum pectoribus inuisibiliter
   penetrauit, docuit eis omnis linguis loqui in
   eius honore dulce carmina omnes decantate,
   dicite   *Spiritus.*

ALIOS.

Praeclarus nunc dies adest cuncto quo horbe diffusus,   *Spiritus.*
Sessor diuine magestatis sedens ad dexteram patris,   *Repleuit.*
Qui mundi cardinem suo creauit pugillo :   *Et hoc.*
Supernis latitat arua pontumque creator,   *Omnia.*
Lucis diurne perpes tibi laudes canamus :   *Alleluia.*
                                              Ps. *Factus est repente.*

ITEM LAUDES.

Gloria . . . Qui polum et arua . . .

ITEM LAUS GRECA.

(i.e. Gloria in Latin and Greek clause by clause cp. p. 60.)]

AD SEQUENCIAM.

Hodie repleuit dominus corda discipulorum radiantia
   spiritu sancto,   *Alleluia.*

AD OFFERENDAM.

Pangite iam socii docuit quos spiritus almus   *Confirma.*
Donum sancti spiritus   *Quod operatus.*
Accipe dona in hominibus,   *Tibi.*
Psallentes et nos offerimus tibi uota canendo,   *Alleluia.*

ITEM SANCTUS IN GRECUM.[2]

Agios agios agios kirios o theeos sabaoeth pliris ouranos ke i gi
tis doxis osanna en tis ipsistis eulogimenos o erkomenos en
onomati kiriu osanna en tis ipsistis.

---

[1] In Greek letters 1121 and 1119.
[2] 1119 adds Agnus dei in Greek and Latin.

AD COMMUNIONEM.

Dum essent discipuli propter metum iudaeorum in unum
congregati, *Factus est.*[1]

[Ps. *Et apparuerunt illis dispertite linguę tamquam ignis
seditque super singulis eorum.*
Ps. *Et repleti sunt omnes spiritu sancto.*]

[TROPUS DE SANCTA TRINITATE. § (xlv.)]

IN NATALI SANCTI IOHANNIS BAPTISTAE.

Festus adest almi iohannis dies qui uoce prophetica de
se loquitur dicens, *De uentre.*

ALIOS.

Ad demonstrandum pręclari luminis ortum
personam tenens heliae uoce fideli, *De uentre.*
[Cui possem preparare uiam plebemque perfectam : *Et posuit.*]
Canat nouo digne pereat ut crimina bello : *Sub tegumento.*
Illi perfectam quo possem subdere plebem : *Posuit.*

AD PSALMUM.

Turba fidelis ouans casto de pectore clamet, *Bonum est.*

ALIOS.

§ 125 with § 124 ii, iii and § 126 ii–iv.[2]

ALIOS.

§ 127 with
Formans me ab utero seruum sibi *Posuit.*

---

[1] 1119 adds Et apparuerunt illis dispertite lingue tamquam
    ignis seditque super singulis illorum : *Et repleti.*
[2] 887 has §§ 126 i with 124 ii, iii and 126 iii. and also ALIOS.
    Iohannes est hic domini precursor (§ 124 i.) natus ex terilit
       exultate dicens *De uentre.*
    Hic est uir magnus propheta . . . (§ 128) *Et posuit.*
    Festus adest almi iohannis dies qui dono prophetie repletus *Posuit me.*
       affatus est (see above) Ps. *Misit dominus.*

TROPER. O

ITEM ALIOS.

§ 128 with
Hieremiae more quondam uatis uenerandi   *Sub.*
Parcere pacificis et debellare superbos :

(ALIOS.

De sterili genetrice satus baptista beatus
uocibus his populos affatur in ordine cunctos :   *De uentre.*
Constituendo super gentes regna quoque cuncta
rite prophetali compleuit pneumate necne,   *Et posuit.*
Hostile(s) fremitus ualeam quo uincere semper
ac merear claros ex his retulisse triumphos :   *Sub tegmine.*
Atque dedit lux clara suis ut gentibus essem
donec adoratum referam per omnia christum :   *Posuit.*)

[ALIOS.

Consona dominum uoce cunctipotentem laudate cum
  uerbo polus maria aruaque :

AD REPETENDUM.

Ipse preibit ante dominum in spiritu et uirtute elie :   *De uentre.*
                                          Ps. *Ecce dedi uerba mea.*

ALIOS.

Hodie puer magnus surrexit in terris sicut affatur pro-
  pheta, dicens   *De uentre.*
Cui cuncta subdidit dominus et me creauit :   *Uocauit.*
Qui regnat in arche poli subdidit me,   *Et posuit.*
Cunctarum rerum omnium dominus :   *Posuit.*
                              Ps. *Iustus ut palma florebit.*

ALIOS.

Audite insule et adtendite populi de longe dominus ab
  utero uocauit me,   *De uentre.*
De utero genitricis mee me uocauit deus meus meo
  nomine (§ 126 i),   *Et posuit.*

ITEM LAUDES.

Gloria . . . Omnipotens pie rex . . . . . .]

AD OFFERENDAM.

Iohannes est hic domini precursor (§ 124. i) de quo
  canite omnes cum psalmista, dicentes   *Iustus ut palma.*

[AGNUS DEI.

Quem Iohannes in deserto . . . . . .][1]

AD COMMUNIONEM.

Pręuius hic de quo pater prophetizat exclamans,　　*Tu puer*
Parando uiam illi cuius pręconio tutus,　　*Prehibis enim.*
Angelus cecinit in aluo matris prudenter iohannem　　*Parare.*
[Ps. *Ad dandam* Ps. *Benedictus dominus.*]

INCIPIUNT TROPHI NATALIS SANCTI PETRI
APOSTOLI. § 135.

Ecce dies adest apostolorum principis festiuitate ualde
　　sublimis qua ab angelo ereptus de carcere ad se
　　reuersus dixit,　　*Nunc scio.*
Non tulit en christus memet sub carcere tentum　　*Et eripuit.*
Infandi simul ac soluit formidine cuncta　　*Plebis.*[2]

ALIOS AD PSALMUM [CANENDUM].

Apostolorum principem celebre conlaudemus petrum
　　gratulantesque cum eo psallamus prophetico uoce,
　　　　　　　　　　Domine probasti.
　　Et resurrectionem meam.　Gloria saeculorum Amen.

[1] 887 and 1119 have Quem iohannes in iordane.
　887 and 1240 have ANTE SEQUENCIAM Sancte Iohannes precursor christi amicus
sponsi una cum sanctis dei exorare pro nobis non cesses :　　*Alleluia.*
[2] 887 has AD OFFERENDAM.
　　Merito inquam babtista preclarus hodie ueneratur in terris　　*Iustus.*
　　Sumptost penetrauit articulos celum et ideo　　*Sicut.*
　　In hethera celesti sede precursor iohannes　　*Multiplicabitur.*
　　AD VERSUS.
　　Florebit iustus ut palma multiplicabitur ut cedrus iohannes
　　　　plusquam propheta ipse est enim amicus sponsi eia　　*Bonum.*
　　Floret in aeternum uerba ioannem　　*Ad annuntiandum.*
　1240 has AD OFFERENDAM Florebit iustus ut palma multiplicabitur ut cedrus
iohannes plusquam propheta ipse est enim amicus sponsi, eia　　*Iustus.*
　ANTE COMMUNIONEM Ipse preibit ante dominum in spiritu et uirtute helie :
　　　　　　　　　　　　Tu puer.

ITEM ALIOS.

Diuina beatus petrus &c. (p. 150.)

ALIOS.

Angelus domini suscitans petrum eduxit de carcere, at
    ille ad se rediens dixit,   *Nunc scio.*
Ereptus de custodia militum et chatena resolutus laetus
    procedens dixit,   *Et eripuit.*
Conlaudatque regem christum qui liberauit eum de
    obscuro carceris et de manu herodis :   *Et omni.*
                [Ps. *Constitues.* Ps. *Intellexisti.*]

ITEM ALIOS.

Petrus ad se reuersus dixit,   *Nunc.*

with § 132 ii–vi

[TROPI IN DIE AD MISSA. TONUS III.

Petrus ad hostium pulsans occurrit, puella illum inter-
    rogans hocius, quis es domine pulsans† qui iam iam
    fortiter ianuam nostram :

REPETENDUM.

Adsum petrus ille respondens dudum missus christum
    carcere pro confessione aperta odas :

REPETENDUM.

At illi illius uoce cognoscens pre gaudio que fleuerat ualuas
    non rediit sit fratribus enunciauit :

REPETENDUM.

Alleluia alleluia uiso petro omnes mergebant pre gaudio
    que fleuerat uoce magna ET PETRUS INFIT dixit, *Nunc scio.*

(ITEM.)

§§ (xlviii), 132 with
Ps. *Et exeuntes processerunt uicum unum et continuo
    discessit angelus ab eo et petrus ad se reuersus dixit, Nunc scio.*

ALIOS.

Angelus domini praefulgidus suscitauit petrum dicens
    surge uelociter : at ille ad se reuersus dixit,   *Nunc scio.*
Ereptus de carcere et de manu impii herodi chatene
    reseratus letus procedens ait,   *Et eripuit.*
Conlaudans dominum regem excelsum ihesum christum
    qui liberauit eum de tribulacione magna :   *Et de omni.*
                 Ps. *Nimis honorati.*

ALIOS.

Pastor horbis clauiger que celestis petre apostole sub-

uenit chatenis te flagitando corda petit peccamina
soluet eia iam iubilate,   *Nunc scio.*[1]

ITEM LAUS.

Gloria . . . Angelico affatu . . . .]

AD OFFERENDAM.

Mundum uelut stercora calcarunt pede et te auctorem
uitae secuti sunt, ideo   *Constitues.*

[AD OFFERENDAM.
Clauiger aethereus princebs in principi petro
ecclesiam precibus hanc rege petro tuis, eia   *Tu es petrus.*
Deitatis inspector uinculatorum cathena soluens quos
accendit amor in laude tuis :   *V̄ Beatus es.*]

AD COMMUNIONEM.

Simonis eia uirot christi pia uerba canamus   *Simon.*

[(ITEM.)
Apostolorum summa consonant laudes simul eia
principi petro canimus eia
Cum surrexisset saluator triumphans cum gloria eia
aparens apostolis ad simonem dixerat,   *Simon iohannis*

---

[1] 887 adds §§ 134 (xlviii) and also
    Emicant egregiis loquelis uerba pretoris
    ferreis euectus ferris mirando proclamat   *Nunc.*
    Consors ipse deo deuota in te prosilit   *Quia.*
    Benignum sanctum nitore multo uernantem   *Angelum.*
    Ex omnibus conlaudat deum sed et insuper addit   *Et eripuit.*
    Pennifer adtritis baccis me inct liberauit   *De manu.*
    Positis militibus seu cuncto maligno conuentu   *Et de omni.*
    Proripit fugatus diuino nutu cohortem   *Plebis.*
       ALIOS.
    Presul ecclesie rutilanti lumine clarus
    subsidio fretus inquid angelico letus   *Nunc.*
    Ministrum luminis pellentem tenebras antri   *Et eripuit.*
    Orridi se nimia crudelitate furenti   *Et de omni.*
    Ore super rapido frendentem nec reuerenti   *Plebis.*
                                      ℣ *Mimist autem nimis.*

IN NATALI SANCTI PAULI. § 140.[1]

ALIOS.

Martyrio magni recolens doctoris in orbe	
ecclesiae clerus nunc eius uoce resultet :	*Scio cui.*
Certamen certando bonum cursumque fidele,	*Quia.*
In solio regni reddens hoc centuplicatum :	*In illum.*

[ITEM LAUDES.

Gloria . . . Rector ab arce . . . . . .]

INCIPIUNT TROPHI DE SANCTO AC BEATISSIMO DOMNO NOSTRO MARTIALE PASTORE ET DUCE AQUITANORUM.
[EODEM DIE SANCTI MARCIALIS.]

Martialem per sęcla cunctipotens legit nobisque aposto-	
lum dedit,	*Probauit.*[2]
Quia dignum fore preuidit ideoque illum digne ornauit :	
	Cognouit.
Galliam cunctam tanto pastore perornans,	*Deduxit.*
Quem decenter adornans polorum adeptus est regna ubi	
cum deo regnant :	*Et nimis.*

---

[1] Add Ps. *De relico repositum est mihi corona iusticię quam reddet mihi dominus iustus iudex.*   *In illum.*

1119 adds (no music) Letentur hodie omnes populi conlaudent cuncti angeli atque archangeli et omnes sancti (in)tercedant pro nobis ad dominum qui te (re)git pater pie uenerande paule,   *Gloria patri.*

[2] A good deal of this part of the troper has been rewritten in consequence of the decree of the Council of Limoges (1031) which gave St. Martial the title of apostle. (Gautier p. 88), and consequently altered the introit from *Statuit* to *Probavit*.

Alios.

Plebs deuota deo nostrum nunc suscipe carmen :
nempe uirum colimus de quo sapientia fatur,   *Probauit.*
Extulit atque suis coram altaribus almis :
Lemouicis famulum statuens dicare patronum :   . . . .

Item alios.

Martialem duodenus apex quia iure beauit,   *Probauit.*
Quem primum nouit tellus aquitanica patrem,   *Cognouit.*
Lemouicam sedem tanto pastore perornans,   *Deduxit.*
Et faciat claram crebris uirtutibus orbem,   *Et nimis.*

Item alios.

Sortis apostolicae quia martialis fuit unus,   *Probauit.*
Primus et occiduum christo generauit hic aruum,   *Cognouit.*
Est et apostolico fulgorus† in agmine doctor,   *Deduxit.*

Item alios.

Martialis meritum quia fulsit in agmine priuum,   *Probauit.*
Plebs acquitana suum gliscens hunc esse monarchum,   *Cognouit.*
Lemouicę plebi primus noua dogmata sparsit,   *Deduxit.*
Quo christo genitos faciat super astra beatos :   *Et nimis.*

Item alios.

Sedibus externis aduenit pastor hic almus
sortis apostolicae quia martialis fuit unus,   *Probauit.*
Hic pater eximius aquitanica rura peragrans,   *Cognouit.*
Sparmologus populis diffudit semina uerbi,   *Deduxit.*
Fonte sacra tinctos post haec benedicit ouanter :   *Et nimis.*

Alios.

Martialis dominum quia iessit pectore christum,   *Probauit.*
Lucis in archae locans ipsum sua uota lemouix   *Cognouit.*
Primus in occiduis fidem sparsit trinitatis,   *Deduxit.*
Hoc tellus aquitana nitet doctore magistro :   *Et nimis.*

Item alios.

Inclita refulget dies dicata martialis honore qui christum
    in carni felix meruit cernere,   *Probauit.*
Aeternae pacis erit effectus nobisque princeps adeo
    directus,   *Cognouit.*
Galliae totius patriarcha ut sit summus :   *Deduxit.*
Iter praebens suis qualiter christo possint necti in caelis,   *In.*[1]

---

[1] 1119 adds Sanctus Marcialis fulgorus apostolus ipsum
        carne deum meruit in uenis habuisse magistrum   *Probauit.*

Alios. (§ lxi.) i with

Quemque summus heros ditauit munere summo,   *Et principem.*
Ecclesiae propriae firmans per secla patronum,   *Ut sit.*
Et decus splendor ouans uita requiesque beata :   *In aeternum.*

Alios.

Martialis meritis uirtutum stemate pollet &c. § 200.   *Statuit.*

Alios.

Ut esset sacerdos secundum ordinem melchisedech :   *Statuit.*
with § 146 ii–iv.

Item alios.

Qui placuit domino magnus nunc ecce sacerdos,   *Statuit.*
Lustrauit sacris pectus purgando lucernis :   *Et principem.*
Iustitiae caput ornat diadema sacratum :   *Ut sit.*
Alma glorificatur ouans pi(e)tate per astra :   *In aeternum.*

Item alios. § 144.

Item alios.

Celsa polorum pontus et iam presulem istum laudent
canentes   *Statuit.*
Coronam sacerdotii,   *Testamentum.*
Quo uniti simus fide,   *Et principem.*
In sede sublimans,   *Ut sit.*
Manens indeficiens,   *In aeternum.*

Alios.

Pangamus omnes preconia festiuitatis hodiernę martialis presulis adiuta suffragiis, quia   *Statuit.*
Inter pontificum agmina celsioris emicat gratia :   *Ut sit.†*
Qui calcata hereticorum perfidia sanctae trinitatis docuit
mysteria :   *Ut sit.*
Et confracta draconis nequitia stolam immortalitatis
adeptus est in gloria   *In aeternum.*)

Fortis amore dei nam spraeuit utrumque parentem
quem dominus caenando suum dedit esse ministrum   *Cognouit.*
Spiritus ignifluus domini quem iure repleuit
omnigenis linguis et uero dogmate christi.   *Deduxit.*
Clauigero caeli meritis et sanguine nexus
in solio dominum residens conlaudat in euum   *Et nimis.*
Nos autem.

and a Regnum trope to the Gloria.   Rex apostolorum.

ALIOS.

Psallite omnes ouanter uoce sonora dicentes,	*Statuit.*
Pastori eximio a cunctis iam uenerato :	*Testimonium.*
Cuius marcialis [saturninus] imitator extiterat,	*Et principem.*
Dilectis ouibus seque redemptis,	*Ut sit illi.*
Sidereaeque sedis honestas,	*In aeternum.*[1]

[AD REPETENDUM. § 146. i.

LAUDES.

Gloria . . . O laudabilis rex . . . . .

AD SEQUENCIAM.[2]

Sancto Marciali laudes nunc promite celsas
    ALLELUIA canens nostra caterua sonet.
            Alleluia. Concelebremus.]

AD OFFERENDAM.

Martialis dominus roborat propheticę promens,	{*Diligo*}
Pax benignitas atque uictoria :	{*Dabitur*}
Asomatas fortis superabit nempe cateruas :	{*Et splende*}[3]

---

[1] 1240 adds Hora est psallitę iubet domnus canere eia dicite   *Statuit.*
    Pastori eximis &c. ut s.
[2] 1119 adds as Ѵ̵ AD PROSAM.
    Christus apostolico martialem ulmine campsit†
    laudibus angelicis nos inde canamus ouanter   *Alleluia.*
    ITEM ALIUM UT SUPRA DE CONCELEBREMUS.
    Martialis primus fidei noua nuncia gessit
    finibus occiduis ideo iubilando canamus   *Alleluia.*
  1240 has Regi inmortali (p. 189)
    887 has O sacer gloriose tibi sit laus gloria iocunditas sempiterna
      Nos quoque omnes dicamus eia   *Ualde lumen.*
[3] 1119 adds Diligo uirginitatem et fedus meum seruanti dabitur ei locus in meo
      sancto monte et splendebit caelesti beatitudine.
      Ѵ̵ Preceptum a domino traditum discipulis strenue MARCIALIS
      exercuit neque saculum neque peram neque calciamenta deferens
      quocunque ad predicandum ierit.
Ѵ̵ Designatus a domino per opida iudaica predicauit regnum dei, hoc autem
  expleuit a iudea ingentibus usque ad oceani occidentalis litora

AD UERSUM.

Martialis meritum ceu sidus lampat ut unquam,   *Misericordia.*)

[AD OFFERENDAM.

Christo egregias libemus odas cui residet almus mar-
    cialis redimitus sertis teste eo, canite omnes   *Ueritas mea.*
Marcialis meritum ceu sidus lampat ut unquam,   *Misericordia.*
Lemouicas statui cęlsa residere cathedra :   *Et sedes.*][1]

AD COMMUNIONEM.

Hic dictis praelucens morum probitate decoras,   *Beatus.*

ALIOS.

Ultima uenturae uenient cum tempora noctis,   *Beatus.*
Atque coronatum statuet in aethera seruum,   *Amen.*

[AD COMMUNIONEM.

O sacer gloriose tibi sit laus gloria iocunditas sempi-
    terna : nos quoque omnes dicamus tecum, *Domine quinque.*][2]

DE SANCTI BENEDICTI.[3]   §§ 66, 67.

(ALIOS.

Psallite doctilogum quod iure decet benedictum :   *Os iusti.*
Quod benedictus habet regulae qui dogmata sanccit† : *Et lingua.*
Quo magis innormet fratres quam denique dampnet :   *Lex.*

ALIOS.

Laudibus o benedicte tuis chorus insonet omnis :   *Os iusti.*
Legibus informat monachos de munere christi :   *Et lingua.*
Aeterna precepta monet sine fine tenenda :   *Lex.*

---

[1] 1240 has Iamque pura pio mites canccorda colono
        innocuasque manus praecibus attolite
        Marcialis laudibus et faciles diuinas reddite uoces eia   *Ueritas.*
[2] 1119 adds Nolite gaudere quia Spiritus subiciuntur gaudere autem quia nomina
        uestra scripta sunt in celis.
        Ps. *Ecce dedi uobis potestatem calcandi supra omnem uirtutem inimici.*
[3] 1240 has Dedicatio ecclesiae between St. Martial and the Assumption.

ALIOS.

Cantica nunc reboent sacri preconia patris :   *Os.*
Sancta docet sanctos dura quoque dogmata prauos :   *Et lingua.*
Aptata reserans sacrae penetralia legis,   *Lex.*

ALIOS.

Psallite omnes huius sancti laudem cum psalmista,
      dicentes   *Os iusti.*
Hodie conciuis effectus est caelicolarum legionibus :   *Et lingua.*
Scrutatorem omnium corda sequens precepta, ideo   *Lex.*

ITEM ALIOS.

Iubilent omnes fideles cateruatim depromant psallentes,   *Os.*
Socius supernarum uirtutum effectus atque angelicis
      choris coniunctus est :   *Et lingua.*
Christi sequens uestigia ipse uero illi reddens sua pro-
      missa, ideo   *Lex.*

[ALIOS.

Labia sacerdotis custodiunt scienciam :   *Os iusti.*
Et legem requirunt ex hore ipsius :   *Et lingua.*
Quia angelus domini exercituum est :   *Lex dei.*
Et non subplantabuntur gressus eius :   *In corde.*

AD REPETENDUM.

Laudibus eximiis cohors cuncta sanctorum celebrant
      festa uoce dicant tonantis,   *Os iusti.*

ITEM LAUS.

Gloria . . . . . Rex tibi laus celsis . . . .]

SANCTI LAURENTII.

Lauream regni tenet leuita laurentius ecce :   *Confessio.*
Cultibus diuinis fulget christicola dei :   *Sanctitas.*
Torrida carne nitet habundat passio uera :   *In sanctitate.*

ALIOS.

Grata deo nimium sunt ista propheta fatetur,   *Confessio.*
Haec gemina retulit domino laurentius acta,   *In sanctitate.*

[§ 150 and AD REPETENDUM. § 151.

Omnes christicolę laudes deo cantate consona illi
　　clamantes cum uoce,					*Confessio.*
Quo manet olim pura facinorum ueniam electorumque,
									Sanctitas.
Quam nullus uisu audituque compręhendere quicquid
　　manet in eternum,					*In sanctitate.*
　　　　　　Ps. *Cantate domino et benedicite.*][1]

IN ASSUMPTIONE SANCTAE MARIE.
§§ 155 i–iii, 156.

Aulam sanctam nunc ingressi christicolę assumptionem
　　marie semper uirginis cęlebrantes ouanter,	*Gaudeamus.*
Hymnidicos resonando modos uoceque iocundos,	*Sub onore.*
Quae meruit peperisse deum per secula nostrum,	*De cuius.*
　　　　　　　　　[Ps. *Magnus dominus.*]
　　　ITEM ALIUD AD PSALMUM.
Cantemus omnes mellifluum carmen &c. (§ (li) adapted[2]

　　　ALII TROPHI.
Pangamus socii humili uoce laudum canora, et	*Gaudeamus.*
Quia magna eius munera magna rite pertonant solemp-
　　nia :					*Sub honore.*
Ipsa christi mater hodie feliciter ascendit ad aethera :	*De cuius.*
Plaudent coetus caeli laetantur omnes christicolae : *Et conlaudant.*

　　　§ 155 iv with
In quo nos beatus gaudere monet apostolus &c.	*Diem.*
Quae hodie caelos ascendit mortis deuicto principe,	*De cuius.*
Admirantes eam genuisse deum et hominem, (p. 151)	*Et.*

　　　[ITEM ALIOS.
Omnipotens &c. (§ 163 i) with
Dulcifluis digne recinendo cantibus odas,	*Diem festum.*
Alternis sonis modulos promamus ouanter :	*Sub honore.*
Agminibus uariis dominum qui laude fatentur,	*Et conlaudant.*

　　[1] 1119 adds Quicquid enim sanctum constat magnumque piorum
　　　　illius est largo concessum munere totum	Ps. *Cantate domino.*
　　[2] Also AD PSALMUM.
　　　　Almi regi ianuam lucida famulorum suscipe uota placabilia.	*Eructauit.*

ALIOS.

Omnipotens pater petimus tua praesidia suscipe nostra
    uota, ut   *Gaudeamus.*
Dulces canamus sonos eia filii karissimi :   *Sub honore.*
Astra polus arua simul laudant regem regum :   *De cuius.*
Paradisus gaudet et exultant angeli :   *Et conlaudant.*

ALIOS.

Exultemus omnes in domino qui hodie dudum per
    omne caelebratur mundum de tam precelsa solemp-
    nitate, dicentes   *Gaudeamus.*
Laetante suauiter pro agone certaminis ut inleso cor-
    pore hunc persoluamus honore,   *Diem festum.*
Reminiscentes homnibus obtutibus cum ceteris uirtuti-
    bus,   *Et conlaudant.*

ITEM ALIOS.

Hodie uirgo maria cęlorum petit alta, gaudet celestis
    caterua, et nos   *Gaudeamus.*
Carmina laudis choris sociantes angelicis que enixa est
    puerpera regem summi patris filium,   *De cuius.*
Uerbum carmen† factum ex uirgine collaudantes, *Et collaudant.*
Almi regis ianua lucida famulorum suscipe uota placa-
    bilia,   Ps. *Magnus dominus.*][1]

INCIPIUNT DE SANCTI AUGUSTINI.

Sanctus agustinum mundo quia rite beatus
    spiritus eximium constituendo patrem :   *Statuit.*
Doctrinae radiis perlustrans abdita mentis
    cum dedit hunc orbi sparmilogum docili : *Et principem.*
Turificando preces cedens redolere perhennes
    uota deum primo soluat et altithrono :   *Ut sit.*
Nunc memorare tuae presul super aethera turmae
    quo ualeat summo cantica ferre deo :   *In aeternum.*

---

[1] 1119 adds ALIUM.
    Pangamus socii (ut s.)
    Quia magna,   *Sub honore.*
    Ipsa christi mater hodie ex tirpet† orta est dauitica : *De cuius.*
    Plaudent cetus,

ITEM ALII.

Ecclesiae dóctor domini quoque fortis amator
    mitis agustinus quoniam fuit ac uenerator,   *Statuit.*
Iura sacerdotis tribuens quo sancta bearet,   *Et.*
Pontificisque pia statuit residere cathedra :   *Ut sit.*
Qui populi pia uota tulit altaribus almis.   *In aeternum.*

[[ITEM TROPOS DE DECOLLACIONE SANCTI IOHANNIS BAPTISTE.

Sacra melodimata recinendo clangite cuncti
    nempe que euuangelica de ihoanne pertonat tuba : *Iohannes.*[a]
Quem digito populis indicit latice baptizatum
    nosse cupit ipsum debeat inferis nunciare :   *Mitens.*
Homo uerus deusque uerax redempcio mundi
    et qui cuncta tenens equo libramine pensas :   *An alium.*

ALIA.

Celebranda satis precursoris domini atque baptiste mar-
    tyrii nunc dies adest de quo matheus euuangelica
    uoce intonat, ita dicens   *Iohannes.*
Iam enim mistici ministerii sui presciuerat finem proprii-
    que corporis imminere resolucionem :   *Mitens.*
Ad ipsum quem uoce testificante paterna hic est filius
    meus dilectus iordanicis tinxerit aquis agnumque
    dei demonstrauerat cunctis quem interrogat dicens   *Tu es.*
Quem ego mundo ennunciauit† et nunc capite plecten-
    dus inferno te nunciem :   *An alium.*

ALII.

Precursoris domini omnes christicolę laudes deo promite
    quem euuangelista pertonuit consona uoce,   *Iohannes.*
Miracula cernens omini et magistri sui auditu que
    audiuit, tunc   *Mitens.*
(F)Dantur alumni interrogando magistri obedientes
    precepta dicendo,   *Tu es.*
Nosse cupit tuus domine precessor uenerabilis ut sicut
    te indicauit superis ita nunciet inferis,   *An alium*

---

[a] Iohannes autem cum audisset in vinculis opera Christi, | mittens duos de disci-
pulis suis ait illi Tu es qui venturus es | an alium expectamus.

Alii.

Psallite christicolę eia melodema intonantes dicite canite
   cum laude uaticinio euuangelice iocundantes re-
   boate,   *Iohannes.*
Egregii uates melos sonet celica prolem :   *Mitens.*

Ad offerendam.

Uncesto herodes grauiter stimulatus amore
   iusticieque carens bella nefanda gerens :   *Misit.*ᵃ
Uertice multatur domini precursor onesto :   *Quo audito.*
Ubi ce† constricto palmas utrasque per altans   *Medio.*

Ad communionem.

Rex precolsus† ait misori quam bene uestro   *Ite.*

IN NATIUITATE SANCTA MARIA.

Fulget nempe dies.   § 156 but for line 2.
quo ex stirpe dauid uirgo processit maria, unde   *Gaudeamus.*
Idem iessea uirga olim promissa hodie nobis est nata : *De cuius.*
Mirabili laetitiam,   *Gaudent.*
Admirantes exortam tantae magnitudinis reginam
   benedicunt adornant,   *Et collaudant.*
Conditorem mundi,   *Filium.*

Item alii trophi.

Caelitus instructi sophię spiramine sancte,   *Gaudeamus.*
Stirpe dauid fulsit regis haec stemate celsi   *De cuius.*
Spiritus aetherei pro qua pia cantica soluunt *Et conlaudant.*

Item alii.   §§ (lv.) [(liv.)]¹

Alii.

Pangamus socii *ut supra* with
Ipsa christi mater hodie ex stirpe orta est dauitica, *De cuius.*

[Omnipotens petimus.   § 163 i, with dulcifluis (see p. 204).

ᵃ Misit rex spiculatorem precepit amputare capud Johannis in carcere :
  quo audito discipuli eius venerunt et sepelierunt eum.
¹ 1119 adds § (lv) and § 195 i, and joins the Assumption and the
  Nativity together.

LAUDES.

Gloria . . Laus tibi domini celsa potestas . . .]

IN EXALTATIONE SANCTAE CRUCIS.

Glorientur cuncti (p. 149) i–iv, vi with

AD PSALMUM.

Se ipsum offerens hostiam immaculatam deo patri pro
    nobis,   *Deus miserere.*

AD GLORIA.

Gloria nostra crucis est uictoria et paradisi ianua   *Gloria patri.*

ITEM ALII.

Caelestem christe (p. 149 v) with
Cum caeli pariter plaudentes esse ministris
ordinis ac cunctis superis iubilare beati :   *In cruce.*
Qui summus pietate polo descendit ab alto
uagiit et cunis gestatus uirgine matre :   *Per quem.*

AD OFFERENDA.

De trophea ferens ad caelos uictor auerni
orbis regnator hominum quoque christe redemptor,   *Protege.*

AD COMMUNIONEM.

Sumitur en corpus salutare cruorque sacratus
uexillo crucis, ergo boans dic turma fidelis,   *Crux ihesu*

SANCTI MAURICII.

[X. KAL. OCTOBR.
NATALE SANCTORUM MAURICII EXSUPERII CANDIDI
UICTORIS CUM SOCIIS EORUM ITEM TROPHUS.]
Haec legio duce mauritio pro nomine christi
mortem sponte subiit cum mox ei christus et inquit : *Uenite.*

Iure coheres mei uos paciendo sequaces :   *Percipite.*
A patre sponte datum sed agone coemptum :   *Quod uobis.*
Uos legio mea cum superis iam decantantes,   *Alleluia.*
[Ps. *Cantate ii* ad Repetendum *Esuriui.*][1]

[ITEM LAUDES.

Gloria . . . Hinc laudando patrem . . . .]

INCIPIUNT DE SANCTO MICHAHELE.

[III. KAL. OCTOBR. INUENCIO BASELICE SANCTI ARCII-
ANGELI MICHAELIS SONUS III.] §§ 173 i, ii (lvii), 172 i–iii.

O uos quos in principio creauit omnipotens ad laudem
     et gloriam nominis sui,   *Benedicite.*
Desiderantes eum intueri cuius uultum cernitis semper
     presentem :   *Potentes.*
Ipsum collaudantes per quem geritis mirabiles res :   *Qui facitis.*
Adimplentes iussa iugiter ipsius,   *Ad audiendam.*
         [Ps. *Benedic anima mea.*]

     ALII.

Festiuo iam imminente die uestro splendore lustrato
     una nobiscum et michaele arcangelo,   *Benedicite.*

     ALII. [AD REPETENDUM.]

Quem cuncta laudant simul creata regem aeternum
     atque tremendum,   *Benedicite.*
Imparibus uos officii qui iussa refertis,   *Potentes.*
Soluentes populis diuina dogmata iuris,   *Ad audiendam.*

     ITEM ALII.

Ecce iam caelicolae in huius principis uestri michaelis
     solempnitate pręces nostras uestris iungentes
     laudibus,   *Benedicite.*
Et exorate quesumus ipsum pro nobis qui uos ad se
     laudandum creauit tam dignissimos atque praeclarus :
         Potentes.
Ergo petimus ut uestro iuuamine sursum subleuati
     mereamur uobis coniungi :   *Ad audiendam.*

---

[1] 1119 adds Martirii quin te mei uos sanguine testes
       uictricis pugne meruistis ferre triumphum :   *Uenite.*
    Et quia feruentes certastis amore . . . .
       uite tripudium capietis in axe perhenni :   *Quod.*
    Concentu parali quo me super astra fatentur :   *Alleluia.*

ITEM ALII TROPHI.

Angelici nunc rite chori christique ministri,	*Benedicite.*
Uos adstare deo dauid docet ecce superno :	*Potentes.*
Iura datis cunctis sacre quoque mistica legis,	*Ad audiendam.*

[ITEM ALII.

§ 173 i, iii, ii with Ps. *Qui facit angelos suos.*

ITEM LAUDES.

Gloria . . . Laus angelorum salus . . .]

AD OFFERENDAM. [§ 177. i.]

Factum est silencium in cęlo quasi media hora et
    septem angeli stantes erant in conspectu dei et
    date sunt illis septem tubae et uenit alius et   *Stetit angelus.*
Ut adoleret ea super altare aureum quod est ante
    thronum: *Et ascendit.*

AD COMMUNIONEM.

Auctorem omnium in aeternum laudantes regnantem,
                                 Benedicite.
   [Ps. *Benedicite omnes uirtutes domino domino*
      Benedicite omnia opera domini domino Hymmum dicite.]

OMNIUM SANCTORUM.

§ 193 i.	*Gaudeamus.*
Annua festiuis sanctis recinendo choreis,	*Diem.*
Applaudunt caeli ciues super aethera christo,	*Et collaudant.*

ITEM ALII.

Eia plebs deuota deo nunc corde sereno,	*Gaudeamus.*
Consonet ore simul nostrorum flos meritorum,	*Diem festum.*
Aeterni socii fulgoris germinis alti,	*De quorum.*
In qua hodie omnes sanctos condignis laudibus uenerantur :	*Et.*
	[Ps. *Magnus dominus.*]

ALII.

Sanctorum sancto cunctorum laude canendo,   *Gaudeamus.*
His recinendo sonos supplici modulamine dulces,   *De quorum.*
Qui uice conserta simul alternando resultant :   *Et collaudant.*

ALII.

Secla deus gratis quos presciit ante fideles
in conualle licet lacrimarum corde cruentos,   *Gaudeamus.*
Gloria nostra manet quia nunc letamur in ipso :   *Diem.*
Curiam ornatam cęlesti plaudat hiatu :   *De quorum.*
Pastoris uident sociata cui uulnere caulis :   *Et collaudant.*
[Ps. *Letamini in domino.*]

ITEM ALII.

Ecce christicolę psallentes carmina laudum,   *Gaudeamus.*
Corde simul ore lęti uisceribus totis,   *Diem.*
Primorum patrum pręsencium ac futurorum,   *De quorum.*
Cernentes gregem socium sibi nam benedicunt,   *Et collaudant.*

ALII.

§ 195. i with
Organa nunc laxis resonemus in ordine fibris,   *Diem.*
Qui meruere deo iungi super astra superno,   *De quorum.*

ALII [AD REPETENDUM].

Hodie est fratres omnium sanctorum festiuitas qui cum
christo regnant in aeternum, unde   *Gaudeamus.*
Nunc sanctis iuncta resonemus organa cunctis :   *De cuius.*
Ac caeli ciues summo dant cantica christo :   *Et collaudant.*

ITEM ALII TROPHI. § 196.

[ITEM LAUDEM.

Gloria . . . Laus tibi summe deus . . .]¹

DE SANCTO MARTINO.
§§ (lx,) [201, 144]

Lętabunda per orbem nunc emicat dies qua pauper et
modicus hic pręsul martinus cęlum ingreditur
diues, quia   *Statuit.*

¹ 1240 has Laus tua deus and AD SANCTUS Deus omnipotens pater.
817 has AD VERSUM OFFERENDE.
Vera est in celum sanctorum leticia dum clara semper
cernitur dei presencia   *Laetamini.*

P 2

Pontificale dedit ei decus auctor honorum　　　　　*Et principem.*
Prebuit hac aris pro plebe adstare sacratis,　　　　　*Ut sit.*
Uota ferat domino laudis in munere summo,　　　　*In aeternum.*
　　　　　　　　　　　　　　　　　[Ps. *Misericordias.*]

ALIOS.

Eia gaudete martino quia pium est hunc paradisicolę
　　hodie excipiunt gaudentes, quia　　　　　　　*Statuit.*
Munia illius deuotus impleuit satis est quod huc usque
　　certauit :　　　　　　　　　　　　　　　　*Et principem.*
Quere beatum in quo dolus non fuit ;　　　　　　*Ut sit.*
Est enim ille ut est consertus apostolis ac prophetis, *In eternum.*

[[ALII.

Hic domini famulus, &c. (§ 213. i)
Quo manna ualeat cunctis prebere superni,　　　　*Et principem.*
Armis accinctus uerbi uestiuit honore :　　　　　*Ut sit.*
Et decus (§ 213 iii)

ALIOS.

Qui placuit domino magnus nunc ecce sacerdos　　*Statuit.*
Lustrauit sacris pectus purgando lucernis　　　　*Et principem.*
Iusticię caput hornat diadema sacratum :　　　　*Ut sit.*
Alma glorificatur ouans pietate per astra,　　　　*In aeternum.*

ALIOS.

Pangamus omnes pręconia festiuitatis hodiernę martini
　　presulis adiuti suffragiis, quia　　　　　　　*Statuit.*
Inter pontificum agmina celsiori emicat gracia :　*Et principem.*
Qui calcata hereticorum perfidia sanctę trinitatis docuit
　　misteria :　　　　　　　　　　　　　　　*Ut sit illi.*
Et confracta drachonum nequicia iam inmortalitatis
　　adeptus est in gloria :　　　　　　　　　　*In eternum.*

ALIOS.

Psallite omnes ouanter uoce sonora dicentes,　　*Statuit.*
Pastori eximio a cunctis iam uenerato :　　　　　*Testamentum.*
Cuius martinus imitator extiterat :　　　　　　*Et principem.*
Dilectis ouibus seque redemptis,　　　　　　　*Ut sit.*
Sidereę†eque sedis honestas,　　　　　　　　　*In eternum.*

ALIOS.

Celsa polorum pontus et imma presulem istum laudent,
　　canentes[1]　　　　　　　　　　　　　　*Statuit.*

---

[1] 1240 adds Statuit illi pactum eternum dominus, dicite fratres eia　*Statuit.*
　　　Potentem fecit cum gratia sua, iubilate illi eia　　　　*Et principem.*
　　　Quo sit illi pontificalis infula uita salus beata, eia dicite　*Ut sit.*

Coronam sacerdocii,   *Testamentum.*
Quo uniti simus fide :   *Et principem.*
In sede sublimans,   *Ut sit.*
Manens indeficiens,   *In eternum.*

ALIUM OFFICIUM.

Ecce sacerdos magnus martinus gemma sacerdotum
  quem principem fecit dominus ut sit nobis recon-
  ciliacio Et non est inuentus similis illi habere
  laudem in omnes gentes :   Ps. *Benediccio nem.*

LAUDES.

Gloria . . . Laus honor christe . . . . . .]]¹

AD OFFERENDAM. § 70 [with 69 ii]²

AD COMMUNIONEM.

Hic dictis prelucens moram probitate dechorus :   *Beatus.*³

---

¹ 1240 has ANTE GLORIA IN EXCELSIS Sacerdos dei excelse . . . .
        ANTE SEQUENCIA   Regi inmortali . . . (ut s. p. 189.)
² 1240 has Jamque pura pio . . . (ut s. p. 202.)
    Fulget in ordine apostolico presul uenerandus
        uobis romuladet clemens pastor cui summus   *Dicit.*
    Pectoris e sacro manantes forte superni   *Quos dedit.*
    Munere gratuito quos do gratis bona cunctis   *Non defi.*
    Quod nectar celeste replet ructamine diuo   *Adest.*
    Adscriptum in libro uite celestis herili   *Et munera.*
    Que typicis adoperta patent reserata figuris   *Accepta.*
    Thus ut hodoriferum redolencia balsami odorque   *Super.*

    ALIOS.

    Clementi credens diuini semina uerbi   *Dicit.*
    Ad populi documenta piis promenda salute   *Non defi.*
    Quod profert ueterisque noue uestigia legis   *Adest.*
    Ob meritum digne cunctis memorabile seclis   *Et munera.*
    Sacra caro immaculati agni cum sanguine facta   *Super.*

    AD SUFFICIENDUM.

    Aecclesie caulas pastori rite tuenti   *Dicit.*
³ 1119 has St. Austin here. 887 adds St. Clement.

[[III KAL. DECEMB. NATALE SANCTI SATURNINI EPISCOPI ET MARTIRIS.

TROPOS IN DIE AD MISSAM.

Hodiernum caelebremus diem quem in honore saturnini
    presulis christi ac martiris hunc psallentes domino
    deprecemus cui prestitisti triumphum te iubilemus
    cum ipso houantes,   *Letabitur.*
Cum uirtute seuientem mundum iussisti te auctorem
    inimicum uincere,   *Et sperabit.*
Hunc modo omnes persoluamus canentes christo deo
    meritis precibus saturnini martiris :   *Et laudabuntur.*

ALIOS.

Psallite eia quod saturninus inclitus martyr leticia sempi-
    terna gaudet, eia   *Letabitur.*
Modulamina dulcis kamene psallamus illi :   *Et sperabit.*
Qui hodie dedit triumphum martiri inclito saturnino : *Et laud.*

ITEM ALIOS.

Agmina iam cęlica dant tibi laudes eternas, quia   *Letabitur.*
Munere christi ditatus gaudebit :   *Et sperabit.*

ALIOS.

Inclitus martir saturninus caęlesti carmina cantica
    angelorum triumphat cum illis :   *Letabitur.*

ITEM ALIOS.

Alme martir saturnine gaude cum sociis roga pro tuis
    ut tibi hodie laudes reddamus, dicentes   *Letabitur.*
Dicite psallentes quia pugnauit pro christo,   *Et sperabit.*
Laudes reddite christo qui coronauit uirum adprobatum
    in gloria :   *Et laudabuntur.*

TROPOS UNDE SUPRA DE GLORIA ET HONORE.

Sednam† alcioram cupiunt minari letus in mundo fragili
    qui seculo respuit fore beandus :   *Gloria et onore.*

ALIOS.

Quidnam carcere uellit ualuas intrepidus minas
Cultorum penas adnexit dextram sibi supernam :   *Gloria.*
Quod trucidari christum dilexit uidens membra sequi
At illatis penarum uita comisit grates longeuam : *Et constituisti.*

AD PSALMUM.

Almitonans hodie sacrarum culmina dies
Coetus orbi terre tegit tolose que publica sedis :

Ps. *Domine dominus noster.*

(ALIOS)

Uinclis in his turmidus armauit pectoris ore laureato
coronati sunt sanguinem morte fulciri :   *Gloria.*
Gloriosa dies ueneranda qua nexuit uates meminit uultus
Olim modo debita flagrans deifica presenti dies : *Et constituisti.*
Hunc patrie procuratorem ac pastorem decorum hidolos
comisisti destruere :   *Super.*

AD GLORIA.

O beate martir saturnine salutem nobis implores precamur
Ut pudenda mundares nostra uicisti templa deorum :

Gloria patri.

ALIOS.

Sacerque sacramento uirtutis roborans fidem
Qui sublima querens perpetim illis tribuens laudem,   *Gloria et.*
Cum uirtute seuiente . . . *ut supra*   *Coronasti.*
Hunc modo omnis . . .   *Et constituisti.*

ITEM LAUDES.

Gloria . . . Quem cuncta laudant . . . .

AD OFFERENDAM.

§ 70. ii. with § 69. i. and § 70. i.

AD COMMUNIONEM.

Sacer christi saturnine martir subueni cateruis te flagitando
corda petit peccamina soluit, eia iam iubilate   *Qui uult.*]]

NATALE SANCTI ANDREAE APOSTOLI.

Sanctorum colegia apost

* * * *[1]

[[Tropus.

Ecce uir prudens andreas cui christicole pandunt hodie
annua et uates proferunt cum dauitica psalma dulciflua uoce affantes : *Michi autem.*

[1] 1119 Sanctorum collegia apostolorum ouans collaudat ita propheta : *Michi.*
    Trinitatis nomen climata parac1iti repleti donis per uerbum
      patris : *Honorati.*
    Ortum deificum apostolicis culminis diruunt, unde *Nimis.*
    Actum apostolicis arua dedisti regimen dum ad aetherea loca
      magnificatus es : *Principatus.*

    ALIUM.

Culmen apostolicum andreas super hastra beatus
insignis retinet, nos unde canamus ouanter *Michi.*
Miro lustrantes uarioque libramine cosmum : *Michi.*
Sedibus aethereis gestantes serta per eon : *Nimis.*

    ALIUM.

Alma dies cunctis nimium ueneranda refulget
Andreae sancti festiuo honorandaque cultu : *Michi.*
Uocibus altissonis cuius psallamus onore.
Leta cohors proclamet ouans nunc nostra canendo : *Domine probasti.*

887 adds also §§ 204, 205, 206, and others.

Undique christicolum andreae dum festa recenset
Concurrens almi . . . . nunc turba resultans
Concinat altithrono cecinit quos uatis eadem *Mihi.*
Litus terrigenas postquam dominere supremo *Nimis.*

    AD SUFFICIENDUM.

Apostolicis uenerandis melos clangamus honoribus *Mihi.*
Amicti honore preclaro *Amici.*

    ALIOS.

Concinat andreae sanc   plebs festa colenda
celica quod psallit ugiter melodema chorea *Gloria.*
           Seculorum Amen. Mihi.

    ALIOS.

Christe tuos mundo segregans pietate ministros
quos legerat tibimet faciens in regno coheres.

    SANCTI ANDREAE.

Ut meruit christi gliscens inuisere tecta *Dicit.*
Attrait et petrum societ quo iure magistro *Et adduxit.*
       Gloria seculorum Amen.

Intantum apostolorum quo extorserit uenerabilis princebs in officium prurimum,† *Nimis.*
Robustus in hominibus cui coetus apostolicus et hordo
consonant laudes reboat propheticus : *Principatus.*
Ps. *Intellexisti.*

ITEM LAUDES.

Gloria . . . Rerum creator qui pietate . . .]]¹

---

[1] 1119 has TROPOS IN FESTIUITATE SANCTE UALERIAE UIRGINIS

Digniter eximii recolentes munera festi,	*Gaudeamus.*
Congrua soluentes digna quoque praemia laudum,	*Sub.*
Diuicias secli temsit que mente fugaci, ei(a)	*De cuius.*
Applaudant cherubim cui hac seraphimque beata :	*Et conl.*

(ITEM.)

Martialis quia ualeriam tibi christe dicauit	
spernentem thalamos luxus et gaudia secli :	*Gaudeamus.*
Haec sponso placuit domino iam rite perhacto,	*De cuius.*
Caeleste quacum iubilant super astra caterue :	*Et conlaudant.*
	Ps. *Eructauit.*

cp. 887 which has these two tropes just before Pentecost and adds also

TROPOS

Leticie fibris laxantes ora iocundis	*Gaudeamus.*
Spreuit opes talamumque ducis haec rite puella	*De cuius.*
Quem referunt sponso pia dantes cantica christo	*Et conlaudant.*

AD REPETENDUM. 163 i. with

Dulcifluis digne recinendo cantibus odas	*Diem.*
Aeternis sonis modulos promamus ouanter	*Sub honore.*
Agminibus uariis dominum qui laude fatentur	*Et conlaudant.*

(DE TROPERIO MONASTERII NOUALIC.[1])

(*a*) OFFERTORIUM   *Ad te domine levavi* . . . (Adv.[1])
        VERSUS I.   *Dirige me* . . .   *Etenim.*
        VERSUS II.   *Respice in me . . . quoniam-*
INCIPIUNT UERBA   Inuocaui te Redemptor rex saluator
                     pax lux pacifica spes eterna
                     adiuua me rex omnipotens
                     exaudi me salus te precor uerus
                     qui es adiutor pater trine deus
                     cuncta mea crimina et delicta tu
                     relaxa   *-inuocaui te.*
                                            Etenim . . .

(*b*) UERBA.

(i) Alle—sedule specie lucida   *Alleluia.*
Sanguine dicata Christi ecclesia   *A* . . .
Exulta consona uoce cum cythara   *A* . . .
Erepta morte perpetua scandensque polorum sydera   *A* . . .

(ii)   ℣. *Oportebat pati Christum*
O pie sator cui oportebat pati filium tuum christum :
               et resurgere a mortuis et ita
Intrare inferni claustra ac secum spolia   *intra* . . .
Ducere maxima et preda facta portare   *a* . . . *re.*
               in gloriam suam
Tecum sedens gaudens ad tuam dexteram   *A* . . .
Hic uenturus secla iudex erit cuncta   *A* . . .
Letare sponsa perpetua quam beata ferens ubera   *A* . . .

(iii) Cane rimice musice modula   *Alleluia.*
Dilata filia apta regis aula   *A* . . .
Emicans lilia ac fulgens preclara   *A* . . .
Extollens laudes ad ęthera ut nos saluet dei gratia   *A* . . .

---

[1] See Introduction, pp. xix, xx, xxxii.

INDICES.

I.

AN INDEX OF THE CUES OF THE COMMUNE SANCTORUM AND
THEIR ACCOMPANYING TROPES.[1]

II.

AN INDEX TO THE GREATER TROPES.[2]

III.

AN INDEX TO THE SEQUENTIAE AND THEIR CORRESPONDING
PROSES.

IV.

A SUMMARY LIST OF PROSES AND THEIR CORRESPONDING
SEQUENTIAE.

V.

AN INDEX TO THE CONTENTS OF THE INTRODUCTION.

---

[1] It has seemed useless to index the lesser tropes in general : they can all be easily
identified from the Gregorian cues which accompany them except in the case of the
Commune Sanctorum.

[2] This merely deals with the tropes from English sources printed in this volume :
for a full index see Gautier.

I.—AN INDEX OF THE CUES OF THE COMMUNE SANCTORUM AND THEIR ACCOMPANYING TROPES.

II.—INDEX TO THE GREATER TROPES.

---

* See Hereford Gradual. Brit. Mus. Harl. MS. 3965.
¹ For the melody see Liber Gradualis xvi.
² Graduale Sarisburiense pl. 8.
³ For the melody see Graduale Sarisburiense pl. 6 : the first plain kyrie.

KYRIELEYSON—*continued.*

		S	Y	H	E	C	V	IV	L	D	
27.	Orbis factor	S	Y	H	...	...	V	IV	L	D	
28.	Pater creator = 6				E		V	IV	L		49
29.	Pater cuncta			H	...	...	...	...			
30.	ᵃPuerorum caterua ...		Y	H	...	...	...				
31.	Piissime rex kyrie				E	...	...			...	53
32.	⁴Regum summe					C	V		...		121
33.	Rex magne					...		IV	L		132
34.	ᶜRex omnium sanctorum		...		...	...	V	...	...		127
35.	ᶜRex uirginum		Y	H		C	V		L	D	122
36.	Splendor eterne...			...	...		V		...		126
37.	Summe deus			H	...	C	V		L		122
38.	Summe rex				...	...			...	D	140
39.	Te christe (pater) supplices cp. 2				E	...		IV	L		47
40.	Theoricam practicamque				E	...			...		49

⁴ See Graduale pl. 7 the kyrie called Rex summe.

Note.—A farsed Kyrie beginning ' Kirie summe decus Marie matris eleyson' was in use at Winchcombe, was copied at the end of the 'Landboc' of the abbey, and is printed in Mr. Royce's edition of the Landboc (Exeter, 1892) i. p. 371.

GLORIA IN EXCELSIS.

1.	ªAngelica iam pater	...	...	...	CC		...	IV	L	58
2.	ᵇAue deus summe	...	...		CC	E	...	IV	L	55
3.	ªDeus inuisibilis...	...	...	...		E	...	IV	L	61
4.	ᶜHanc quesumus...	...	...		CC	E	...		...	57
5.	ªLaudat in excelsis	...	...	...	CC		...	...	...	58
6.	ᵈLaudemus dominum	...		...			...	IV	L	134
7.	ᵉLaus tibi domine	...	...	...	CC	E	...	...	...	55
8.	ᵉLaus tua deus ...	...	...		CC	E	...	...	...	55
9.	ªO gloria sanctorum	...	...	...	CC		C	IV	L	59
10.	O laudabilis rex...	...	...		CC	E	...	..	...	59
11.	ᶜOmnipotens altissime	...	..	...	CC	...	...	...	...	57
12.	O siderum rector	...	...		...	E	...	...	...	61
13.	Patri eterno	...	...	...	...	E		...	...	60
14.	ᵉPax sempiterna...	...	..		CC	E	...	...	...	54
15.	ªPrudentia prudentium	...	...	...	CC	E	...	...	...	57
16.	ᶜQuem ciues	...	...	...	CC		...	...	...	59
17.	ᶠQuem dominum = 22	...	...	...	CC	...	...	IV	L	56
18.	ᵇQuem decet ut ...	...	...		...		...	IV	L	135
19.	ᵍQuam deus acceptat	...	...	...		...	...	IV	L	137
20.	ᶠQuem glorificant	...	..		CC	E	...	...	...	56
21.	ᶠQuem iugi uoce	...	...	...	...	...	...	IV	L	136
22.	ᶠQuem patris ad = 17	...	...	...	...	E	...	...	...	56
23.	ªQuem uere pia laus	...	...	...	CC	E	...	IV	...	56
24.	ʰQui de morte	...	...	...	...	...	...	IV	L	134
25.	ᵏQui deus et rector	...	...	...		E	C	IV	L	60

26.	ᵉªRegnum, &c. . . O rex	S*		CC	E	C	V	IV	L	D	
27.	Sacerdos dei	...	...		CC	E	...	...	...	54	
28.	Spiritus et alme	...	S	H	...	...	...	...	D		
29.	ᵍSponsus ecclesie	...	...	...	...	...	IV		136		
30.	ᶠTe unum	...	...	...	CC	E	...	...	58		
31.	ªUt possimus	...	...	...	CC	E	...	IV	L	57	

ª signifies that these tropes are used in connexion with Sarum Gloria No. 4 see Graduale pl. 11.

ᵇ The Gloria with which these tropes are connected is not in Graduale or the Liber Gradualis.

ᶜ connects with Gloria No. 7, see Graduale pl. 13 (the first of the two).

ᵈ See Gloria No. 6, Graduale pl. 12 (the second).

ᶠ See Gloria No. 2, Graduale pl. 10 (the first).

ᵍ See Gloria No. 5, Graduale pl. 12 (the first).

ʰ See *Liber Gradualis*, No. XVI.

ᵏ See Gloria No. 8, Graduale pl. 13 (the second).

* only in Bodleian MS. Rawl. Liturg. d. 3.

SANCTUS.

No.		CC	E	C	V	IV	Page
1.	Admirabilis splendor	CC	E				66
2.	Ante secula deus	CC	E				66
3.	ªChristo regi				V		128
4.	ªClemens deus pater...				V	IV	128
5.	ᵇCuncta coeterno					IV	137
6.	Deus omnipotens pater	CC				IV	66
7.	ᶜDeus pater cuius					IV	138
8.	ᵈᵉDeus pater ingenitus	CC	E			IV	65
9.	ᶜEx quo sunt omnia...					IV	138
10.	ᵈIngenitus genitor	CC	E				65
11.	ᶠᵍLaudes deo				V	IV	127
12.	Mundi regnans			C			123
13.	ʰPater ex quo					IV	137
14.	ᵏPater ingenitus	CC	E				65
15.	ᵏPater lumen eternum	CC	E				65
16.	ᶜPerpetuo numine				V	IV	128
17.	ˡQuem pium benedicit				V	IV	138
18.	ᶜSancte (summe) ingenite				V	IV	128
19.	ªSanctorum exultatio				V	IV	129
20.	ᶜSit tibi summe			C			123
21.	ᶜSumme ingenite. See 18						128
22.	ᶜSumme pater deitatis					IV	138

ª refers to Sanctus No. 5, Graduale pl. 16.
ᵇ refers to Sanctus No. 2, Graduale pl. 15.
ᶜ refers to Sanctus No. 3, Graduale pl. 15.
ᵈ This Sanctus is not in Graduale or Liber Gradualis.
ᵉ refers to *Liber Gradualis* No. I.
ᶠ This Sanctus is not in Graduale or Liber Gradualis.
ᵍ This Sanctus is not in Graduale or Liber Gradualis.
ʰ refers to Sanctus No. 4, Graduale pl. 15.
ˡ refers to Sanctus No. 1, Graduale pl. 15.
ᵏ This Sanctus is not in Graduale or Liber Gradualis.

AGNUS DEI.

1.	ᵃCui abel iustus	... ...	CC	E		...		67
2.	ᵇDeus deorum	... ...			...	V	IV	129
3.	ᶜᵈFons indeficiens	... ...			...	V	IV	130
4.	ᵇLux angelorum	... ...			...		IV	139
5.	ᵉLux lucis ...	... ...	CC	E	...		...	68
6.	ᶠMortis dira ferens ...	... ...			...	V		130
7.	Omnipotens eterna ...	... ...	CC	E		...		67
8.	ᵃQuem iohannes in deserto ...	... ...	CC	E		V	IV	67
9.	ᵃQuem iohannes in iordane...	... ...			...	V	IV	129
10.	ᵍQui deus es uerus ...	... ...			...	V		129
11.	Qui es uera sapientia	... ...	CC	E		...		67
12.	ᵃQui patris in solio ...	... ...	CC	E		V	IV	67
13.	ᵈQui pius ac mitis ...	... ...			...		IV	139
14.	Qui sedes in throno	... ...	CC	E		...		68
15.	ᵃSpes mundi laus	... ...			...		IV	139
16.	ᵇSplendor patris	... ...			...		IV	139

ᵃ refers to Agnus No. 6, Graduale pl. 18.
ᵇ refers to Agnus No. 9, Graduale pl. 18.
ᶜ refers to *Liber Gradualis* IV.
ᵈ refers to Agnus No. 2, Graduale pl. 17.
ᵉ refers to Agnus No. 1, Graduale pl. 17.
ᶠ refers to *Liber Gradualis* VII.
ᵍ refers to Agnus No. 3, Graduale pl. 17.

III.—INDEX TO THE SEQUENTIAE AND THEIR CORRESPONDING PROSES.

This list is based on two collections. 1. The Winchester series printed in SMALL CAPITALS—and 2. The Notkerian series taken from Schubiger with additions from Bartsch and elsewhere. There are besides a number of others quoted (in italics) from various sources, the principal being—

> L = The Tropers of St. Martial, Limoges.[1]
> N = The Nevers Troper.[2]   E = The Echternach Troper.[3]
> P = The Prüm Troper.[3]   B = Bartsch *Lateinische Sequenzen.*
> C = The Cluny Troper.[4]

An asterisk * placed against a Sequentia implies that it is connected with the Gregorian Alleluia.

An obelus † placed against a prose implies that at Limoges the first words of it were used as heading to the Sequentia *instead* of the proper independent title which was in use elsewhere, or, in some cases, *as well as* an independent title.

The Roman and Arabic numerals following the titles in the case of the Winchester Melodies refer to the list as printed from MS. CC (pp. 71–81) and to the facsimile plates. The Arabic numerals by themselves refer to the *Exempla* in Schubiger,

---

[1] Those which contain the Sequentiae are the Paris MSS. Bibl: Nat: Fonds Latin 887, 909, 1084, 1118, 1119 (joined with the Proses), 1121, 1133–1137 ; see Gautier pp. 111–123. These Limoges MSS. give only in some few cases the proper titles to the melodies : more often instead of a title there are prefixed to a Sequentia the first words of the Prose or Proses corresponding to it. Any additional light so thrown on the Sequentiae is taken account of in the following list : but some of the headings throw no additional light on the subject, as when *e.g.* they merely connect a Prose and a Sequentia both of which are otherwise unknown. Nothing could be gained by inserting such headings in this index, but they are indicated in the Summary List of Proses (p. 239), which includes not only all the Proses dealt with in this index, but a number of others which are merely notable from the fact that their opening words are given in the Limoges MSS. as heading to an otherwise unknown Sequentia.

On the other hand in some cases a title is given to the Sequentia, but the corresponding prose or proses have not so far been identified : in such cases the titles are given in the Index following with a reference to the particular MS. in which each occurs.

[2] Paris Bibl: Nat: Fonds Latin 9449.
[3] See Reiners.
[4] Paris Bibl: Nat: Fonds Latin 1087. According to Gautier and Dreves this is also a troper of St. Martial, but this is very unlikely.

> (i) It belonged to Baluze and therefore came to the Library some time before the St. Martial MSS. (see L. Delisle *Le Cabinet des MSS.* . . i. 387, 444, 453. Paris 1868.)
> (ii.) It is entirely unlike the St. Martial Tropers in style : contrast the facsimile P.M. I. pl. xix with P.M. i. 27, 28, ii. 86, and see the account of it given in P.M. I. p. 118.
> (iii.) It has no reference to St. Martial but has the ull hour services of St. Odilo added on f. 112ᵛ. This seems to point to Cluny.

where a large proportion of the Notkerian Melodies are given in full and in modern notation.

The plain numerals in the right hand column refer to Misset and Weale's Analecta ; those with K prefixed to Kehrein ; those with a Roman numeral prefixed to some volume of Dreves.

[1] The Notkerian is not the same as either of the Winchester Melodies though equally with the first of them it is based on the Gregorian Alleluia.

---

[1] This is not given in Schubiger's list, but is among the Notkerian Sequences of the Freising Troper.

[2] The melody in the original form is wanting in MS. CC: it is xliv in MS. E.

---

[1] Bartsch quotes from Daniel *Thesaurus* v. 64, Laudes domino concinamus, and suggests deo for domino ; but this does not help to identify the sequence : there is a sequence Laudes deo concinat but its melody is not Concordia but Organa.

[2] See facsimile P.M. IV. pl. 1 (f. 437.)

[3] The melody is quoted but not given and in MS. E only. See p. 80.

[1] See Variae Preces p. 55
[2] See p. 80.

[1] See p. 80.

[1] See Variae Preces p. 53.
[2] K gives only the first line No. 166.

[1] See Variae Preces p. 228.
[2] See the Freising Troper.

[1] Variae preces p. 156.
[2] Variae preces p. 52.

[1] Variae preces p. 127.
[2] The Sarum Sequence Post partum does not belong to either of these melodies.
[3] The same prosula is enshrined in it. See p. 84.
[4] Not in Schubiger but in the Freising Troper.

---

[1] Variae preces p. 78.
[2] Cp. K.162 and vii. 231.

IV.—A SUMMARY LIST OF PROSES AND THEIR CORRESPONDING SEQUENTIAE.[1]

A

†Ad celebres	vii. 178.
Adest enim	Adest enim.
Adest nempe	Verba mea.
Adest pia	Adest pia.
Adest sancta	Spiritus domini.
Adest una	Celebranda.
Ad laudes salvatoris	Mater.
†Adonai sabaoth	vii. 117.
†Ad te cunctipotens	vii. 187.
†Ad templi hujus	vii. 222, 223.
Ad te pulchra	Bucca.
Ad te sancte	Planctus pueri.
Ad te summe	Spirtus domini.
Age nunc dia	Dominus regnavit.
Agmina laeta	Sanctus petrus.
Agni paschalis	Graeca.
Agone triumphali	Vox exultationis.
†Alle—boans	vii. 2c4.
Alle—caeleste	Mater sequentiarum.
Alle—cantabile	Multifarie.
Alle—sublime	Justum deduxit.
Alleluia christo	Eja turma.
Alludat laetus	Alludat.
Alma chorus	Tuba.
†Alma cohors una	vii. 218.
Alme caelorum	Pretiosa.
Alme deus cui	Quoniam deus, major.
Alme deus nunc	Te gloriosus.
Alme Jesu	Adducentur.
Alme martyr	Alme martyr.
†Alme sanctorum	vii. 260.
Almiphona jam	Almiphona.
Alte vox canat	Dulce lignum.
Altissime deus	Altissime.
Angelicae turmae	Adorabo, maior.

[1] This is the converse of the preceding index : but it contains also some additional proses from the Limoges Tropers whose opening words are given as headings to an otherwise unknown Sequentia, as explained above (see p. 227, note) : These are distinguished by an obelus †.

Ange'orum ordo	...	...	...	...	Laudate dominum.
Angelorum sacer	...	...	...	...	Excita domine.
Apostolorum gloriosa	...	...	...	...	Venite ad me.
Arce polorum	...	...	...	...	Non vos me.
Arce summa	...	...	...	...	Berta vetula.
Arce superna	...	...	...	...	Hieronyma.
Arguta plectro	...	...	...	...	Justi epulentur.
Arvae polique	...	...	...	...	Te decet.
A solis ocasu	...	...	...	...	Beatus . . . suffert.
Aulae caelestis	...	...	...	...	Tympanum.
Aulae celsae	...	...	...	...	Vaga.
Aurea virga	...	...	...	...	Hodie maria.
Aureo flore	...	...	..	...	Hodie maria.
Ave pontifex	...	...	...	...	Justus ut p. minor.
Ave summe praesulum		...	...	...	Beatus . . . timet.

B

†Beata tu virgo	...	...	...	...	vii. 113.
Benedicta semper	...	...	...	...	Benedicta.
Benedicta sit beata	..	...	...	...	Benedicta.
Benedicto gratias	...	...	...	...	Benedictus.
Blandis vocibus	...	...	...	...	Amoena.

C

Caelica resonent	...	...	...	...	Musa.
Caelum mare	...	...	...	...	Quoniam deus, minor.
Candida concio	...	...	...	...	Angelica.
Cantemus christo	...	...	...	...	Filia matris.
Cantemus cuncti	...	...	...	...	Puella turbata.
†Cantemus organa	...	...	...	...	vii. 84.
Cantent te christe	...	...	...	...	Ecce quam bonum.
Carmen suo dilecto	...	....	...	...	Amoena.
Celebranda	...	...	...	...	Celebranda.
Celsa lux sion	...	...	...	...	Eja turma.
Celsa polorum	...	...	...	...	Via lux.
Celsa pueri	...	...	...	...	Occidentana.
Christe domine	...	...	...	...	Obtulerunt.
Christe genitoris	...	...	...	...	Mater.
†Christe rex via	...	...	...	...	vii. 259.
Christe sanctis unica	...	...	...	...	Dies sanctificatus.
Christicolarum	...	...	...	...	Haec est sancta.
Christi domini	...	...	...	...	Hypodiaconissa.
Christi hodierna	...	...	...	...	Musa.
Christus hunc diem	...	...	...	...	Dominus in sina.
Clangant filii	...	...	...	...	Planctus cygni.
Clara cantemus	...	...	...	...	In omnem terram.
†Clara gaudia	...	...	...	...	vii. 54.
Clare cunctorum	...	...	...	...	Aurea.
Clare rutilans	...	...	...	...	Clarella.
Clare sanctorum	...	...	...	...	Aurea. Nimis honorati.

TROPER.   Γ

K

L

M

V.—INDEX TO THE CONTENTS OF THE INTRODUCTION.

HARRISON AND SONS, PRINTERS IN ORDINARY TO HER MAJESTY,
ST. MARTIN'S LANE, LONDON.

BEATUS VIR STEPHANUS

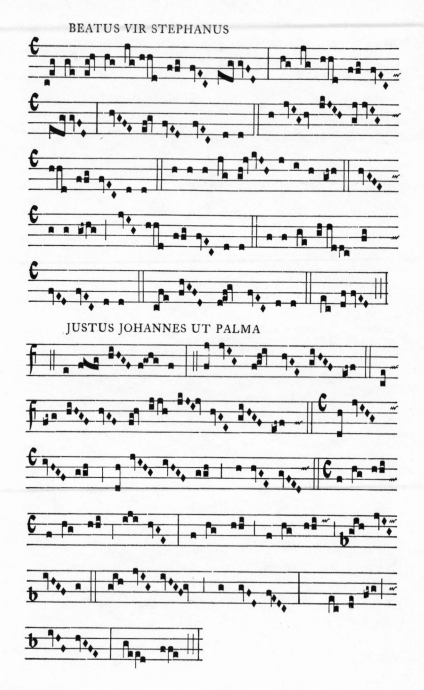

JUSTUS JOHANNES UT PALMA

1a

HIC TIBI CANTORI SUNT Ṭ... TA

SEQUENTIA PRESTO · QUE CIRCULO

ANNORŪ MODULANT ORDINE PULCHRO ·

A[lle] LUIA

BEATUS UIR STEPHANUS

A[lle]LUIA

IUSTUS IOHANNES

UT PALMA FLOREBIT IN CAELO ·

A[lle]LUIA

MULTIFARIE

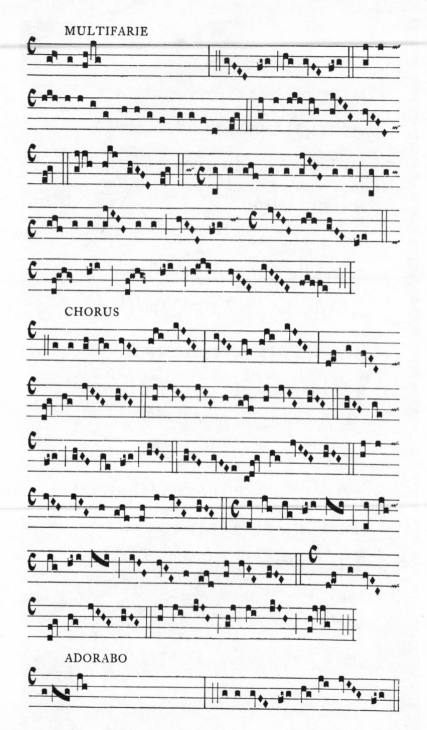

CHORUS

ADORABO

2a

DE INNOCENTIUM · AGMINIBUS ·

PVRA DEUM LAUDET INNOCENTIA ·

MULTIFARIAE ·

ALLE LU IA

CHORUS · IN EPIPHANIA XPI ·

ALLELUIA

ADORABO ·

ALLE LU IA

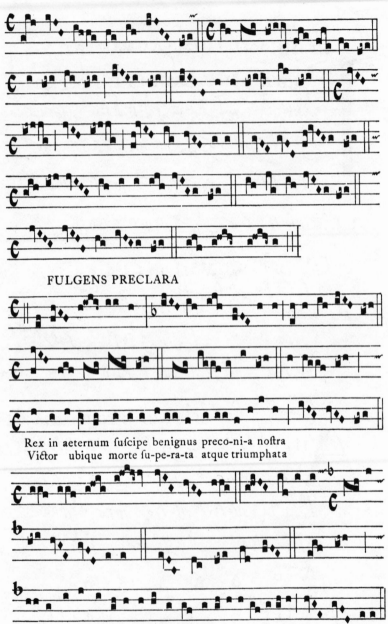

FULGENS PRECLARA

Rex in aeternum fufcipe benignus preco-ni-a noftra
Victor ubique morte fu-pe-ra-ta atque triumphata

Ortus de tri-bu iuda leo potens furrexifti in gloria
Regna petens fu-pera iuftis reddens premia in fæcula

FULGENS PRECLARA

ALLELUIA

Rex inaeternum suscipe benignus pre
conia nostra. ictor
ubique morte superata atque trium
phata.
O rouis
doctribu reda leo potens sur
ingloria. regna pdd
supera iustis reddens premia inscula

Ergo pie rex xpe nobis

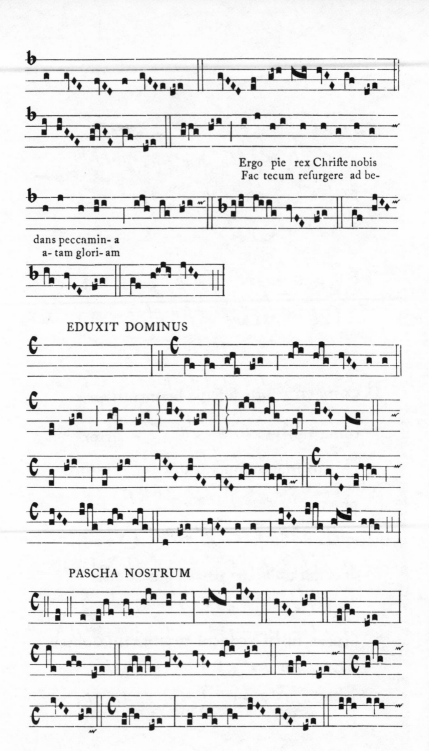

Ergo pie rex Chrifte nobis
Fac tecum refurgere ad be-

dans peccamin- a
a- tam glori- am

EDUXIT DOMINUS

PASCHA NOSTRUM

4a

A L le lu ia

E ce inae

ternu tribue benignus precoma nive

icior ubiqi morte superas

q; triumphar

deenbumidi leo potens surrexisti mglo

ria Regia petens supene iusht

reddens premia insaecula

rgo pie rex xpe

nobis dans peccamina Accem

resurgere ad beatum gloriam

SC EDUXIT DNS

A L le lu ia

R PASCHA NOM

4.

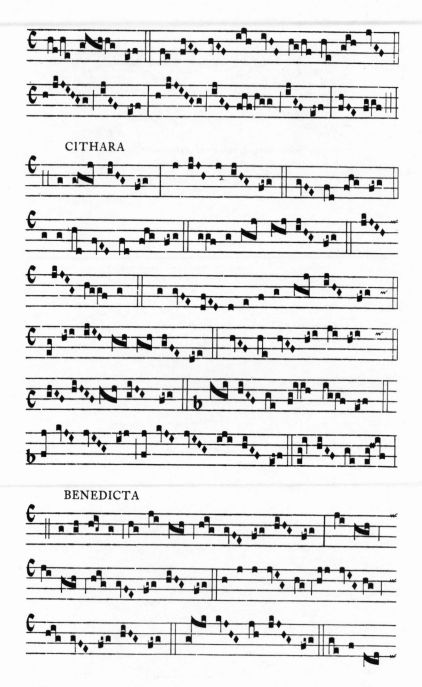

CITHARA

BENEDICTA

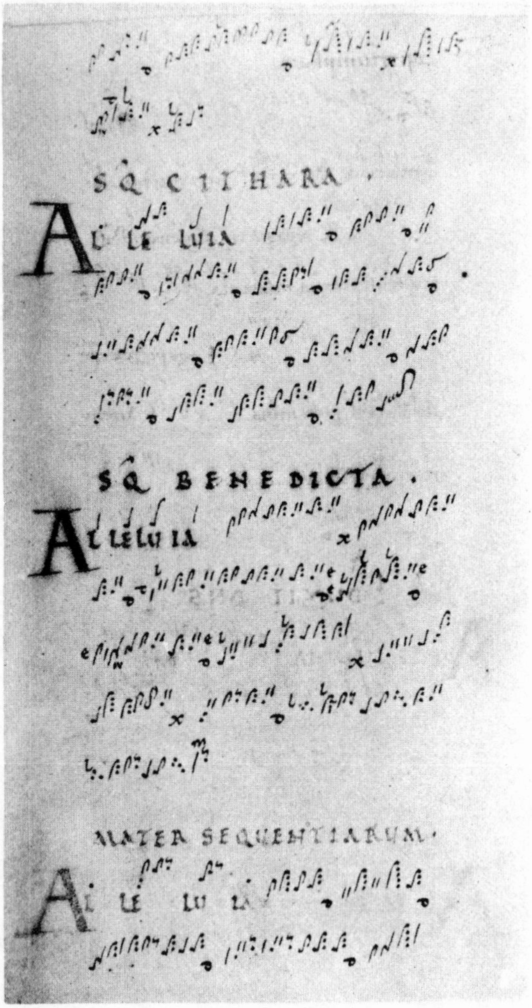
SQ CITHARA.
ALLELUIA
SQ BENEDICTA.
ALLELUIA
MATER SEQUENTIARUM.
ALLELUIA

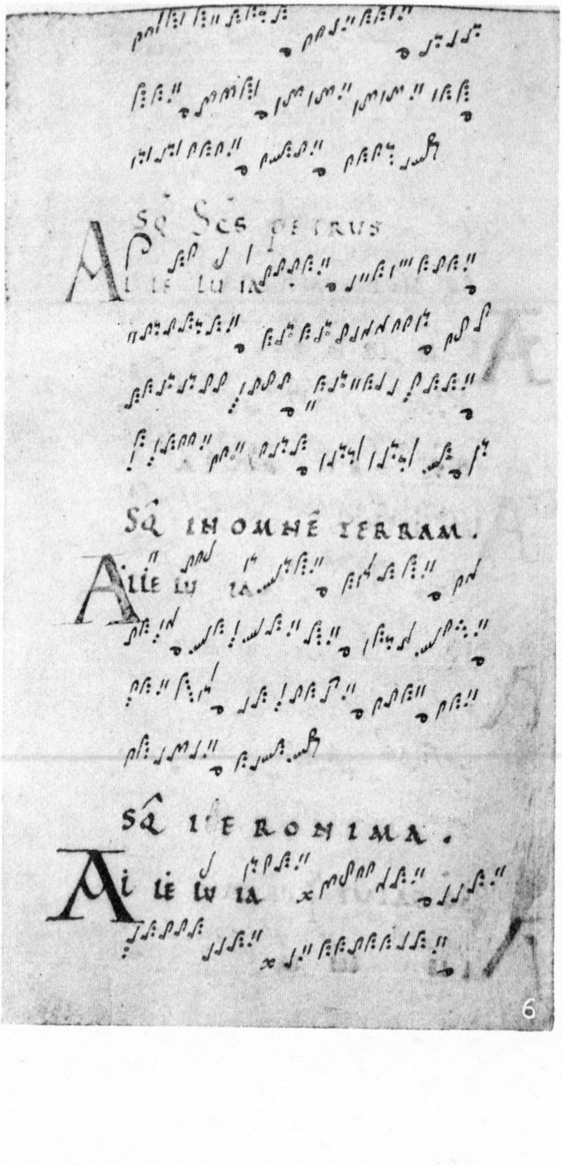
SQ Scs petrus
Alle lu ia
SQ in omne terram.
Alle lu ia
SQ Ieronima.
Alle lu ia
6

Sc̄ HODIE MARIA

ALLE LU IA

Sc̄ POST PARTU UIRGO

ALLELU IA

Sc̄ SALUE PORTA

ALLE LU IA

SĈA NOBILISSIMA·

Allē lū ia

SĈA PRETIOSA

Alle lu ia

I amnunc intonant precomia

X pin dominum lau
dantia psecula

Cuius sacre ruitant dona

quis decerne uite consequimur magna pre
mia Quimbeata
seorsu sunt agmina

Trinitati canite nouies inglo

8.

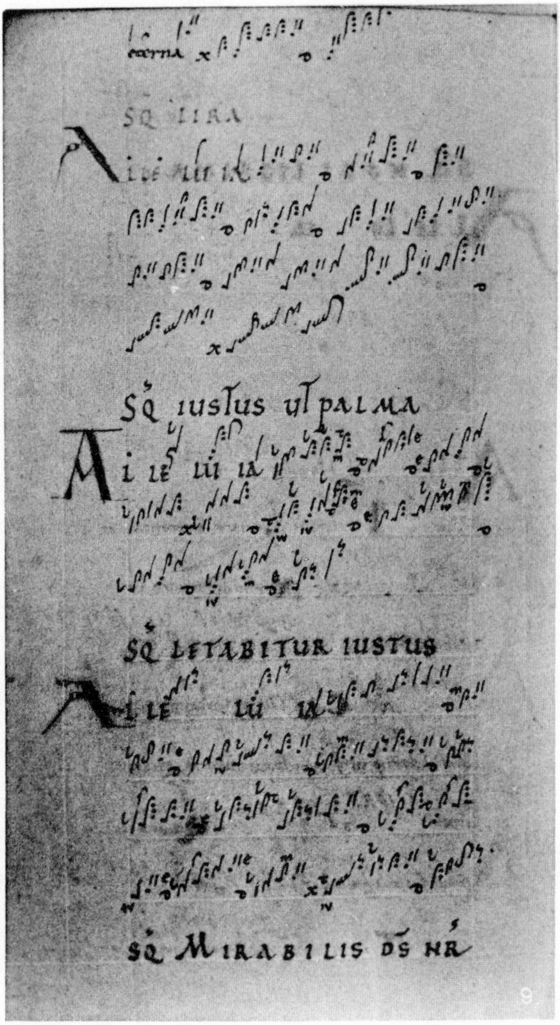
SQ IUSTUS UT PALMA
SQ LETABITUR IUSTUS
SQ MIRABILIS DS NR

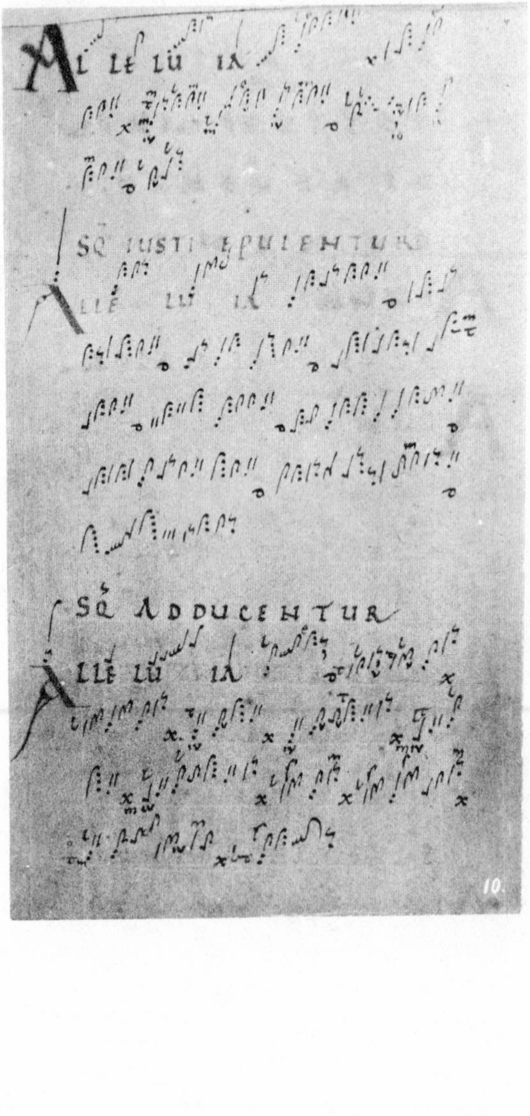
AL LE LU IA
SQ IUSTI EPULENTUR
ALLE LU IA
SQ ADDUCENTUR
ALLE LU IA
10

SEQVENTIA

OSTEHDE MIHOR

DE ADVEHTV

DOMIHI.

A lleluia

SEQ OSTEHDE MAIOR.

A lleluia

[musical neumes]

[musical neumes]

LETATVS ISVM

A lleluia

[musical neumes]

SEQ EXCITA DHE.

A lleluia

[musical neumes]

11

SCO DNS REGNAUIT

ALLE LU IA

SCO HEC EST SCA

ALLE LU IA

SCO QNM DS MINOR

ALLE LU IA

SCO QM DS MAIOR

ALLE LU IA

SĈO DNE REQUIUM.

A llelu ia

SĈO LAUDENT TE PIE.

Alle lu ia

SĈO ...

llelu ia

SĈO PLORATUM.

SĈ ECCE QUAM BONUM.

SĈ STANS ALONGE.

SĈ TRACTUS

SĈ TIMPANUM.

SĈ VAGA.

ALLELUIA

S̄ DULCE LIGNUM

ALLELUIA

S̄ UUINE LUX

ALLELUIA

Uilaluxuenias

perigrinos oma per tempora   Pretol

&munera hac domo sacre suscipe p̄ secula

Et epis precibus almi omnibus SUUITHUNI

reluxi peccamina   Regnia concedo

boret seoze mitie & scī tabernaculi

S̄ OMNES SCI

ALLELUIA

SCĪ BERTA .

ALLELVIA ...

SCĪ ADORABO MAIOR .

ALLELVIA ...

Suscipe laus angelorum laudū carmina [g]eri

Proveuoto supplici n̄ra queq; micte ecorica x

... econ

laudāt adorāno sco rex inhā aula x

r dona psceta sca tibernacula

PURA DEUM LAUDET INNOCENTIA

SĈ SCALA ADCELOS·

Al le lu ia

SĈ PLANCTUS CIGNI·

Al le lu ia

IN PRIMIS IN NATIVITATE DEI

ALLE LUIA

BEATUS UIR

ALLE LUIA

18.

MULTIFARIAE SEQ.

CHORUS SIVE BAVVENISCA

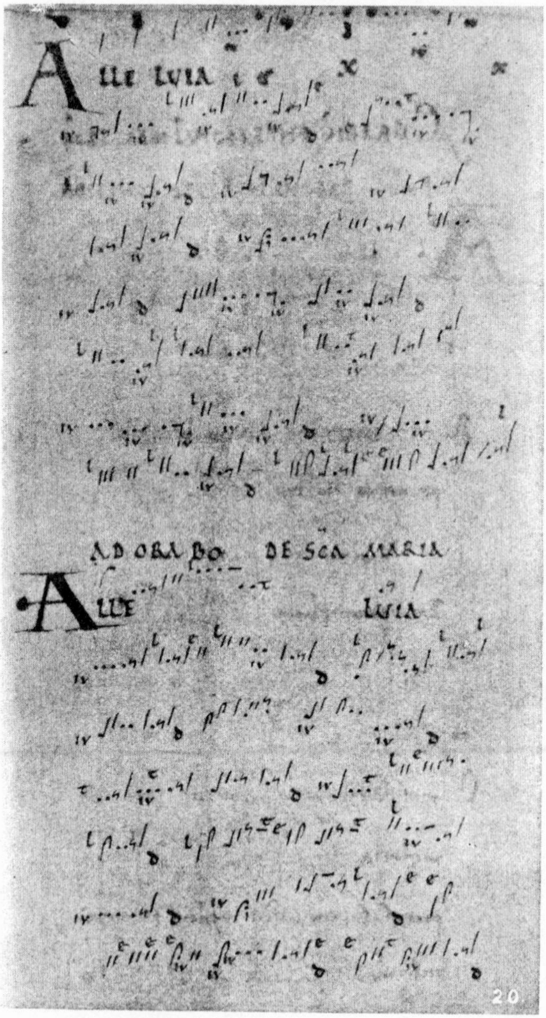

Alle luia

AD ORA BO DE SCA MARIA

Alle luia

20

PHŲ· PASCHALI FESTO CANENDA

AL — LE — LU — IA

Rex in aeternum suscipe benignus
preconia nostra

Victor ubiq; morte superata
Atq; triumphata

Orcus decribus nuda leo potens surrexisti
ingloria   Regna
petens superne rustis reddens premia
in secula

Ergo pie rex xpe nobis
dans   peccamina

Faceeum resurgere ad
beatam gloriam

21.

FULGENS PRECLARA

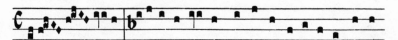

Fulgens pre- cla-ra rutilat per orbem ho- di- e dies in qua chrifti
De hofte fu-per-bo quem ihefus triumphauit pulchre

lu-ci-da narrantur ovan-ter prœli-a ⎰ In-felix cul-pa Euae qua caru-
cafta il- li- us pe-rimens te- ter-rima ⎱ Felix proles Mariae qua epu-

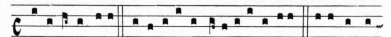

imus omnes uita ⎰ Ben-e-dicta fit celfa re-gi-na illa ⎰ Pollentem iam
lamur modo una ⎱ Generans regem fpoli-ante Tartara ⎱ Patris fe- dens

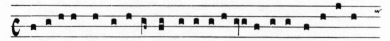

in aethera REX IN AETERNUM SUSCI- PE BENIGNUS PRECO- NI- A NOSTRA
ad dexteram VICTOR U-BI- QUE MORTE SU-PE-RA-TA ATQUE TRIUMPHATA

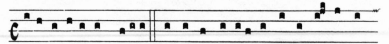

Sedu-la tibi can- en-tia ⎰ O magna O celfa O pulchra clemenci-
Polorum poffidens gaudia ⎱ Laus ti- bi honorque ac vir-tus qui noftram

 &c.

a Chrifti lu-ci-flu-a O al-ma
antiquam e-le-vafti sar-cinam.

ulcis praeclara rutilat

per orbem hodie dies inqua xpi

lucida narrantur ouanter proelia

D e hoste supbo quem itis trium

phauit pulchre castris illius pmers

ce terrima I nfelix culpa euae

Qua carumius omnes urca F elix

proles Mariae Qua epulamur

modo una Benedicta sic celsa

Regina illa Generans rogeni

spoliante cartare Pollentem

iam in aethera REX INAETERNO

SUSCIPE BENIGNUS PCOMMANBA

Sedula tibi canentia Patris

sedes addexteram VICTOR

UBIQUE MORTE SUPERATA

ATQUE TRIUM PHATA

Polorum possidens gaudia

O magna O celsa O pulchre

clementia xpi luciflua O alma

Laus tibi honorque aeuirtus

Alle luia

Ymera agiasmene in epifanion

Dies sanctificatus inluxit no bis

euthetá ẽhni ke prosceni

teton kirrion

enite gentes & adora te

dominum. asimeron

katabifos mega eprois gis

uia hodie descendit lux magna

super terram.

Alleluia

Dies sanctificatus inluxit no bis

ue nite gentes & adora

te dominum quia hodie

descendit lux magna

A INPRIMIS, DE NATALE DÑI

ALLE LU IA

mera agias mu niepisan

mon

A

DIES SCI FICA tus inluxit no bis

Deuthera ol hmi kceproseens

tecon kirrion

enucegontes eladora te dominū

tis imeron kambisos mega epitis

uia hodie descendit lux magna sup t

terram

ITEM ALIA

ALLE LUIA

et sci farus inluxit nos

24.

ommouisti domines
terram &conturbasti e
na contraciones e tui
quia mota est
t fugiant afacie
ar eus suoliberentur
ele ti tui

Com mo uis ti
do mine ter ram &conur tion
basti e
Am
Sa
na
contrici ones e tui
qui a mo ta est
Ut t fugiant
afacie ar eus
Ut li be rentur
eler ti tui

Quie querias insepulchro xpicole.

ITEM ALICQUID DE EODEM POSSIO

Ihm nazarenu crucifixu ocelicole

ANGELICE VOCIS CONSOLATIO

None hic surrex sic p dixerat ite nun
tiate quia surrex dicentes.

SCARU MULIERU AD OMNE

CLERU MODULATIO

Alleluia resurrexit domin hodie
leo foras xpe filius di do gratias
dicite eia.

enite & uidte locum.

Cito euntes.

Surrex dus de sepulchro q p nob pepend
inligno alta.

Condimentis aromatum vnguentes corpus statum quo pass-
teras caput nelatis quasi nostre marie queruntur xpianis
singule pecantes vigidein in manibus suis aromatibus suas prima ad ingressu chori vsque sepulcru procedat et quasi lamen-
tari ...
... Heu pius pastor omnitur quem nulla culpa
infecit et o mors lugen ... situ modo et dicat. Heu
nequam gens insana quam dira frendet nefanda plebs
... Deinde ij
... maria con-
queretur ... simul tu. Heu nerus doctor obijt qui uni-
... das sue patulus proces-
... So prima maria dicat
fictis contulit o res plangen ... hor m mo m s.
... Deinde
... septum
Heu misere cur contingit videre mortem saluatoris. maria.
... Deinde
... ternia
Heu consolatio nostra ut quis mortem sustinuit. ria. m
... hic si
... comm
Heu redemptio nostra ut quis taliter agere uoluit salut
et processerit
ns quasi cho
ad altare dicant. Iam iam et se iam properemus ad

... Tuc ...
... marias ...
nimbus ingentes silecti corpus sanctissimum. cat et se.
Nam uenet comixtio ne putrescat in tumulo caro bea-
... Denise
... teria
ta. maria. Ses uenimus hoc patrare sine aduito
... o quis nam sayum hor re nobur a monumentu
facto intuallo augeta uix
... sepulcru apparuit eis et di-
ostio. cat hor modo. nnnnnn. Quem queritis as
... Deinde respo
... scant tres ma
sepultemu o cristicole. ne simus. n Iesum nazarenum
... Tuc an
... helus si
... aunstynm o crucicola. cat sic. Surrexit non est hic
... stat. syte uenite et uidete ea ... eo ... iam ubi positus su
... Deinde jota uire sepulcru intrant inclinantes se et pro
... spinentes insup intus sindonem alta uoce quasi gauden
... So ad nutantes e patri a sepulcro redeuntes dicat sunt.
Alleluia resurrexit dominus Alleluia resurrexit dom

... Deinde
... angla
mus hodie resurrexit potens fortis xpristus filius dei. As eas
... Et euntes dicate discipulis eius et petro quia surrex
... In qua intrant as angelum
quasi mandatu suu adimple
it. Si parate dicentes simul. A pa pergamus prope
... intim nemant ad ingressu eis
... sue psone unse peses sub ur-
re mansatum hoc perficere. finis apsae iohannis a petu
scire albis sue paruis ac tunicas quas uelce quimus tunu
alba pastula in insula gestans. petius uero rubea maria nigra
mo scancis in manu deferculis ... isate amisretes de sepulcro
uneretemtes quasi se chore
fimul euntes dicate prim
maria sequenitum. n n n Iame pasthali laude
... fea
... ma
immolant xpiani. ua. Agnus redemit oues xpris ym
... ternia
... mor
gens patri reconsiliauit pecatores. ia Mors et uita
snello confl ... yere mirando ... dux uite mortuus regnat
... Tuc obinantes eis in medio
... chori presbiti discipulus inter
uns. ... uigdutres simul dicant. ... Dic nobis maria quid

... Tuc prima maria
... respondeat qua
in sisti in uia. ... si monstrando. ... Sepulcrum xpi uiuen
... Tuc ij maria in
... scat quasi mo
... ns et gloriam uisi resurgentis. ... Auge
... Terna
... marau
licos testes sudarium et uestes. ... feat. Surrexit xpris
... fi sic lorsam mai
... as simil chou ... ant
... sues uostra precesset nos in galileam. ... iu intraut suo es
... monumentu ut ripramen ille discipulus qui se lgeat ist uenit
... pet as monumentu uixta eius glili. currebam au ... is sunt ... i
... ce alius discipulus preuinit cuus petro a peui hoc as mo
... numentu do tu introiuit. uidentes discipuli
sepulcri uacuie uerbis marie credentes
... uinut si as choeum dicentes hor modo. A redeunt est
... lgenuat
... Gec ...
magis soli marie ueraci ... misericor turbe fallan. l fire ...
... aioue choeus psequae
... alta uoce quasi gaus
... cu eunfrantes denut. Sanus xpristu surrexisse a mortuu
... Qui pacta feriola
... offici aute
... ner in nobis miseer rex miserere et ...
... tu die pasibus omne ...
... ns abhini ... ...
... deum laudamus. ... feature ...